JN062767

幽玄の美学

東アジア芸術精神と美的思想

鄭 子路

The Aesthetics of the Yugen

Zheng Zilu

美学出版

幽玄の美学

東アジア芸術精神と美的思想

幽玄の美学　東アジア芸術精神と美的思想　◎目次

［凡例］

・本書では、東洋と西洋の概念を区別するために、「崇高」（西洋）、〈幽玄〉（東洋）のように括弧を使い分け表記している。

・人名の初出時に、物故者のみ生没年を記載した。

・引用する際、必要・可能な範囲で原文を注に抄出した。

・特定の人名以外は新体字で書くが、引用文は底本のままの仮名遣い、あるいは旧字・新字を使用することとした。ただし、第三章「東アジアにおける〈天人合一〉の詩学」およびそれに関連する附録では、読みやすくするために各版を対照したうえで句読点を打ち、仮名を漢字へ変換するなど手を加えた箇所もある。また、振り仮名や傍線を省いた箇所もある。

・文献については、必要に応じて各版を参照するが、便宜のために引用元をなるべく一つに統一することとした。近代学者は全集、中国古典は『新釈漢文大系』（明治書院、一九六〇～二〇一八年）、歌論は『日本歌学大系』（佐々木信網編、風間書房、一九五六～一九五七年）、歌合や和歌は『新編国歌大観』（角川書店、一九八七年）、世阿弥の能楽論は能勢朝次『世阿弥十六部集評訳』（岩波書店、一九四九年）から原則的に引用した。より詳細な内容は巻末の参考文献一覧を参照されたい。

序 章　多元文化の時代における〈日本美学〉の構築へ向けて

序章　多元文化の時代における〈日本美学〉の構築へ向けて

誰れか眞に今日の日本を知る者ぞ、誰れか眞に昨日の日本を知る者ぞ、又た誰か眞に明日の日本を知る者ぞ、多くの政治家あり、議論家あり、又た國粋家あり、而して眞に日本なる一國を形成する原質を詳かにする者は稀れなり、其人民の性情を窺はんと欲するが如きは、絶えてあらず、此に於いて余が文學史を望むの情一倍として來る。

（北村透谷「文学史の第一着は出たり」）[1]

本書は多元文化の時代における「エスニックな美学」としての〈日本美学〉の構築に向けて、〈幽玄〉を研究するものである。しかし、このテーマを取り上げようとする場合、あらかじめ説明しなければならない概念ないし問題がいくつかある。ここでは、具体的な展開に入る前に、これらについて若干の予備的な考察を行い、それらを通してこのテーマに対する本書の研究対象、研究背景、研究目的、研究方法などを明らかにしておきたい。

一　〈日本美学〉という概念

〈日本美学〉の構築について述べようとする場合、第一にぶつかるのは、「美学」あるいは〈日本美学〉という概念をどのように理解すべきか、という問題である。

美学という学問は哲学の一分野として、日本においては近代に「西学東漸」の下に西洋から輸入され、移植されたものである。近世には蘭学の発達に伴って、高野長英の『聞見漫録』(一八三五年)などに見られるように、西洋の人文科学がすでにある程度日本へ流入したと言えるものの、その本格的な受容が始まったのは明治維新後である。「哲学」という言葉が西洋語の「フイロソフィ」の訳語として西周(一八二九〜一八九七)に作り出されたことは、周知のとおりであろう。美学もそうである。この言葉は「エステチーキ」の訳語であり、同じく西欧の学問の翻訳から始まっている。それまで、日本には美学という学問がなかったのみならず、日本語もしくは漢字の語彙のなかにも「美学」という言葉が存在していなかった。たとえ「美」と「学」が偶然一緒に膨大な典籍のどこかの隅で現れていても、それは言うまでもなく、aestheticsという意味での「美学」ではない。「美学」という言葉の意味を歴史的にとるならば、それはドイツの哲学者バウムガルテン(A.G.Baumgarten, 1714-1762)が「感性(aisthesis)」を表すギリシャ語によって作ったラテン語の造語であるaestheticaに由来する。西洋の思想的・学問的伝統のなかで発展してきた哲学という学問の領域から独立を遂げた、論理学や倫理学とは異なる下位認識を扱う感性的認識論としての体系的な学問であり、人間の創造的精神による広義の芸術美を分析する芸術哲学でもある[2]。したがって、日本における美学ないし美学という学問の歴史は、近代における西洋哲学の受容にはじまる、と言っても差し支えない。

その一方で、「たとえ美がまず感性的・直観的に把握されるものであっても、何か深い精神的価値を持つとすれば、美や芸術を扱う学問を、単に感性学の名で呼ぶのは、あるいは必ずしも妥当ではないかもしれない」[3]と村田誠一が述べたように、美学の研究者にはバウムガルテンの「美学＝感性論」という最初の定義に批判・疑義・反対の声が存在したことも同じく否定できない。つまり、「美学」という言葉をもっと広く根源的な意味に即して捉えるならば、美や芸術に関する理論的な反省ないし人間の精神における美的・感性的な営みのすべてを、「美学」あるいは「美学思想」と呼ぶこともできる。美学は哲学の一部門として、純粋な知的関心に基づく専門的な「学問(理論)」としての性格を持つと同時に、美意識や美的・感性的文化の結実としての「思想」や「文化」の側面も備えている。この視点から「美学」を捉えるならば、西洋哲学の受容以前、日本にはもとより豊かな美学があり、和歌や物語といった文芸作品などには、芸術的実践の技法書や理論書としてまとまったものも少なくない。それらには日本固有の文化や土壌に育まれてきた独創的なものと、中国やインドなど外来の文化に影響され、形成されてきたものがある。

さて、「思想」や「文化」としての「美学」が間違いなく存在している日本において、〈日本美学〉というものが存在するのであろうか。これは日本において、〈日本哲学〉というものが存在するかどうかを問うのと同じく、自明のようで、簡単な問題ではない。

近代には、中江兆民（本名：篤介、一八四七〜一九〇一）というフランス語やフランス文化に詳しい自由民権派の啓蒙思想家がいる。彼は咽頭癌と診断された後で、様々な事柄を題材とした随想集『一年有半』を出版し、「我日本古より今に至る迄哲学無し」[4]という有名な一句で、世間を驚かせた。この句については、二つの異なる解釈が可能である。一つは、philosophyが日本に移植されて「哲学」と定訳される以前、日本には「哲学」という言葉も学問も存在していなかった、ということである。もう一つは、その時すでに日本では高等教育機関において「哲学」の学科が開講し、専門研究者もいたが、自らの体系を打ち立てた日本人哲学者ないし、日本の風土に生きづく〈日本哲学〉を理論的にまとめた書物がまだなかった、ということである。どちらが兆民の本意かは、学界には議論があるようだが[5]、本書の立場から判断を下せば、前者の理解には上記のように狭義と広義ないし学問と思想というような議論の余地がある一方、後者の理解はまぎれもない事実である。つまり、日本人の哲学者の手からなる日本の風土に基づいた独創的・体系的な「哲学」がなかったのである。

兆民の時代はもとより、philosophyやaestheticsが西洋より移植された明治から百五十年近くを過ぎた今日においても、この状況は大きく変わっていないと言ってもよいだろう。これについて、兆民より百年ほど後の時代に活躍している現代の美学者、佐々木健一は《日本美学》に対する自らの宣言書ともいわれる『エスニックの次元――《日本哲学》創始のために』において、次のように指摘している。

何を訴えようとするのか。それは、一言で言って《日本哲学》の創始への努力であり、そのための方途としての、哲学における「エスニックの次元」への回帰である。わたくしは、これまで殆どもっぱら美学の研究に従事してきて、今後の研究計画も美学のことしか念頭にない。厳密に言えば、わたくしの考えているのは《日本美学》の創始だと言ってよい。しかし、そのためにわたくしが問題としているのは、主として学問のスタイルと慣習であり、これはまさに美学が哲学全般と共有している要素である。学問のスタイルを論じようとするならば、どうしても哲学を問題にすることになる。そこで《日本哲学》の創始である。その必要を主張するということは、《日本哲学》が存在しない、という現状認識を前提としている。「日本の哲学」はあっても、「日本哲学」は存在しない。どのようなものであれ、日本で行われている哲学ならば日本の哲学である。しかし、《日本哲学》と熟して呼びうるためには、独自の問題意識と主張をもっていなければならない。それがわれわれには欠けている。[6]

日本において、哲学の基礎を築いたのは、前に触れたようにオランダで人文科学を最も早く学んだ西周である。美学という学問も彼により初めて紹介され、東京大学における講義の開講または講座の設置をもって、美学という学問が始まったとされる。以降、教育制度の整備に伴って、東京大学哲学科の卒業生としてドイツへ留学し、のちに美学講座の初の日本人教授となった大塚保治（一八六九〜一九三一）をはじめ、日本の美学界には多くの研究者が登場してきたが、美学の啓蒙活動よりさらに深い次元で、日本人の生活基盤あるいは「日本的心性」や「日本的感性」と呼ばれているものに基づいて〈日本美学〉の体系を整えた、整えようとした研究者がどれほどいるのか。またこれらを対象とした研究は、日本の美学研究でどれほどの比重を占めているのだろうか。日本美学界ないし国際美学界の最前線で活動している佐々木健一は、《日本哲学》や《日本美学》の不在を明言し、日本の哲学の基調となっているのは、「エスニックであるには程遠く、それとは正反対の国際主義、もしくは異文化主義とでも呼ぶべきもの」[7]、「古典研究を通しての超歴史的な人間的価値の学習を強調し、現実から一定の距離をとることを教えるユマニスム」[8]としている。さらに、日本美学界の研究状況を「同業組合としての学会はあっても、その学会は真の学界を形成していなかった。《日本の美学界が好んで論じている問題》など、生まれようがなかったのだ」[9]と喝破した。

このような佐々木の発言は「研究書ではない」[10]ものに目立つが、それは主観的意見であるのか、それとも美学研究の最前線で活躍している専門家としての長年の観察を通じて獲得した卓抜的で客観的な意見であるのだろうか。一九四九年に創設された日本美学会が機関誌として翌年から発刊し続けている『美学』に収録された研究論文の一覧に目を通すならば、その状況は自明であろう[11]。日本の美学研究には、西洋美学ばかりではなく、〈日本美学〉の内容も存在すべきである。にもかかわらず日本の文化や感性的な伝統からテーマを抽出して理論的に組み立てた真の体系的・学問的な「美学」が少ないのではないか。吉田精一（一九〇八〜一九八四）が日本文芸評論に対して次のように評価しているのは、おそらくこの観点に基づいたものであろう。

明治時代に入って評論が独立した文芸のジャンルとなったことは、日本の文学史上特記してよい事実と思われる。古代に於いても、歌論、詩論のたぐいはあった。中世以降には連歌論、能楽論、俳論、演劇論、劇評のごときが生じた。なかでも定家の歌論、無名草子の小説論、世阿弥の能楽論、芭蕉の俳諭などは、文学史上に光を放つものであった。しかし、それらは、多くは体験に附随する断片的な感想乃至技巧論であって、それぞれの体験を整理して体系、理論にまで一般化してはいない。明瞭な自覚を以て芸術の社会人生との関係、或はそれ自身の本質、意義を追求し展開するというようなものはなかった。多くは感覚のことばであって知性のことばではなかった。あるものには一滴の水中に深い芸術の本質をやどす象徴性はあったとしても、委曲をつくした条理によって万人をなっとくさせる普遍妥当性は缺いていた。[12]

日本における美学の成立が西洋の哲学・美学の移植を媒介や契機としている[13]ことは、すなわち日本の美学が西洋美学と同じであることを意味するのではない。西洋では、美学という学問は近代の合理主義の発達に伴って成立したものであり、美や芸術における固有の論理や自律的な性格を明らかにすることを目指す。こうした科学の一部門として、あらゆる人類に共通するものとして、西洋の理論成果や分析の方法・アプローチはもとより、日本ないし東アジアに適用できる部分がある。その一方で、「形相を有となし形成を善となす泰西文化の絢爛たる発展には、尚ぶべきもの、学ぶべきものの許多なるは云ふまでもないが、幾千年来我らの祖先を孚み来つた東洋文化の根柢には、形なきものの形を見、声なきものの声を聞くと云つた様なものが潜んで居るのではなからうか。我々の心は此の如きものを求めて已まない、私はかかる要求に哲学的根拠を与へて見たいと思ふのである」[14]と、日本で最も独創的な論理を築いた哲学者の一人である西田幾多郎（一八七〇～一九四五）が述べたように、「エスニックな美学」としての〈日本美学〉、もしくは東洋美学との相違性も認めなければならない。西洋美学の導入と研究は〈日本美学〉を構築するための準備段階であり、最終的な到達点ではない。西洋美学の導入は、自らの文化や人文科学をよりよく構築するための通過点である。これを忘れたならば、日本の美学研究は一種の浮き草のような空理空論に終わってしまうであろう。

二　西欧中心主義的な美学の終焉

美学や〈日本美学〉という概念を明らかにした後、第二に〈日本美学〉を構築する前提として、その研究背景を正確に把握しなければならない。

一九四〇年代、いわゆる激動の戦争時代に、日本の思想界では明治以来の近代化の道および西欧化の実態を反省する二つの有名な座談会が開かれた。一つは一九四一年一一月二三日に京都大学に所属する高坂正顕（一九〇〇～一九六九）・鈴木成高（一九〇七～一九八八）・西谷啓治（一九〇〇～一九九〇）・高山岩男（一九〇五～一九九三）の四名の学者で行われた「世界史的立場と日本」（『中央公論』一九四二年一月号・四月号と一九四三年一月号に分載し、のち単行本化）であり、もう一つは一九四二年七月二三～二四日に主に文学界、日本浪漫派、京都学派のメンバーが出席した「近代の超克」（記録は『文学界』一九四二年九月号と一〇月号に分載し、のち単行本化）である。必ずしも客観的な評価ではないが、この二つの座談会は、ともに戦争への理論的協力という悪いイメージが残ったため、戦後にはしばしば批判されてきた。こうした状況の下、竹内好（一九一〇～一九七七）は、この忌まわしい座談会を改めて取り上げて論じ、「近代の超克」への再考を促した。その結果は、『思想』に編まれた二つの特集（一九六三年第一一号「特集：近代化をめぐって」および一九六四年第一一号「日本の近代化の再検討」）として実を結んでいる。また、この反省に伴って、近代西欧文明の原理を超克する方法論として、竹内好「方法としてのアジア」（武田清子編『思想史の対象と方法』創文社、一九六一年）、溝口雄三『方法としての中国』（東京大学出版会、一九八九年）、子安宣邦『方法としての江戸』（ぺりかん社、二〇〇〇年）という一連の著作も次々と出ており、それらにはアジア的近代の価値が明確に提示されている。

一九九〇年代に入って、「近代の再超克」や「近代化の再考」の理論的射程の延長あるいはその思想の具体化と言っても差し支えないが、日本の学界には西欧のスタンダードに基づいてつくられた近代的な学問体系に対する検討があり、西洋文化の一元的支配から抜け出し自民族の美学を構築しようとした確実な努力が見られる。神林恒道の言葉を借りるならば、これらの行動は「西欧という『外からの眼差し』と、これに対するわれわれの芸術的アイデンティティの主張、つまり『内からの応え』」[15]の合力によって促されたのである。

> われわれは「芸術」という言葉を聞くと、ほとんど無条件に時空を超えた人類の普遍的文化であると反応してしまうところがある。だが事実はどうであろう。「芸術」とは「Art」の訳語であり、「Art」とは所詮西欧的な「ものの見方」にすぎない。これまでアジアの芸術は、西欧のスタンダードに基づいて「発見」され続けてきたのである。〔中略〕十九世紀から二十世紀にかけての西欧文化の一元的支配の時代をくぐり抜けたいま、われわれは新世紀において、本来あるべき文化的な価値の多様性を改めて実感しつつある。しかし、そのために芸術を誤った偏狭な

民族意識の発揚の場として捉える過ちは避けなければならない。それぞれの民族がその固有な文化と芸術について互いに異のあるところを認めつつ、なおそこに新たな「芸術」についてのグローバル・スタンダードが構築する可能性を探るべきであろう。[16]

日本の美的文化や芸術思想に熱い眼差しとグローバルな関心が寄せられたのはこの十年、二十年のことではない。一九世紀の後半にはすでに西欧で「小芸術が大芸術を席巻してしまう過程に出現した歴史現象であって、そこでは、線透視法、明暗法、肉着けといったアカデミズムの規矩はすべからく否定され、と同時に、古典主義美学の屋台骨も骨抜きにされていった」[17]というジャポニズムが流行したことは、周知の事実である。廃仏毀釈や全面欧化を目指す明治時代にも、一時の理論的指導者として日本伝統美術の振興に力を尽くしたフェノロサ（Ernest Fenollosa, 1853–1908）に代表されるような日本文化に熱烈な関心を示した西洋人も少なくなかった。これは古代ギリシア思想やキリスト教精神のもとに築かれた、近代西洋文明が行き詰まった時にも見られた動向である。

しかしながら、この同じような現象にも近代と現代とでは異なったところがある[18]。と言うのは、近代のそれは西欧の側からの大航海による東アジアの発見であり、あくまでも産業革命以後の資本主義の市場的・経済的ニーズの膨張に伴った一方的かつ強力的な取込作業にすぎない。これに対して、現代のそれは多元文化社会を構築するための人類の共同作業と言ってもよい。両者の差異は、西欧文化の絶対的優越性の他者であるわれわれ非西洋の国々の姿勢である。近代においては、西欧文化を上位とする欧化主義者がどれほど誕生したかを問わず、受け身であったという態度は日本も中国も変わらない。また、「君子は和して同ぜず（君子和而不同）」（『論語・子路第十三』）[19]や「四海の内、皆兄弟なりと（四海之内、皆兄弟也）」（『論語・顔淵第十二』）[20]という古い言葉が示すように、一定の集団社会における文化的多様性や相違性を認め、多文化の共存を好ましいとみなす考え方は、古くから東アジアなどさまざまな地域に存在しているが、「多文化主義（multiculturalism）」や「文化的多元主義（cultural pluralism）」という用語ないしそれをめぐる学問的な議論は二〇世紀以降の現代、北米の英語圏から徐々に現れたものである[21]。アメリカにせよカナダにせよ、北米の国々における植民者・移民と先住民の衝突によって生まれた、一九世紀以来の同化主義や人種差別主義の反面としての思潮は、近代の植民地主義と同じような一方通行な支配・被支配の図式ではなく、グローバル化や世界主義と結合して、ポスト国民国家の時代における新しい世界的なイデオロギーになっている。

美学という学問領域に即して言えば、その象徴は、国際美学会議（International Congress of Aesthetics、以下ICAと略す）の開催である。前にも触れたように、美学という学問は昔から西洋学に属しているという性格があり、欧米がその発言権を握っている。長い間、西欧の美的文化や芸術的実践に基づいて構築された「美学」は、「同一性」や「普遍性」というキーワード[22]に代表されるように、近代以来の西欧中心主義的な原理を追及し、人間文化の多様性と独自性を無視している。こうした背景の下、西洋の問題がすなわち美学の問題であるという固定観念や、西洋哲学のテクストを中心とする理論的な研究が日本の美学研究の流儀にもなっている。国際美学会議の母体である国際美学連盟（International Association for Aesthetics、以下IAAと略す）も当然、西欧諸国の美学研究者を主要なメンバーとして組織されている。「ある国の学会にではなく、ある特定の個人にICAの組織を委ねてき」[23]て、一九一三年ドイツ・ベルリンに初めての大会を迎え、「そして第二次世界大戦後は一九五〇年のアテナイ大会を皮切りに四年に一度、近年は三年に一度の間隔で規則的に開催されてきた」[24]。美学研究における最新の理論や話題は常にこの大会に提出され、国際的関心を持つ美学研究者が注目する国際美学研究の発展動向を直観的に反映する傾向にある。

二〇〇一年、この美学界のオリンピックともしばしば呼ばれてきた国際美学会議（ICA）は、日本美学会と日本学術会議との共催によって、欧米圏以外の地で初めて第一五回大会開催を実現した。八月二七日から三一日の五日間にわたり、千葉県幕張の神田外語大学で行われ、「四二の国／地域から四三〇名の参加者を迎え、三三二の研究発表を行い、大きな成果を挙げた」[25]。この会議は、《二十一世紀の美学》をテーマとして、「美学の新しい地平を映し出すために予め分科会の主題を設定することなく、参加者に重要と思う問題を持ち寄ってもらうという形式」[26]と「現実に根ざした新しい美学のすがたを明るみに出すという理念」[27]を持って、世界中に影響力を持つ研究者、いわゆる美学世界の「スター」による招待講演を廃し、その代わりにコンクール形式で九名のアジアの学者を招待した。またコンクールのほかに「アジア美学」という連続シンポジウムも行われた。

記念すべきこの「東京大会」のもっとも重要な意義を捉えるならば、おそらく「欧米中心だったこれまでの会議に引き比べ、日本を始めとするアジアからの新しい声が刺戟を与えたこと」[28]であろう。これに先立って、一九九五年フィンランドのラハティで開催された第一三回ＩＣＡにも「非西洋美学」の分科会が設置されたようであるが、この時は、非西洋国からの参加者数が非常に少なく、おそらく西欧内部の限られた「外からの眼差し」によるものであり、「内からの応え」は極めて薄かったと予想される[29]。他方、一九九八年京都大学で開催された日本美学会第四九回全国大会での「日本における美学・藝術学の歩みと課題」という当番校企画の特別研究発表会や、一九九九年金沢美術工芸大学で開催された第五〇回全国大会で「美学会創立五〇周年記念シンポジウム」という記念行事も行われたが、日本国内の学会活動ということで、影響力は「東京大会」には及ばなかった。のちの「北京大会」（二〇一〇年八月九〜一三日、於北京大学）の組織委員長を務めた高建平が評価したように、「東京大会」では明らかに一種の転換が見られ、非西洋諸国の研究者の声が世界美学に加わり、国際美学連盟（ＩＡＡ）も「西洋美学大国クラブ」ではいられなくなったのである[30]。

この新しい可能性としての「転換」はどのようなものであったのだろう。美学という学問の発展という広い視点から見るならそれは、近代の国民国家の創始段階に現れたような普遍性や同一性を追求する宗主国的で西欧中心主義な美学と、それに対抗する被支配の殖民地の排外的・民族的なアイデンティティとしての「民族美学」から、現代のポスト国民国家時代に現れた世界主義や互いに尊重し合う多文化主義に基づいて築かれようとする「エスニックな美学」への転換である。「東京大会」以降のＩＣＡの開催地（第一六回ブラジル、第一七回トルコ、第一八回中国、第一九回ポーランド、第二〇回韓国）も、この人類の世界的・共同的な試みを物語っている。また同時に、日本に限定して言えば、それは普遍的な美学理論あるいは外国美学の研究から〈日本美学〉への回帰でもある。日本の問題を研究対象として専門的に研究し続けてきた少数の美学者以外に、神林恒道や佐々木健一に代表される西洋美学の研究から出発した研究者も、国際美学会議が日本で開催された前後には、〈日本美学〉への強い関心を示した。日本の美学に関する研究がブームとして一時現れたのは、まさにこうした背景によるのである。

三　方法としての〈幽玄〉、または〈幽玄〉の方法

続いて特に説明を要するのは、〈幽玄〉をどのように研究し〈日本美学〉を構築するか、ないしどのように〈幽玄〉を研究するのか、という本書の研究方法についてである。

冒頭に述べたように、本書で〈日本美学〉の構築に向けて具体的に取り扱うのは、〈幽玄〉という日本的な風土や日本人の感性によって生まれた概念である。日本の美的系譜において、〈幽玄〉は〈もののあはれ〉、〈わび・さび〉、〈いき〉などと並んで、「日本美の典型」あるいは「日本的なるもの」と称されている。歴史上、この概念は日本人の美的理想の一つとして、文学をはじめ、庭園や絵画など様々な芸術領域に表現・実践されているのみならず、日本の古典芸術理論、とりわけ中世の和歌論・連歌論・能楽論の中心的概念として、構造上も思想上も柱のような役割を果たしていた。この概念の解明は〈日本美学〉の体系的な構築にとっては必須の作業であり、〈幽玄〉に関する文化的感性や美的思想は〈日本美学〉の重要な内容・課題でもあると言えよう。さらに、〈幽玄〉は近代の西欧中心主義を超克することができる〈日本美学〉構築の具体的な方法としてもあり得ると筆者は考える。その理由は以下である。

まず〈幽玄〉は、狭義の学問や理論としての「美学」と、広義の思想や文化としての「美学」とを連結する堅固な橋である。この両者の間には実は形成された時期の時間上と論理上の食い違いがある。つまり、時間的に見れば、美学思想や美的文化という後者の「美学」がまず存在し、そして学問や論理としての前者の「美学」はこれを地盤にして誕生してき

たのである。その一方で、論理的に見れば、前者は西洋においてはバウムガルテン、日本においては東京大学における美学講義の開講によって始まり、それより以前には、前者の「美学」が体系的に把握されることはなかったことは先述したとおりである。後者は前者が成立した後、後者によって歴史上に残された材料を選出し、「美学思想」あるいは「美的文化」の形で再編したものと見なすこともできる。第一章「和魂漢才から和魂洋才へ――近代日本における「美学」の成立」で明らかにするように、日本で前者が創始して以来、美学の研究者は主に西洋の美学理論を翻訳・紹介・解説し、〈日本美学〉を研究すると言っても常に自国材料を用いて西洋の理論を論証することになってしまう傾向がある。しかし、今日において西欧中心主義の近代美学を超克して多元文化の時代における「エスニックな美学」を構築するためには、日本の近代美学史を新たな視点で振り返って整理する必要がある。〈幽玄〉は狭義と広義の美学という両者にとっては共同的な対象であり、さらに前近代と近代、「美学思想史」と「美学学科史」、藤原俊成（一一一四～一二〇四）などの歌人と大西克礼などの美学研究者とを媒介として、それを研究することによって、その食い違いを超克することも可能である。

次に、〈幽玄〉は、哲学的な研究方法と歴史的な研究方法との分離を映す不可視の鏡である。哲学的な研究は普遍的な原理を追及する学問として、往々にして概念的・論理的分析を重視し、歴史性や文化性を排除する超時空の傾向がある。その一方で、歴史的な研究は、実証主義や帰納的方法を主要な方法論として、形而上学的思考を排除し、芸術における文化的・社会的な機能を重視する。この方法論の相克は、今道友信（一九二二～二〇一二）の言葉で言うならば、「學びで思はざれば則ち罔し。思ひて學ばざれば則ち殆し（學而不思則罔、思而不學則殆）」（『論語・為政第二』）[31]という孔子の予言的な警告を無視した現代に起こった「思索と研究との悲劇的な分離」[32]と呼んでもよいかもしれない。第二章「幽玄論史百年――複合的・総合的な研究への道程」で明らかにするように、「幽玄論争」以来、大部分の幽玄研究は狭い国文学の分野に閉じられ、単一な専門領域からアプローチをした「近代的な幽玄研究」に属する。このような帰納的批評に留まった幽玄用例の解明研究は前近代の訓詁学や文献学と本質的に変わりがない。またそれと同時に、森鷗外（一八六二〜一九二二）のような専断的な演繹的批評も同じく説得力に欠けた不完全なものにすぎず、「現代的な幽玄研究」ではない。時代や社会と乖離した思想は存在しない。歴史や文化を離れた抽象的な概念の「スコラ的」な研究は長い生命力を持つことができない。しかし哲学的な演繹がなければ、帰納的にまとめただけでは、ただのデータであり、同じく高い次元へ昇華することはできない。〈幽玄〉は存在論的意味・様式的意味・美的意味を備える概念でありながら、艶なり無常なり、時代の好みによって常に変容し現代に息づくものとして、哲学的な研究と歴史的な研究との調和を要求している。

また、〈幽玄〉は国文学・美学・芸術学・美術史学・文芸学・文献学などさまざまな分野を繋げる柔軟な糸である。西洋から近代の学問体系を導入・移植して以来、学問は専門化・精細化していく傾向がある。青木孝夫がかつて取り上げて論じた「芸術」と「芸能」の区別が示しているように、

「藝術」と「藝能」の区別は、研究対象の区画を示すだけでなく、文化的価値の上での相違を含意し、さらにまた研究組織や方法の相違にまで影響している。即ち藝術を哲学的に研究する組織が美学会であり、藝能を歴史的に研究するのが芸能史学会である。美学は、西欧の文化と学問に範をとる普遍学であり、芸能史研究は、日本の土着の民族・民俗文化の歴史研究として、特殊な学である、と了解されている。その結果、お茶やお花などの伝統藝能の美学的研究は、この両者の間隙にあっていわば学問的なキッチュとなっている。しかし、この狭間に落ち込んだ文化領域、従来のパラダイムからすると周辺でしかない藝能の領域にこそ「日本の美学」の特徴がある、という理解の戦略も可能である。[33]

日本の学問領域は西洋の概念や研究のスタイルに即して、研究対象から研究組織、研究方法まで、かなり人為的な区分けがある。しかし、〈幽玄〉という概念は、和歌など国文学の対象のみならず、能楽や庭園や絵画などの共通な

テーマである。単一な分野からアプローチする幽玄研究は、〈幽玄〉の全貌をうまく把握することができないし、さらに袋小路に入り込みタコ壺化に陥るだろう。このような状況から幽玄研究を救い、より深い次元へ推進する方途はまさにこれらの領域を貫く複数のアプローチを持つ総合科学的な方法にほかならない。これは第二章「幽玄論史百年」で〈幽玄〉の研究史を整理することを通じて得た歴史的な経験であり、本書で試みる方法でもある。

そして、〈幽玄〉は日本ないし東アジアの芸術的精神の世界を開く重要な鍵である。日本文化論の世界では、その中心や理想は「ますらぶり」の『万葉集』であるのか、それとも「たおやめぶり」の『古今集』であるのかが、しばしば議論されてきた。例えば、「貫之は下手な歌よみにて古今集はくだらぬ集に有之候」[34]と『古今和歌集』を徹底的に批判した正岡子規（一八六七〜一九〇二）に対して、梅原猛（一九二五〜二〇一九）は『美と宗教の発見 ―― 創造的日本文化論』（筑摩書房、一九六七年）の「はしがき」において、「われらの文化を、祖先の文化を知ろうと思ったら、彼らの美と宗教を知らねばならない」[35]と述べ、その「美」の典型を『古今和歌集』に求めるとした。さらに梅原によれば、『古今和歌集』に現れた「美」はその後、明治以前までの千年間、日本の美意識一般の根本的基準を定めたという。まさに彼の言うとおりである。第三章「東アジアにおける〈天人合一〉の詩学 ―― 〈幽玄〉の解明を中心に」で明らかにするように、〈幽玄〉は古代中国に使われ伝来した言葉として、その奥には山水に対する東アジア共通の感性が潜んでいる。日本へ伝来したあと、日本初の芸術論でもある『古今和歌集』の序文によってはじめて芸術領域に導入され、和歌をはじめとする日本の芸術的世界の最高の美的理想として確立されてきた。〈幽玄〉の歴史的変容を明らかにするならば、前近代の日本文芸の発展もほぼ明確になるだろう。

最後に、〈幽玄〉は日本文化から世界文化へ向かって開く風通しのいい窓である。第三章でも試みるように、幽玄研究には他者と比較する方法があり、その比較は三つの次元で行うことが可能である。第一の次元は、東洋と西洋のようなまったく異なる文化間での比較、例えば大西克礼が試みた〈幽玄〉と「崇高」（sublime）の比較である。それを通じて、普遍の美・不変の美というプラトンのイデア論に基づいて築かれた西洋の神話は打ち砕かれ、美に対するわれわれの感性の特性を見いだすことができる。第二の次元は、同じ漢字文化圏である東アジア内部の比較、とりわけ中国の美的範疇である〈神韻〉などとの比較である。それは日本の和歌論が中国の詩論と極めて密接な関係があるのみならず、山水に対する感性も近いからである。現代の比較美学の多くは文化圏間ないし異文化間での非歴史的比較学であり、東アジア漢字文化圏のような歴史が共有される同一文化圏内部で特定主題の連続性と変化を探求する比較学は不足している[36]。この次元での比較はその空白を埋めるものでもある。第三の次元は、日本文化内部での比較、例えば〈幽玄〉と〈さび〉、〈幽玄〉と〈有心〉の比較である。これらの日本的な概念が互いに切り離されているものではなく、歴史的な連関性や内容的に重なり合う部分があるから可能である。非常に困難な作業ではあるが、その比較によって〈幽玄〉というものの特質もより明白になる。

上記のような日本的な概念としての〈幽玄〉を重視し、それについて研究・解明することによって〈日本美学〉を構築することが本書の立場であり、しばしば引用してきた佐々木健一が創始しようとする《日本美学》とは根本的な違いもある。佐々木の《日本美学》は、彼が様々な場所で再三再四説明しているとおり、次のようなものである。

わたくしの求めるエスニックな哲学は、西洋の古典に代えて日本の古典を研究することではない。現在のわれわれの生活と感受性に立脚して思索する哲学のことである。[37]

《日本哲学》とは、我が国の古典的な思想的テクストの研究のことではない。〔中略〕わたくしの夢見る《日本美学》において、日本の伝統藝術を対象とする、という必要はない。われわれの藝術生活の大半が西洋的な藝術によって支えられているのであれば、それがわれわれの現実であり、この現実に立脚する以外に、われわれの《日本美学》はありえない。[38]

わたくしが第一に求めているのは、日本的な概念について考察することでもなければ、それを組み込んだ美学体系を構築することでもなく、くりかえし言っているように、わたくしのそしてわれわれの生活の基盤に立つ本音の美学を実現することなのである。[39]

カントやヘーゲルの研究を止めて本居宣長の研究をしようということはまったく考えていないんです。現代のわれわれの一九九九年に、この文化的な風土の中で生きているなかから、どういう問題が本当にあるのかということを見つけたいと思っているんですね。それはひょっとすると昔のわれわれの祖先たちが論じていたこととつながるところがあるかもしませんけれども、そのまま無条件的に昔の日本人たちのいわゆる感受性とか美意識とかですね、そういうものが現在のわれわれの経験を説明してくれるというふうに思っているわけではありません。[40]

言うまでもなく、いまの現実や日本人の生活の基盤に立って「本音の美学」を構築の出発点とする佐々木は、間違いでない。しかし、日本の古典的なテクストや本居宣長（一七三〇～一八〇一）を研究せず、日本の伝統芸術をも対象としない研究は、真の〈日本美学〉を構築することができるのか。また、歴史や伝統を軽視した「現実」や「風土」は、真の現実や風土であるのか。古くから日本的感性の根底に流れている〈幽玄〉は、西洋の美的範疇である「美」や「崇高」に直訳されないものとして、もとよりそれらに対応することによって「普遍文化（The Culture）」としての「美学」に取り込まれる必要はない。西周がかつて『美妙学説』において「日本の語学上の考証」によって〈クシキ〉という言葉を引きながら自らの美学を立てようとしたように、日本的感性を結晶してそのまま反映する日本語の言葉として〈幽玄〉を用いて考察していくことは不可能ではない。〈幽玄〉を〈もののあはれ〉〈わび・さび〉〈いき〉などと共に〈日本美学〉の体系を組み立てるために活用することは有効であろう。これらの日本的な概念あるいは日本的な言葉の体系を除いた《日本美学》の構築は所詮、一種の亜流の西洋美学にすぎず、真の〈日本美学〉とは言えないと考える。

『エスニックの次元――《日本哲学》創始のために』に続き、「日本的美学の試みとして構想」された『日本的感性――触覚とずらしの構造』において佐々木は、「具体的な研究法として、和歌を素材とする経験的な探求、という行き方」を採り、次のような目標を設定した。

日本的美学を考えるということは、日本的な目次をたてる、ということです。すなわち、日本的美学と呼びうるような思想において重要とされる問題を掘り起こし、それを体系化することです。そのような問題意識は従来から存在し、幽玄、あはれ、わび、さび、いき等々の、所謂日本的な美的範疇が取り上げられ、論じられてきました。これらは、美の個性的な形態で、それぞれに特殊な世界観と結びついています。しかし、わたくしの求めていたのは、日本的な目次によって美学そのものを更新することです。ローカルな特殊性のなかに閉じこもることではなく、あわよくば世界の美学への寄与となるような新しい美学を、日本的な美学のなかに求めたい、と思っていました。そこで、これらの日本的な美的概念を更に掘り下げ、その根底にあるモチーフを取り出したい、と考えました。そのためには、感じ方のレベルで顕著な特徴を探すことが第一歩です。それはいまだ理論化されておらず、従って、自由な目次構成に資する、という高度の可能性をもっています。[41]

和歌に戻って日本的美学・感性の素材を汲み取ることは、「日本の伝統藝術を対象とするという必要がない」と唱えて《日本美学》を構築しようとしていた佐々木にとって、必要な修正であったと言えよう[42]。〈幽玄〉を方法として〈日本美学〉を構築しようとする本書は、「伝統藝術」の形で継承し続ける伝統的な感性ないし学術的環境を含める日本的な「風土」を重視する。これは決して前近代的な伝統へ戻そうと呼びかける「復古主義」ではないし、西洋をスタンダードとした近代主義の代わりに日本主義や東洋主義を唱えることでもない。現在の経験は近代以前の日本ないし東洋における感性の伝統と完全に隔絶されているのではなく、歴史を通じて社会的に形成されてきたものと考えるからである。したがって、伝統を究明しながら、現代的な研究方法を取り入れることによって、すこしずつ進行している多元文化の社会という現代的な文脈で「エスニックの次元」へ戻って〈日本美学〉を構築するという課題に貢献することができると、筆者は確信している。

注

1 勝本清一郎編『透谷全集』第一巻、岩波書店、一九五〇年、二四六頁。

2 佐々木健一は『日本的感性――触覚とずらしの構造』(中公新書、二〇一〇年、まえがきii)で、美学の発展について、次のように紹介している。「美学のことを、英語で aesthetics と言いますが、この英語は語義としては「感性学」という意味です。美学はこの名称のもとに一八世紀にドイツで創始された哲学的学科です。その主題は、日本語の名称に従えば「美」の学ですが、西洋語では「感性」の学であり、歴史的に展開してきたその実態は「藝術」の学です。新しい目次を求める運動のなかで、美学を、そのもとの語義に還って感性の学として捉えなおそうという主張があり、変化しつつある現代の美学のなかで、これまで最も研究の進んでいなかったのが感性ではないかと思います」。

3 村田誠一「美学と芸術学」神林恒道・潮江宏三・島本浣編『芸術学ハンドブック』勁草書房、一九八九年、一三頁。

4 松本三之介編『中江兆民全集』第一〇巻、岩波書店、一九八六年、一五五頁。

5 詳細については卞崇道「東アジアにおける近代日本哲学の意義――明治哲学を中心として」(藤田正勝・高坂史朗・卞崇道編『東アジアと哲学』ナカニシヤ出版、二〇〇三年、一九一～一九二頁)を参照されたい。なお、永田広志は『日本哲学思想史』(法政大学出版局、一九六七年)の序論でこれついて解釈している。

6 佐々木健一『エスニックの次元――《日本哲学》創始のために』勁草書房、一九九八年、まえがきii。

7 同右、一七頁。

8 同右、二二頁。

9 同右、二六頁。

10 同右、まえがきi。

11 日本美学会の発展や日本美学会創立以来の日本美学の研究状況については、美学会創立五〇周年にあたって開催された「美学会創立五

○周年記念シンポジウム」を通じて、その一端が窺える。この二〇〇号記念特集（『美学』第五〇巻第四号、二〇〇〇年、六〇～六九頁）に収録されている西村清和が要約した山本正男、吉岡健二郎、岩城見一、岸文和、礒山雅、浅沼圭司、佐々木健一、中村二柄、斎藤稔、青木孝夫諸氏の発言を整理すると、次のようなことがわかる。つまり、日本美学会は戦後の教育改革のなかで、日本国内に共通の研究発表の場が欲しいという声ないし国際交流の働きかけがあったという状況に応じて、東大、京大、東北大、九大を中心に発足したものである。初期はドイツ語系の美学研究がほとんどであり、カントやヘーゲルを非常に好んだ。戦後に話題になったものはサルトルらの実存主義であり、のちにフランス系の研究が増えていったものの、アメリカの美学を研究する者はあまりいなかった。一九九九年の時点で、約一五〇〇名の会員を有する美学会に対して、美術史学会は約二三〇〇名であり、その中で、美学会にも属しているのは三〇％であり、互いに重なりがある。大学の教育制度上、美術史は美学あるいは芸術学の講座より独立を求めようとしてきたが、ついに実現したのは東京大学だけであった。また美術史学会と同じように、美学会に近い関係をもつ音楽学会や映像学会は、美学会の理論的、原理的という発表の特徴と異なって、実証的な研究が多い。さらに、西村が編集した「雑誌『美学』掲載論文の変遷の概略」（このシンポジウムで配布されたこともあるようだが、残念ながら筆者は入手して確認することができなかった）によれば、一九五〇～六〇年代に目立つのは美学の原理論、方法論、総論、それから美的体験と密接に関係する時空間論であり、七〇年代以降になると個々の美的経験、芸術経験やその対象についてのより分析的なもの、八〇年代以降、とりわけ九〇年代には美学史の研究が増えていった。傾向としては、非常に細分化して特殊なテーマを多様な芸術現象や美的経験に即して多視点的に扱おうという人文諸科学に共通なものであり、時代遅れになったテーマとして、美的範疇論や様式論、美学史研究がある。また『美与時代』（下巻二〇一五年〇一期）に掲載されている武田宙也の「日本美学和芸術研究的現状——以二〇世紀九〇年代以後的変化為重点」（孫凡棋訳、二〇一五年、三六頁）によれば、日本における美学研究の発展には次のような特徴がある。「第一に、研究興味の多様性に基づいて、論文に言及された人の名前の数は著しく増え、美学領域にあまり見られなかった人の名前も時々出てくる。第二に、多くの研究者はフランス哲学（とりわけ二〇世紀のフランス哲学）を重点において注目し始めた。この現象は『フランス哲学』が一九八〇年代の日本に流行っていたことに関わっている。第三に、日本人の思想家の研究も見られる。例えば、西田幾多郎、大西克礼、柳宗悦、三木清などの思想者研究。これは一九九〇年代、日本現代の美学研究そのものも研究対象になることを意味し、日本美学の成熟ともいえるだろう」。

12 吉田精一「解説」『現代文学論大系（第一巻明治時代）』河出書房、一九五六年、三六三頁。また吉田は日本文芸批評を概論する際、次のことも指摘している。日本文芸に関する典型的な観点・通説でもあるため、掲出しよう。「日本の伝統的な文芸批評、様式論は歌論・歌学であり、それが時代とともに新しく発生した文芸のジャンルに合わせて、連歌論・能楽論・俳論・演劇論等に影響し、浸透していく。多くは作者や役者の体験に裏づけられた非理論的、非体系的な営為にとどまっているが、それを具体的実践の結果たる作品と照らし合わせ、総合・整理して、認識・自覚の理念的次元で把握する。〔中略〕いずれにしても評論書として独立した著作は極めて少なく、のちの研究者、学者はあるいは作品の序跋や、随筆の一部、あるいは注釈中に散見するものを拾って組み立てることを要する。また近世の文学論中でもっとも重きをなす芭蕉の俳論は、ほとんどすべて彼の談話類を弟子たちの書きとめたものや、弟子同士の俳論俳話中に出てくるものであって、真否の断ぜられない場合がある。そして芭蕉にかぎらずほとんどの批評が実作者の体験にもとづく断片語で、直観的には鋭いにしても理論的構築や分析に欠けている。その意味で西欧の批評史にくらべて、貧寒さを覆うことはできない」(吉田精一『近代文芸評論史　明治篇』至文堂、一九七五年、七・一九頁)。

13 東京帝国大学が編集した『学術大観』には、日本の美学の成立について、「由来わが国は独自の光彩ある藝術を生み、また自然の美に恵まれているに拘らず、美や藝術に対する理論的反省においては必ずしも相当の発達を遂げていたとは言いがたく、少なくとも美学と称しうべきものは明治に至るまで成立していなかった。したがって本学において美学が講じられるに及んでも、それは所詮西洋、特にドイツにおいて発展せる美学思想の移植として始められたのであった」(大西克礼・藤懸静也・児島喜久雄「第十五章　美学美術史学科」『学術大観　総説・文学部』一九四二年、四四〇頁)という。

14 西田幾多郎『西田幾多郎全集四　働くものから見るものへ』岩波書店、一九六五年、六頁。

15 神林恒道「芸術のアジア——外からの眼差しと内からの応え」『アート・リサーチ』(立命館大学アート・リサーチセンター編)第二号、二〇〇一年、二頁。

16 同右。

17 稲賀繁美「日本美術とジャポニスムと——『ジャポニスム展』から」『みづゑ』第九四八号、一九九八年、一一五頁。なお、同号には稲賀が執筆した「ジャポニスム文献解題」(一二〇~一二三頁)も収録されている。

18 西洋には、modern という語が意味するように、「近代」と「現代」が区別なしに使われることがあるが、錯綜している表象をよりよく分析するために、ここでは present を modern から区別し、「近代」と「現代」をそれぞれ異なる意味を与えて使うことにする。なお、近代と現代との区別の必要性について、今道友信も「美学の現代的課題」(『美学』第二八巻第二号、一九七七年、一頁)において強調したことがあり、「自我の分裂」と「技術の分裂」を、それぞれ現代を近世近代から分かつ「主観的分岐点」と「客観的特色」とする。

19 吉田賢抗『新訳漢文大系・第一巻　論語』明治書院、一九六〇年、二九九頁。

20 同右、二六三頁。

21 「多文化主義」の用語とそれをめぐる諸国の歴史的状況については西川長夫「多文化主義とアイデンティティ概念をめぐる二、三の考察——アイデンティティ論のために」（立命館大学国際言語文化研究所編『言語文化研究』一二巻三号、二〇〇〇年、一三一～一三五頁）を、「多文化主義」に関する学問的な論争については堀邦維「文化的多元主義から多文化主義へ」（『日本大学芸術学部紀要』第三九号、二〇〇四年、一三三～一四一頁）を参照されたい。また、西村清和は『現代アートの哲学』で「美的多元主義の時代」（産業図書株式会社、一九九五年、二〇七～二二八頁）を最終章として設け、アート定義の歴史を考察することによって、美的モダンのエリート主義を支えた「高級・低級」、「真正・キッチュ」等の二項対立が意味を失いつつある、複数の美学が共存する「文化のスーパーマーケット」という今日の状況を明らかにした。

22 美学の基本概念について、佐々木健一はかつて第一八回国際哲学会議や第一〇回国際美学会議に出席した西洋の学者二九名と第三九回日本美学会全国大会に出席した日本人研究者二七名を対象として、アンケート調査を行った。これによれば、aesthetic experience、art、beauty などが東西洋の美学研究者の共通概念である一方、西洋人が選出した「ベスト三〇」に入っていないものの内、日本人が特別な関心を示したのは aesthetics、beauty of nature、form and content などである。つまり、「美学」「自然美」「様式・内容」などの概念については、西洋より東洋のほうが重視する。詳細は佐々木健一『エスニックの次元——《日本哲学》創始のために』に収録されている「付録　美学の基本概念に関するアンケート調査」を参照されたい。

23 佐々木健一「第十五回国際美学会議報告」『美学』第五二巻第二号、二〇〇一年、九一頁。

24 佐々木健一「新世紀の展望と日本美学」『UP』第三一巻第三号、二〇〇二年、八頁。

25 同右。

26 佐々木「第十五回国際美学会議報告」（前掲注23）、九二頁。

27 同右、九二頁。

28 佐々木「新世紀の展望と日本美学」（前掲注24）、一〇頁。

29 高建平（「美学、美学大会与中国美学的発展」『文芸争鳴』二〇一〇年八月号、一四頁）によれば、フィンランドの大会に出席した中国人研究者は彼自身と周来祥の二人のみであるという。佐々木健一も「過去のICAにおいては、日本と韓国を除くと、アジアからの参加者は微々たるものであった。それは、経済的な要因が大きいと思われた」（前掲注23、佐々木「第十五回国際美学会議報告」九三頁）という。

30 高「美学、美学大会与中国美学的発展」（前掲注29）、一三頁。

31 吉田『新訳漢文大系・第一巻　論語』（前掲注19）、五二頁。

32 今道「美学の現代的課題」（前掲注18）、一二頁。

33 青木孝夫「芸道的中心概念：審美習慣――以世阿弥能楽論中的樹木与器為糸索」『中国美学』第二号、中国社会科学文献出版社、二〇一六年、六六頁。この論文の英語版は発表されたが、日本語版は科研原稿として雑誌には未発表である。中国語版は拙訳。

34 正岡子規「再び歌よみに与ふる書」『子規全集』第七巻、講談社、一九七五年、二三頁。

35 梅原猛『梅原猛著作集』第三巻、集英社、一九八二年、二〇頁。

36 青木孝夫「東アジアに於ける比較美学研究の必要性について」『比較美学研究Ⅲ』（広島比較美学研究会編）二〇一六年、序文ii。

37 佐々木『エスニックの次元』（前掲注6）、まえがきiv。

38 同右、二〇二～二〇三頁。

39 同右、六二頁。

40 西村「美学会創立五〇周年記念シンポジウム」（前掲注11）、六五頁。

41 佐々木『日本的感性』（前掲注2）、まえがきi・iv。

42 しかし、佐々木健一は『エスニックの次元』（前掲注37）において大西克礼を「日本のアカデミックな美学の基礎を築いた人物」として取り上げ論じたことがあるが、検討の際に大西の美的範疇論などの美学的思想を批判的に継承しようとする姿勢より、体系的な美学に関する大西の書き方に重点を置いて、大西との対置から自らのオリジナルな立脚点を探そうとする姿勢のほうが目立つ。また、歴史において先哲らによって整理され、感性の結晶として表現・実践されつつある〈幽玄〉などの日本的な美的概念・範疇を無視するような学術史的視角の希薄性は『日本的感性』の参考文献からも見受けられる。これは日本の学術研究が「論考の質において、西洋の哲学者たちが書く論文に劣」（前掲注6、佐々木『エスニックの次元』二六頁）ると佐々木自身が思うのか、それとも吉田精一が述べた「その作業に値する作品は、西欧にはあっても過渡期の日本にはない」（前掲注12、吉田『近代文芸評論史　明治篇』二二頁）という明治時代の「洋才」の考え方の存続であろうか、興味深いことである。

第一章　「和魂漢才」から「和魂洋才」へ
――近代日本における「美学」の成立

第一章 「和魂漢才」から「和魂洋才」へ

――近代日本における「美学」の成立

大和魂！と叫んで日本人が肺病やみの様な咳をした。〔中略〕大和魂！と新聞屋が云ふ。大和魂！と掏摸が云ふ。大和魂が一躍して海を渡つた。英國で大和魂の演説をする。獨逸で大和魂の芝居をする。〔中略〕東郷大将が大和魂を有つて居る。肴屋の銀さんも大和魂を有つて居る。詐僞師、山師、人殺しも大和魂を有つて居る。〔中略〕大和魂はどんなものかと聞いたら、大和魂さと答えて行き過ぎた。五六間行つてからエヘンと云う聲が聞こえた。

（夏目漱石『我輩が猫である』）〔1〕

はじめに

日中両国は、古くから密接な文化交流がある。明治維新以前、日本文化にとって、外在の学習モデルは主に中国であり、「和魂漢才」、つまり日本固有の精神をもって伝来した中国の学問や知識をうまく吸収して運用する有能な人材になることは、当時のエリートたちの理想像であった。しかし、一八四〇（天保十一）年から二年間にわたるヨーロッパの豪強イギリスとのアヘン戦争における清の惨敗やアメリカのマシュー・ペリーが率いた「黒船」の来航に伴い、日本は目覚め転身し、西洋を主たる学習モデルとして吸収するようになる。それに応じて「和魂漢才」に代わり、西洋からの学問や知識を身につけようとする「和魂洋才」も、新しい時代の人材の理想像となった〔2〕。言うまでもなく、避けられない近代化へのプロセスの中で、「西学東漸」という大きな背景に巻き込まれた日中両国の国民は、同じく西洋文化に対して主観的な抵抗や彷徨を経験したわけだが、中国と比べて、外在の変化に敏感な日本人はより果敢であった。明治維新も簡単な政治制度上の改革のみではなく、日本社会の隅々まで浸透した「文明開化」の思潮をもたらした。さらに、「脱亜入欧」を叫ぶ人たちも出てきた。

東アジア大陸の大陸棚の辺縁に位置し、周りがすべて海に囲まれた、火山が多く地震の多発地である「島国日本」では、時代を問わず常に、地政学的にも特殊な文化上の帰属問題に直面している。日本人は、このような不安と恐怖の中で、自我を探求し確立してきたのである。それゆえ、「漢才」であれ「洋才」であれ、日本人にとって、時代の変化は外在の文明モデルの変化を意味するだけで、「和魂」に対する執着と追究は変わらない。当然、「和魂」をひたすら強調することは、外来文化を排斥あるいは敵視するなど極端なナショナリズムをもたらし、大きな災難を招く恐れがある。しかしながら、盲目的に「洋才」を鼓吹して外来文化にひれ伏して崇拝することも、同じく危機を呼び、多くの問題を引き起こすであろう。

本章では、「和魂漢才」から「和魂洋才」へ文明のパラダイムが転じた日本近代の美学史を振り返る。このわずかの紙幅では七十年を超える日本の近代美学史を序説・概説することは到底できないとの不安を抱きつつ、考察の中心を〈日本美学〉の構築に向かっての先哲たちの努力に絞っていきたい。つまり、日本における「美学」の定着を、前史・「美学」の訳語・学問の制度化という三つの段階に分けて考察を進め、その中に隠されていた〈日本美学〉のダイナミックな系譜を明らかにすることを目的とする。

日本の人文社会学系統に属する学問の多くがあくまで「翻訳学」であり[3]、日本の美学史がいわゆるドイツを中心とする西欧美学の移植史であると理解、批判されている現在、西欧美学がどのように日本に導入されて開花したのかという問題を究明するほかに、〈日本美学〉を解明あるいは構築するための制度史的・思想史的・学説史的な探究も極めて必要であろう。これは「あらゆる時代の観念や思想に否応なく相互連関性を与え、すべての思想的立場がそれとの関係で――否定を通じてでも――自己を歴史的に位置づけるような中核あるいは座標軸に当る思想的伝統はわが国には形成されなかった」[4]という丸山眞男(一九一四〜一九九六)の歴史的な批判に応じる、大海に落ちた針を探すような作業ではあるが、われわれはそれを土台として築き、さらにその上に立って再出発しなければならないのである。また、日中両国は、美学という学問が西洋から導入されたときに同じような歴史的背景をもち、移植されてきた過程にも密接な歴史的繋がりがあるのみならず、現在においても、西洋文明の一元的支配から抜け出し「エスニックな美学」を構築するという共通の課題に直面している[5]。それゆえ、本章では、日本近代美学史を考察する一方、中国との比較の視点をも常に持ち込もうとする。その比較を通じて、国境を越えた共通あるいは交流する文化史としての東洋美学史の可能性を多少なりとも示すことができれば、それは望外の喜びである。

最後に、本論に入る前に、日本近代美学史に関する論考で筆者に多大な示唆を与えた先行研究としては、土方定一『近代日本文學評論史』(西東書林、一九三六年)、山本正男『東西芸術精神の伝統と交流』(理想社、一九六五年)、吉田精一『近代文芸評論史』(至文堂、一九七五年)、金田民夫『日本近代美学序説』(法律文化社、一九九〇年)、神林恒道『美学事始——芸術学の日本近代』(勁草書房、二〇〇二年)、加藤哲弘『明治期日本の美学と芸術研究』(科研費報告書、二〇〇二年)、佐々木健一編『日本の近代美学(明治・大正期)』(科研費報告書、二〇〇四年)、濱下昌宏『主体の学としての美学——近代日本美学史研究』(晃洋書房、二〇〇七年)が挙げられる。ここに明記して、先学に感謝や敬意を表しながら、それぞれが持つ性格について簡単に分析しよう。

土方定一(一九〇四〜一九八〇)の『近代日本文学評論史』は一九三六年に西東書林から出版され、また一九四七年昭森社や一九七三年法政大学出版局から再刊されたものである。この中に収録された近代美学に関する文章は、「大塚保治先生のこと」(『歴史科学』一九三三年一一月号)、「美学者としての大西祝」(『明治文学研究』一九三四年三月号)、「島村抱月と明治美学史」(『早稲田文学』一九三四年六月号)、「森鷗外と明治美学史」(『浪漫古典』一九三四年七月号)、「森鷗外と原田直次郎」(『文学評論』一九三四年八月号)であり、いずれも先駆的な意義を持つ。特に大塚保治や大西克礼(一八八八〜一九五九)の講義を実際的に受けた東京大学文学部美学美術史学科の卒業生として、下記のような、テキスト・文献資料に限らず随所に散在した土方本人の追憶も、歴史的価値がある。

美学科の学生として、前半の二年間を大塚保治先生のリップスを中軸とした心理学美学の講義を受けている。大塚先生の停年間際の講義で、先生は、小さな紙きれをポケットから出して静かに、だが、ときに熱情的に講義されたが、その心理学美学のもつ心理主義が芸術享受の心理現象をひとつの経験的な事実として、それを抽象的な美的範疇とすることに、いつも不満をもちつづけていた。大塚先生は同時に、ヴェルフリーンの『芸術史の基礎概念』をテキストとして講読されたが、ヴェルフリーンの芸術発展の様式史的展開についてはともかく、ヴェルフリーンの造型心理の分析については、ぼくはずいぶん、感動し、その影響はぼくの『造型の心理』(昭和一三年)、『ブリューゲル』、その他の著書のなかにぼくなりの展開を示しているつもりである。と同時に、これまで単なる印象批評にとどまっていた美術批評に対するぼくたち世代の課題であり、主張ともいうべきものであった。それは、ともかく、リップスの心理学美学に対するぼくの批判は、もう、このころになると、国文学研究のなかに日本美の美的範疇として流入され、文化ファシズムの色彩をもつことになり、ぼくは、それに対するひそかな批判をふくめて、心理学美学について書いている。

大塚先生の後に、いわゆる「フライブルク詣」を終えられた大西克礼先生がフッサールの現象学美学の講義をはじめられている(昭和四年)。だが、心理学美学に批判をもったぼくはディルタイの世界観説に近づき、ヘルマン・ノールの世界観の類型による芸術史の展開に近づいていた。[6]〔傍線強調引用者、以下同じ。〕

同じく一環して近代美学史に多く言及したのは、吉田精一の『近代文芸評論史』である。「荏苒十年余り」を費やして「病院の牀上」で初校を完了した、この体系的で浩瀚な史的著述は、もとは「評論の系譜」という題目で、一九六二年五月より一九七四年三月まで『解釈と鑑賞』を主な媒体として連載したものであり、のちに大幅な加筆修正によって成ったものである[7]。序章「文芸評論史の方法と明治時代の文芸評論概論」以外に一〇章があり、明治の文芸評論を「西欧芸術論の翻訳紹介と進歩史観(西周、中江兆民、田口鼎軒)」、「近代文学の方向定立(依田学海、高田半峰、坪内逍遥、二葉亭四迷、大西祝)」、「専門批評家の出現(石橋忍月、内田不知庵、斎藤緑雨)」、「批評原理の追求(森鷗外、高瀬文淵)」、「平民主義の批評及び批評家(徳富蘇峰、宮崎湖処子、角田浩々歌客、緒方流水、田岡嶺雲)」「浪漫主義の文学論(「文学界」の評論、北村透谷、上田敏)」「国民文学論と個我の覚醒(高山樗牛、後藤宙外)」、「自然主義文学論(長谷川天渓、島村抱月)」、「経験的文学論(夏目漱石、田中王堂)」、「社会改革への志向(石川啄木、生田長江)」という一〇の主題に分け、個々の文芸批評家を中心に論を展開した。それぞれの章には時代的に多少重なった部分もあるが、明治文芸批評の発展の理路を明確にしたものと言えよう。美学に対して、吉田はこれを「研究上の支障」の一つとして、「研究者にあっては近代欧米文学の一般的知識に加えて、近代哲学・美学の素養なくしては、この期の文芸評論を云々する資格に欠ける。(中略)不肖私の如きは、二つの障礙をいまだに克服するに至らない」[8]や「美学の専門家でない私は鷗外、樗牛、ひいてはハルトマンの美意識論についての彼らの批評の是非を論評する資格をもたない」[9]と、様々な場面で自謙したものの、美学者和田繁二郎(一九一三~一九九九)が書評[10]にも引いたように、吉田は夏目漱石の「文学論」を分析したときに明治美学史の発展を次のようにうまく捉えている。

これまでの主要な日本の文学論ないしは芸術論の根底をなしたものは、鷗外・樗牛・抱月を通じて、だいたい美学であった。それも鷗外・樗牛においては、ドイツの観念論美学を基礎とし、抱月はイギリス、アメリカの心理学的、経験的美学に傾く差異はあったとしても、美意識ないし美の成立条件を認識論的に分析することからはじめて、論理的に美の具象段階や様態を措定し、芸術一般を羈絆する点ではほぼひとしかった。帰朝後の抱月は、抽象的、観念的な旧美学体系に遠ざかり、芸術と実人生との関係にもっとも注目したが、それも原則の埒を出なかった。[11]

私見によれば、美学者の手による「近代美学史」の類の著作は、おそらくこれを超えるものはないのではないか。そもそも本格的な美学を専門とする者の手による「近代美学史」と言えるものもまだ世に出ていない。美学出身の麻生義輝（一九〇一～一九三八）は「近世日本美学史を書きたいのだが、それに必要な近世哲学史というものを未だ誰も明確に研究してくれていない。だから美学研究者はその為に哲学史の原典からやり始めなくてはならないという不便があるのは困ったことだ」と言いながら、「近世日本哲学史」と平行して「日本美学発達史」を書こうとしたようであるが、結局ノート一冊および何枚かの覚書を残したまま世を去った[12]。

山本正男（一九一二～二〇〇七）のものは、『国華』第七二二・七二六・七二七・七二九号に初出し、第一章「明治時代の美学思想」、第二章「フェノロサの東洋美術観」として『東西芸術精神の伝統と交流』に収録されている。明治美学思想史概要と言える第一章において山本は、「前期（明治初年～ほぼ十年代中頃）の欧化時代」、「中期（～ほぼ二十年代末期）の国粋時代」、「後期（～明治末）の創造時代」という明治文化史上の一般的な思潮区分に対して、明治時代の美学思想を「啓蒙時代」「批評時代」「反省時代」という三つの段階に分けてそれぞれの時代の特徴を次のようにまとめている[13]。

啓蒙時代：（一）西洋哲学体系・知識体系全体の摂取の上から、単にその要素的一部門として取り上げられていること、（二）その移植された哲学思想の性格に応じ、啓蒙的・実証的傾向のものであること、したがって（三）わが国芸術の時流からまったく遊離隔絶したものであること。

批評時代：（一）美学が単に哲学体系の一部門としての意味からでなく、芸術活動に基準を与え、これを基礎づける学問としての実際的要求から取り上げられていること、したがって、（二）時代の芸術活動と緊密に関連し、これに対する批評的・指導的任務をもっぱらとしていること。

反省時代：（一）美学は単に学問それ自体として、精神文化中の分化せる一部門として求められているにすぎぬこと、

（二）芸術の有する正当な対象関係を予想しつつ、なお芸術の時流とは直接交渉を絶っていること。[14]

その中で、「前期の啓蒙時代」に西周・中江兆名・菊池大麓・フェノロサ、「中期の批評時代」に坪内逍遥・二葉亭四迷・外山正一・大西祝・森鷗外・大村西崖・高山樗牛、「後期の反省時代」に大塚保治・島村抱月について論じている。主に彼らの美学思想あるいは業績を序説する形でなるものであり、特に詳細に論じられたのは一章として単独で取り上げたフェノロサである。それと同じような序説の類に属するのは、金田民夫の『日本近代美学序説』である。近代美学史について金田が考察した部分は、『人文科学』第二巻第四号、『文化学年報』第二七輯、『美学』通号一二二号、『同志社哲学年報』第一一号、『美学藝術学』第四号に初出している。そこでは、山本の「啓蒙」「批評」「反省」という時代区分と異なり、金田は「初期」「二十年代」「三十年代」という安易な割り方を使用している。それぞれの時代の特徴を「日本人の美意識との関わり合いがなく、西洋美学の断片的な摂取に止まった」、「内省的な自覚に基く日本美学の基礎が築かれた」、「美学の本格的な研究が、専門の一学科として出発することになった」とまとめた[15]。同じ同志社や京都に背景を持つことによるからかもしれないが、金田に特に高く評価され、同書でさらに多くの紙幅が供されたのは、同志社英学校に「十三歳から七年間に亘つて在学した」「日本美学の開幕者」ないし「日本の近代美学の事実上の創始者」と呼ばれる大西祝、および「ヨーロッパ美学と日本の伝統的な藝術思想との統一を志向」した「京都における唯一の美学者」であった中川重麗である[16]。また特筆すべきは、収録された「明治美学史年表」である。これは日本だけではなく、西洋の美学状況をも対照しつつ編集された。

上記の先駆的な成果に対して、二一世紀に入ってから刊行されたものは、いずれも国際美学会議（ICA）が二〇〇一年に日本で開催された前後から、つまり非西欧的な美学に対する「外からの眼差し」と「エスニックな美学」としての〈日本美学〉を構築しようとする「内からの応え」という両方の力学によって〈日本美学〉への関心が高まった背景の下に、結実している。その中の神林恒道の論稿は「子規のリアリズム」（『ホトトギス』二〇〇五年九月号）などの内容を増補・改訂したうえで、二〇〇六年に『近代日本「美学」の誕生』という書名で講談社学術文庫より再刊され、二〇一一年には武漢大学出版社より中国語の翻訳版が出版された。この本は、美学のみならず芸術学をも含めて二部構成を取っている。第一部「美学と美術史」では、岡倉天心と森鷗外の美学をそれぞれ「『日本』の美学」と「日本の『美学』」の始まりとして、明治美学史の再編成を試みている[17]。第二部「芸術論の展開」では、青木繁(一八八二〜一九一一)の絵画、高村光太郎(一八八三〜一九五六)の彫刻、浪漫主義の文学、洋楽受容など諸ジャンルにおける芸術思想の展開を取り扱っている。美学のみならず、芸術学一般に広げて論じたことはこの本の最大の特徴であると考える。加藤哲弘の『明治期日本の美学と芸術研究』はわかりやすい報告書であり、主に美学と美術史学との二つの手掛かりから西周・フェノロサ・大塚保治・矢代幸雄を簡単に考察したものであるが、日本と対照しつつドイツの近代事情を紹介・言及した点は有意義である。その一方で、佐々木健一が編集した論文集『日本の近代美学(明治・大正期)』は一流の美学研究者を集めた合同研究の成果であり、西周・大西祝・高山樗牛・島村抱月・岡倉天心・夏目漱石・西田幾多郎・和辻哲郎・九鬼周造・坪内逍遥という個々の美学者から〈美術〉〈作曲〉〈天才〉などの概念または文芸史上の運動にわたって、幅広く詳細に研究されたものである。基礎研究としての価値が極めて高く、日本の近代美学史に関心を持つ後学に裨益なものであると言えよう。また、濱下昌宏の『主体の学としての美学』は西周・森鷗外・亀井茲明・岡倉天心・志賀重昂・二葉亭四迷・高山樗牛について発表したものを収録した論文集であり、「未熟児」[18]と自ら「あとがき」に自嘲していたが、基礎研究として一読に値する。また、青木孝夫「江戸の美学思想の解明――美と藝術の社会的位置づけをめぐって」(科研費報告書、二〇〇二年)を代表とする近世美学研究を忘れてはならない。近世には日本固有の美学思想が開花し、西洋学も発祥している。

一　日本における「近代化」の開幕

1　「近代」および「近代化」の定義

現在、史学界に通用する時代区分に従えば、日本の歴史は大まかに原始時代・古代・中世・近世・近代・現代という六つの段階に分けられる。その中で、近代の起点について、さらなる二つの主流な意見がある。一つは日米が「神奈川条約」を締結した一八五四（嘉永七）年であり、もう一つは江戸幕府末代将軍の徳川慶喜（一八三七～一九一三）が明治天皇（一八五二～一九一二）に大政を奉還した一八六七（慶応三）年である。

また、日本美術史の記述において、「近代（modern）」という語を時代区分の一つとして初めて用いたのは岡倉天心（一八六二～一九一三）であるが、その彼は一八九〇（明治二十三）年から開講した「日本美術史」という東京美術学校での講義において、「推古以後に至りては其の時代を別つ人々種々の見あるべきも、之れを大別すれば古代、中古。近代にして、（中略）東山の時、禅宗の輸入と共に近代の初めをなし、以て今日に及び、吾人はその空気を呼吸してゐるのである」[19]と述べている。北澤憲昭は、「近代」という語は、時代区分としてばかり用いられてきたわけではなく、「近代主義」という語が示した「現在へと人を追い立てる衝迫として重要な意味を持ったことにも注意を払う必要があるだろう」[20]とし、「近代」のシノニムから「現代」を分離させたのは「近代の超克」をめぐる意識の現われであると論じている。

よって本書で指す「近代日本」とは、前述のような明確な時点での区別ではなく、文明パラダイムの転換期間であり、すなわち中華文明をモデルとする「和魂漢才」から欧米文明をモデルとする「和魂洋才」へ転換し、また最終的に確立された全貌としてのプロセスである。そして、われわれが「近代」を論じる時、「近代化（modernization）」が必ずしも「西洋化（westernization）」を意味するわけではないことを、まず明らかにしなければならない[21]。西洋の国々がより早く

「近代化」を遂げたのは事実であり、「日本に於ける美学思想の発展は今だ学者の精細なる研究を経ざれども恐くは顕著なる美的考察と其歴史的連続的発展とを発見するに難かる可し〔中略〕美学思想の形を成すに至りたるは西洋学術文芸を輸入したる以来のこととするも妨なからむ」[22]と近代日本講壇美学の重鎮である阿部次郎（一八八三〜一九五九）の観点が代表するように、西洋美学の輸入は明治から今日まで重視される課題である一方、「近代化」を「西洋化」あるいは美学の近代化を美学の西洋化に同一視することはやはり強引であろう。これは偏狭的に美学の研究内容および対象を認識した結果であり、美学の定義における社会性および現実性の次元を無視した推論である。それゆえ、日本ないし東洋諸国はグローバルな産業体系に取り込まれた時点においては、近代化や産業化の過程での後発国に属すと言える。

また周知のとおり、西洋諸国が産業経済の大きな発展を遂げて東洋の国々の門を叩いたとき、中国と同じように、日本が行ったのも鎖国政策[23]である。ところが、日本人は外在的な変化に対して一貫して敏感で、より警戒をもって、職人や〈器〉[24]を重視する自国の伝統を保持しつつ、鎖国政策下における西洋文明の伝播と発展にも可能性を残した。西洋の自然科学はオランダ語を媒介として、国門を閉めた状況下でも「蘭学」の形で日本に広がっていた。江戸時代において、幕府の統治により支配的なイデオロギーはいつも「儒学」（朱子学）であったが、江戸時代後期に入ると「蘭学」を代表とする「洋学」も非常に隆盛し、さらに最終的には儒学・国学とともに鼎立するフェーズを迎えた。

2　「和魂漢才」としての佐久間象山

一八四二（天保一三）年、アヘン戦争が終結し、清は惨敗によりイギリスと「南京条約」を締結した。この年、時代のエリートである「和魂漢才」を体現する一人、佐久間象山（一八一一〜一八六四）は、江戸幕府の海防顧問に任命された。間もなく、彼は魏源（一七九四〜一八五七）の『海国図志』およびアヘン戦争を研究した成果を「海防八策」として幕府に上呈した。同時に、中国の「中学為体、西学為用」や韓国の「東道西器」と類似した有名な日本的なスローガン「東洋道徳、西洋芸術」を提示した。

講明聖学、心識大道、随時安義、処険如夷、三楽也。生乎西人啓理屈之後、而知古聖賢所未嘗識之理、四楽也。東洋道徳、西洋藝術、精粗不遺、表裏兼該、因以沢民物、報国恩、五楽也。[25]〔傍線強調引用者〕

このスローガンは中国のものと似ているようだが、日中両国の文化帰属上の違いを表している。中国で言う東洋とは、「我取径於東洋、力省効速」(「勧学篇・広訳第五」)[26]などが示したように、一般的に狭義の日本を指す。「中学為体、西学為用」というスローガンも、ただ「中」と言及しただけである。これは中国人の長年にわたって形成した「華夏」や「中正」の観念に由来する自己中心的な正統論であるのは、言うまでもない。その一方で、日本が指す「東洋」は、日本だけでなく、中国や朝鮮半島をすべて含んでおり、儒教的文化を核心とする文明の共同体を指す[27]。「東洋」という言い方は、現在地理学上に通用する「東アジア」と比べて、より強い文化的意味があるのだろう。これは、明治維新以降の「脱亜入欧」の思潮とともに日本社会の相反する両極を形成し、互いに影響し合いつつ、日本近現代史の全般を貫いている[28]。象山は当時のエリートとして、「西洋藝術」を提唱したが、思想の内実においてすでに「漢才」から「洋才」への変化を遂げたことを意味していたわけではない。この時点において、彼の思想的帰属は、まだ儒教的秩序を社会イデオロギーとする「東洋」に根づいている。このことは、スローガンの前半にあるのが「東洋道徳」であり、後半が「西洋藝術」とされていることからも窺うことができる。象山が説いた「藝術」は、現在われわれが理解する音楽や美術などを含む統一性の概念としての「芸術(Fine Arts)」ではなく、「技術(Mechanical Art)」である。当時、象山を含め、人々はただ形而下的な術や器としてのArtの存在意義と価値を認識しただけで、形而上的な学や道としてのArtはまだ意識していなかったのである。

「東洋道徳、西洋芸術」を唱えて「公武合体」や「主動開国」を主張した象山は、結局、幕府の崩壊を救うことはできなかった。一八六七（慶応三）年、幕府の統治が崩れ、徳川慶喜は「大政奉還」を行い、いわゆる明治維新が始まる。しかし、「大政奉還」は「封建自治制」から「天皇集権制」に返還するという政治的な統治権の更迭だけであり、真の意味での近代化の「維新」とは言えない[29]。その転換点は一八七三（明治六）年である。当時の明治政府の内部には、朝鮮半島に派兵するかどうか、いわゆる「征韓論」をめぐって、激しい対立が生じた。最終的には、「岩倉使節団」を主要なメンバーとする「洋才派」が勝利を収め、それ以降、洋才派は歴史舞台に登場し、やがて明治早期の近代化の舵取り役になっていく。政治経済界において木戸孝允（一八三三～一八七七）、伊藤博文（一八四一～一九〇九）、大久保利通（一八三〇～一八七八）をはじめとする開明な官僚たちは積極的に日本近代の憲政体系の建設を促進し、「殖産興業」の経済政策を有効的に実行し始めた。文化思想界においても福沢諭吉（一八三四～一九〇一）、西周、中江兆民などを代表とする啓蒙思想家が多く登場した。彼らは力を合わせて、日本近代の「文明開化」の幕開けを促したのである。

二 「美学」の訳語

1 東アジアにおける「美学」の伝来

今日、われわれが馴染んでいる「美学」という漢字の用語は、「科学」「政治」「経済」「軍事」など多くの概念と同じように、伝統的な漢字語彙ではなく、西洋文化が移植された明治時代に作られた訳語（英Aesthetics、独Ästhetik、仏Esthétique）であり、ドイツの哲学者バウムガルテンが「感性（aisthesis）」を表すギリシャ語によって作ったラテン語の造語である「Aesthetica」に由来するものであるとされている。バウムガルテンは一七三五年に出版された博士論文「詩に関する若干の事柄についての哲学的省察」（*Meditationes philosophicae de nonnullis ad poema pertinentibus*）において、はじめてAestheticaを使用し、哲学の下にある論理学や倫理学と異なって、下位認識能力として扱うべき感性的認識論をAestheticaと定義した。さらに、一七四二年から彼はフランクフルト大学でそれを一科目として開講し、またその講義の内容に基づいて一七五〇年と一七五八年にAestheticaという書名で、著書の第一巻と第二巻を世に送り出した[30]。それゆえ、一般的に学界ではバウムガルテンおよびその著作をもって美学の創始と見なされている。

その言葉ないしその学問が東アジアに伝来したのは、一九世紀後期のことである。熊月之が『晩清社会与西学東漸』に指摘したとおり、東アジアに最も早く西洋学問を紹介したのは欧米の宣教師らである[31]。「美学」という学問に即して言えば、中国でそれに該当する早期の用例はイギリス人宣教士羅存徳（ロブシャイトWilhelm Lobscheid, 1822–1893）が編纂した『英華詞典・第一冊』（*English and Chinese Dictionary*. 1866）である。羅は中国における文語的な言葉遣いに従ってそれを「佳美之理」と「審美之理」に訳した[32]。また続いて、一八七三（明治六）年、ドイツ人宣教師花子安（Ernst Faber, 1839–1899）は、『大独国学校論略』（のち『泰西学校論略』や『西国学校』の名称で再版）において、西洋の「智学」を言及した際に、美学の内容を「如何入妙之法（如何に「妙」に入る）」と「課論美形（美の形を論じる）」をめぐって展開したものとして、簡単に紹介したことがある。

即釈美之所在：一論山海之美、乃統飛潜動物而言。二論各国宮室之美、何法鼎建。三論彫琢之美。四論絵事之美。五論楽奏之美。六論詩賦之美。七論曲文之美、此非俗院本也、乃指文韻和悠、令人心惬意神怡之謂。[33]

さらに一八七五（明治八）年の『教化議』において、花子安は危機を救う実用な技術として絵画や音楽に言及し、その両方はすべて「美学」に属すると注訳した。

救時之用者、在于六端。一経学、二文学、三格物、四歴算、五地輿、六丹青音楽（両者皆美学、故相属）[34]

しかし、その後の顔永京（一八三八〜一八九八）[35]などの論述から見れば、講求艶麗者、是艶麗之学。較他格致学、尚為新出、而講求者尚希。[36]（傍線を引いた部分は顔氏の訳語に該当する。）

一九世紀後半の中国において、「美学」という言葉はAestheticsの訳語として現れたものの、通用する用語としてはまだ世間一般に浸透していなかった。「美学」という言葉より、やはり当時の中国の知識人にとって、「審辨美悪之法」[37]というような文語的な伝統に合うもののほうが受け入れやすかったであろう。

2 啓蒙思想家の模索——西周を中心に

一方で、日本の状況はどうであったろうか。まず、幼い頃に儒学的環境に涵養され、のちに西洋への留学を経て日本近代の文明開化に先鞭をつけた、同じような経験を持つ啓蒙思想家たちに目を向けよう。

日本の啓蒙思想家で最も知られたのは、おそらく慶応義塾を創設した福沢諭吉であろう。しかし、哲学および美学の導入に対する貢献に即して言うならば、福沢諭吉というより、むしろ一八七四（明治七）年に成立した洋学者集団「明六社」に同じく属した西周の方である[38]。西は、一八二九（文政十二）年、石見国津和野藩（今の島根県）の藩医の家に生まれた。「六歳、凡ソ此年頃ヨリ祖父君ニ就テ四書ノ素讀ヲ受ケ略堯舜孔孟等ノ講解ヲ聴ク」（「西家譜略（自叙傳）」）[39]と自ら追想したように、小さい頃から儒教の古典を学び、高い漢学的素養を持つのみならず、洋学に対する理解も象山よりいっそう深かった人物である。

西は、一八四〇（天保十一）年、藩校に入って蘭学や漢学を勉強し、一八五七（安政四）年、二八歳の年に「蕃書調所」の教授の助手となった。また、一八六二（文久二）年、幕府の命に応じてオランダのライデン大学に留学し、国際法学者シモン・フィッセリング（Simon Vissering, 1818-1888）のもとで「統計、法制、経済、政治、外交」という「政治学之大本」を第一の学習目標として学んだ[40]。一八六五（慶応元）年、「日本人として初めての人文科学の研究」[41]を修めた西は帰国し、以後、政治・文化・教育界をはじめ、幅広い分野で活躍した。百科全書的な学者として、フィセリングの『万国公法』、ジョセフ・ヘヴン（Joseph Haven, 1816–1874）の『心理学』、ジョン・スチュアート・ミル（John Stuart Mill, 1806–1873）の『利学』など数多くの西洋名著を翻訳した。それらの中で、哲学・藝術・概念・客観・理性・感性などの漢語の語彙が、西洋の学術用語の対訳語として、西によって創造的に使われた。このような西を、西洋の哲学ないし美学を日本に導入した第一人者と言っても差し支えないだろう。

西の一連の著作の中で、Aestheticsがより多く言及されたのは、『百一新論』『百学連環』『美妙学説』ないし訳書の『奚般氏心理学』である[42]。

『百一新論』[43]は、一八七四（明治七）年に山本覚馬（一八二八～一八九二）によって公刊され、一八六六～一八六七年ごろの京都滞在時、友人の木村宗三から引き受けた洋学塾の講義原稿として書いた可能性が高いと考えられる。その中で、西は、初めて「哲学」という言葉を「ヒロソヒー」[44]の訳語として使用し、「百教ノ趣キ極意ノ所ヲ考フレバ、同一ノ趣意ニ帰スレバコソ一致トハ申シタレ」[45]と世界に通用する一般原理を「哲学」に求めようとした。さらに巻末で西洋の学問的体系を紹介するときには、「生理学」「性理学」「人種学」「神理学」と区別するものとして「善美学」を提出し、カタカナ「エステチーキ（esthetique）」と読み仮名を振った。

> 是ハ物理ト申ス内ニモ彼ノ造化史ノ学ヲ主トスル事デゴザツテ、其造化史ハ先ズ金石、草木、人獣ノ三域ニ就テ諸種ノ道理ヲ論ジ、傍ラ地質学（ゼオガラヒー）、古体学（パレントロジー）ナドト分レテ、此大地ノ出来タ初メニ反リ、又人獣ノ部ニテハアントロポロジー、訳シテ人性学ト云ヒ、先ヅ比較ノ解剖術（コンペレーチフアナトミー）ヨリ生理学（ヒシヨロジー）、性理学（ピシコロジー）、人類学（エトノロジー）、善美学（エステチーキ）、又歴史等ヲ総べ論ズル学術ヲ取別ケ物理ノ参考ニ備ヘネバナラヌ事デゴザル。総テ箇様ナ事ヲ参考シテ心理ニ徴シ天道人道ヲ論明シテ兼テ教ノ方法ヲ立ツルヲヒロソヒー、訳シテ哲学ト名ケ、西洋ニテモ古クヨリ論ノアル事デゴザル。[46]（ルビは原書ママ。以下同じ。）

この「善美学」については、『百一新論』の中で更なる紹介はないものの、「法」と「教」の違いを区別した際、次のような分析がなされた。

又善ト云フ考ハ、形ニ顯ハレタ物ト見ルト美ト云フ考ガ出、事ニ顯レタト見ルト能トイフ考ガ出、物ノ質ト見ルト好トイフ考ガ出ルデゴザル、夫故善美能好ト云フ考ガ教ノ本トナルデゴザツテ。(『百一新論巻之下』)[47]

この段落を見ればわかるように、「善美学」という訳語を当てた背景に、思想的根拠として存在するものは、「善美能好」という言葉である。この言葉は、おそらく孔子の美学思想、すなわち音楽を論じた際に述べた「子韶を謂ふ、美を盡せり、又善を盡せり。武を謂ふ、美を盡せり。未だ善を盡さざるなり(子謂韶、盡美矣、又盡善也。謂武、盡美矣。未盡善也)」(『論語・八佾第三』)[48]に由来するものであろう。朱熹(一一三〇〜一二〇〇)の『論語集註』によれば、「韶」というのは「舜」の音楽であり、それに対して「武」はいわゆる「周武王」の音楽である。孔子は「斉」に初めて「韶」を聴いて、「子、齊に在りて、韶を聞くこと三月。肉の味を知らず。曰く、圖らざりき、樂を爲ることの斯に至らんとは(子在齊、聞韶三月。不知肉味。曰、不圖爲樂之至於斯也)」(『論語・述而第七』)[49]と、「韶」が美しいだけではなく、善を尽くしたものであるため、最高の音楽として称賛した。その逆に、「武王」の音楽は、美的価値を評価するが、殺伐としており、善を尽くしたものではないという。この「善美能好」の思想は、東アジアの伝統を長く支配している典型的な美学観である一方、古代ギリシア美学思想にある「善美一致説(kalokagathia)」にも一致している[50]。このような言葉を掲げた西周の思想的根拠は東洋にあるのか、それとも西洋にあるのか。ここで、それを論述することは、余計な作業であるかもしれない。西がわざわざ東西洋の文化・思想の違いを内面で主観的に調和させたというより、むしろこれは彼が新しい西洋の学問に接触した時に生じた一種の自然的反応あるいは条件的反射にすぎない、と言ったほうが適切であろう。彼が留学に赴いた際に松岡鏻次郎（一八二〇～一八九八）に送った手紙（一八六二年五月一五日）はこのことをよく物語っている。

小生頃来西洋之性理之學、又経済學抔之一端を窺候處、實ニ可驚公平正大之論ニ而、従来所學漢説とは頗端を異ニシ候處も有之哉ニ相覺申候、尤彼耶蘇教抔は、今西洋一般之所奉ニ有之候得共、毛之生たる佛法ニ而、卑陋之極取へきこと無之と相覺申候、只ヒロソヒ之學ニ而、性命之理を説くは程朱ニも軼き、公順自然之道に本き、経済之大本を建たるは、所謂王政にも勝り、合衆国英吉利等之制度文物は、彼堯舜官天下之意と、周召制典型は心ニも超へたりと相學申候。（「西洋哲學に對する關心を述べた松岡鏻次郎宛の書翰」）[51]

西洋の哲学を論じた際に、自覚的あるいは無意識的に程朱理学（朱子学）と関連して比較することは、当時のエリートたちが持つ共通の特徴であり、素直な反応とも言える[52]。例えば、西周と同じく津和野出身で深い家族的淵源を持つ森鷗外も母峰子宛（一八六八・明治三十四年月不詳）への手紙に「この王陽明が「行は智より出づるにあらず行はんと欲する心（意志）と行とが本なり」という説は最も新しき獨逸のヴントなどの心理學と一致するところありて實におもしろく存候其外佛教の唯識論とハルトマンとの間などにも餘程妙なる關係あり」[53]と言っている。彼らにとって、漢字および儒学の典籍を学びまず和魂漢才になることは、これから和魂洋才になることの必須な経路であった。

『百一新論』よりやや遅れて刊行されたのは、西が一八七〇（明治三）年から一八七三（明治五）年にわたって福井藩士を中心とする受講生に向けて東京で開いた私塾「育英舎」の特別講義『百学連環』[54]である。その名前については、「Encyclopedia（＝百科事典・百科全書）」の意味を備えるのみならず、次のような「童子を輪の中に入れて教育なすとの意なり」という西の沈思も含まれているようである。

英國のEncyclopediaなる語の源は、希臘のΕγκυκλιος παιδειなる語より來りて、即其辭義は童子を輪の中に入れて教育なすとの意なり。故に今之を譯して百學連環と額す。従来西洋法律等の學に於ては、總て口訣を以て教授なすと雖も、此Encyclopedia なるものを以て口授するの教あることなし。然れとも英國にEncyclopedia of Political Scienceなるものありて、即ち口授するの教へあり。故に今之に倣ふて淺学の輩を導かむと欲する余が創見に出る所なり。（「第一總論 Introduction」）[55]

『百学連環』の「総論」の下に、「歴史学（History）」「地理学（Geography）」「文章学（Literature）」「数学（Mathematics）」としての「普通学（Common Science）」や「心理上学（Intellectual Science）」「物理上学（Physical Science）」としての「特別学（Particular Science）」が紹介された。その「特別学」の下に置かれた「心理上学」に分類された「哲学（Philosophy）」には、「佳趣論（Aesthetics）」というものがあり、「致知学（Logic）」「性理学（Psychology）」「理体学（Ontology）」「名教学（Ethics）」「政理家之哲学（Political Philosophy）」「哲学歴史（History of Philosophy）」「実理上哲学（Positive Philosophy）」とともに「哲学」の主題の一つとして併記されている。

凡そ知は智より知り、行は意より行ひ、思は感より思ふものにて、此六ツを性理にて分ち、眞、善、美の三ツを以て哲學ノ目的とす。知は眞なるを要し、行は善を要し、思は美を要するものにて、知を眞ならしむものは致知學にあり、行を善にするものは名教にあり、思を美にするものは佳趣論にあるなり。（『百學連環第二編中・第六』）[56]

また、この学問の歴史について、以下のような学史的な解釈もある。

Aesthetics（佳趣論）此佳趣論は太古希臘の時代よりありしものといへとも、實に學問となりしは近来のことなり。是を學問となせしは日耳曼のBaumgarten一七一四〜一七六二なる人にして、此學をGumanと名付けたり。古昔は是を Science of Beauty（學之卓美）と稱せり。（『百學連環第二編中・第六』）[57]

ここには、筆録者としての永見裕の見解もおそらく入っているだろうか、あるいは受講生にわかりやすく理解してもらうという講義の性格によるのかもしれないが、上記の客観的な論述のほかに、犬や桜見という手頃な例を用いて説明するところもある。いずれも人類共通のスペンサー流の生物進化論的な立場からの発言であり、「哲学」を「心理上学」に置くことと同じように当時流行っていた心理学的美学からの影響を読み取れる。さらに、この本において、「Science and Art」が「学術技藝」に訳され、その中から「技術（Mechanical Art）」と「上品藝（Liberal Art）」が「二つの術」として区別された[58]。

術に亦二ツの區別あり。Mechanical Art（器械技）and Liberal Art（上品藝）. 原語に従ふときは則ち器械の術、又上品の術と云ふ意なれと、今此の如く譯するも適當ならさるへし。故に技術、藝術と譯して可なるへし。（「百學連環總論」・「百學連環聞書」）[59]

これらから見れば、当時の西はすでに、西洋の哲学や美学の基本構造について、比較的明確に認識し把握していたと言えるだろう。一九〇七（明治四十）年六月、雑誌『太陽』の増刊号「明治名著集」の一部として初めて発表され、「本邦最初の独立した美学書」[60]としばしば言われた『美妙学説』[61]においては、そのあたりはどうなっているのか。

あまり長くない紙幅で、西は四章、四回に分けて、自分の美学思想の体系的な展開・説明を試みた。第一章において、西はまず「Aesthetics」を「美妙学」に訳し直し、その学問を「哲學ノ一種ニ美妙學ト云アリ、是所謂美術ト相通シテ其元理ヲ窮ムル者ナリ」[62]として、次のような領域で運用すると述べている。

西洋ニテ現今美術ノ中ニ數フルハ画學（ペインチング）、彫像術（スカルプチュール）、彫刻術（エングレーキング）、工匠術（アルキテクト）ナレド、猶是ニ詩歌（ポエト）・散文（リテラチユール）・音樂（ミジウク）、又漢土ニテハ書モ此類ニテ皆美妙學ノ元理ノ適當スル者トシ、猶延イテハ舞樂、演劇ノ類ニモ及フベシ。（「美妙學説其一」）［63］

つまり、西洋近代的な芸術の研究範囲ではなく、東アジアで伝統的な書道も舞楽も視野に入れた。ただし、ここでの西によれば、その学問の原理の対象は上記に限らず、社会にも適用し、人々を野蛮から開化へと向かわせる道徳や法律と同じく、社会の重要な要素として人文を組織するという考えである。もしこの原理を君子の修道に活用すれば、われわれの容貌も自然に「温順和熙ニシテ愛スヘキ」、「儼粛尊重ニシテ畏ルヘキ」ということになるし、他人の尊敬と敬愛を引き寄せられると述べる。そして第二章において、この「美妙学」の要素は主客二分的に「物ニ存スルノ元素」と「我ニ存スルノ元素」という二つの原理に分けられる。

物ニ存スルノ元素ハ、卽チ物ノ美麗ニシテ我カ意ニ適スル所ニシテ、我ニ存スルノ元素ト云フハ吾人ノ想像力是ナリ、故ニ美妙學ノ理法ニテハ、向ニ在ル物固ヨリ其美妙ヲ具ヘサル可ラスシテ、又我ニ存スルノ想像之ヲ助ケテ感受セサル可ラス。（「美妙學説其二」）［64］

「禽獣」も感覚の機能を持って「外部ニ存スルノ元素」を多少感受できるが、「内部ニ具ハル想像の受性」は欠けているという。さらにこの想像力の中で最重要なのは、表象から「抽キ取リタル形容」できる「抽象力」としている。

第三章において、西はおもに「外部ノ要素」をめぐって論述を広げ、「耳目二官ノ享樂ハ一時ニ衆人共ニ同シク享有スルヲ得ル所ニ在り」であるから、「五官ノ中二官ヲ最トスル所ナリ」としている。また「此五官ヲ通シテ共ニ具ハル所ノ一大元素」を、修辞学から借りた概念である「異同成文」と呼ぶ。

では、この「異同成文」とはどのようなことなのであろうか。西は続けて次のように論を展開している。

凡テ天地間萬物ノ文章アルハ、異中ニ同アリ、同中ニ異アルヨリ起生ス、苟モ異ニシテ異ニ偏スレハ、所謂不規則ニシテ尤モ悪ム可ク厭フ可キノ極トシ、又同ニシテ同ニ偏スレハ規律ニ合フト雖トモ、亦倦厭ヲ生シテ人ヲシテ堪ユ可ラサルニ至ラシム、故ニ文章趣味ノ生スル所ハ異中ニ同有リ、同中ニ異アリテ其異同愈愈精微ナレハ、其巧妙愈愈高シトス、是美妙學ノ外部ノ元素ニシテ。（「美妙學説其三」）[65]

文章のみならず、木葉、花瓣、鳥の羽などの自然物や音楽、色彩、さらに「洋食ノ肉類ヲ多（ク）用ユル者ニハ其飲料ニ苦キ麥酒若クハ酸キ葡萄酒ヲ要シ、日本食ノ淡薄ナルニハ醇烈ナル日本酒ヲ要スル」を例として、「淡濃相和スルヲ要シ、異中ニ同ヲ求メ、同中ニ異ヲ求ムル」という美を各要素の調和に求めた。そして最後の第四章において、西は「内部ノ要素」、すなわち「人ノ情ニテ、此情ヲ助クルニ夫ノ想像力ヲ以テシテ感動已ム能ハサルニ至ラシムル者」[66]に論点を移し、「日本ノ語學上ノ考証」を通じて、日本語で「善・悪・怜」という「道徳上ノ情」を表す言葉に対して、最も「美妙學上ノ情」を形容できるのは「クシキ」であり、この「クシキ」を「面白シ」と「可笑シ」の二語に細分できると述べる。西によれば、この「面白シノ情」と「可笑シノ情」は「喜怒哀樂愛悪欲ノ七情ナトノ如キ己ノ利害得失相關シテ發スル者」ではなく、「性理上ニ於テハ極メテ切要ナル、極メテ高上ナル情ニ屬シテ、獨リ人類ニノミ限リタル事」に属するという。終わりのところで、西は社会を構成する一つとしての芸術の社会的な効用性を再び強調した。

抑モ美術ノ人文ヲ盛ニシテ、人間ノ世界ヲ高上ナル域ニ進メルハ、固ヨリ言ヲ待タサル所ニシテ、世ノ裁制輔相ニ任スル者ハ固ヨリ忽略ス可ラサルノ事タリ、然レトモ是政法上直接ノ目的ニハ非スシテ政略上間接ノ目的タリ、故ニ歴世各國ノ帝王モ、意ヲ斯ニ注力レシ例無キニシモ非ス。畢竟美妙學ノ本旨モ、之ヲ道徳、法律又經濟學ノ本旨ト相比シテ、相抗敵スル者ニ非スト雖トモ、其末ニ流レテ一向ニ偏スル時ハ、兩相容レサルノ幣無キニ非ス、故ニ要本末ヲ明カニシ、各其適度ヲ得ルニ在リ。是ヲ美妙學説ノ畢トス。[67]

以上の論述から、西の思想におけるイギリス経験論やカント（Immanuel Kant, 1724-1804）の美的無関心性などの受容を読み取れるのではないだろうか。そのように判断した時、特に慎重に考慮しなければならない。カントの受容を例として言えば、森鷗外『西周伝』の序文には「君ハカント派ノ哲學ヲ喜ビ余ハコムト氏ノ實學ヲ好メリ」[68]という同じ船便でオランダへ留学して長くづき合った親友でもある津田眞道（一八二九～一九〇三）による西への評価が紹介されており、『美妙学説』における「外部ニ存スルノ元素」に関する西の説明もカントの「対象の合目的性」のように見えるが、カントのように「質（quality）」「量（quantity）」「関係（relation）」「様相（modality）」という四つの契機（moments）から「美」を規定するという導き方には欠けている。周知のように、カントは『判断力批判』第一章の第十七節「美の理想について」の最後に、「趣味判断の第三の契機（関係）」から導き出した「美しいもの」の定義を「美は、ある対象の合目的性がある目的の表象をもたず対象について知覚されるかぎり、この対象の合目的性の形式である」[69]と規定し、石器とチューリップを例とした注を差し挟んで「目的なき合目的性」という美の定義を説明している。西がバウムガルテンやカントその人および彼らの概略的な思想を美学上の基礎知識としてある程度知っていると察知できるが、どの程度理解し、受容しているのかは疑問である。「趣味判断」ではなく、感官主義に基づいて論を展開したエドマンド・バーク（Edmund Burke, 1729-1797）を代表とするイギリス経験論についても、同じであろう。

しかし、Aestheticsという学問に対して、西の理解が深化してきたことは確かである。「善美学」（『百一新論』）から「佳趣論」（『百学連環』）を経て「美妙学」にいたる訳語の変化は、まさにその反映であろう。最初、主に「本譯中所稱、哲學、即歐洲儒學也」[70]と『訳利学説』に示したとおり、西は小さい頃から馴染んだ儒学的知識に基づいてそれを理解し、ヘヴンの『心理学』などを翻訳するにつれて理解を深め、訳語も次第に「美妙学」に定着したのである。その訳語の変化について、濱下昌宏は西の訳語が「不統一」であり、「そうした不統一は今日では学界の常識から逸脱する」[71]と指摘したことがあるが、実はそうとは言えないかもしれない。時間的な推移や理解の深化によって、西周が最終的に決めた訳語は「美妙学」であるらしい。今日、『美妙学説』の成書時期は確定することができないが、それを一八七五（明治八）年出版の西による訳書『心理学』の副産物とするならば[72]、そのあたりからの西の著作ではほぼ「美妙学」を定訳としていることが確認できた。例えば、一八七七（明治十）年に公刊した『訳利学説』では、その訳語は「美妙」である。

（前略）人性之作用、區之為三、一曰智、是致知之學、所以律之也、二曰意、是道徳之学、所以範之也。三曰情、是美妙（エステチック）之論、所以悉之也、是以、此三學取源乎性理一學、而開流於人事諸學、所以成哲學之全軀也。（『譯利學説』）[73]

西自身のみならず、一八八一（明治十四）年に第一版、一八八四（明治十七）年に第二版が刊行した井上哲次郎ほか編『哲学字彙』[74]をはじめ、当時この西の訳語を採用した著作も多くある[75]。例えば、「開発教育」の紹介と普及によってよく知られ、東京師範学校・東京美術学校・東京音楽学校の学長を歴任した高嶺秀夫（一八五四～一九一〇）が、一八八六（明治十九）年、アメリカのゼームス・ジョホノット（Johonnot James, 1823-1888）の『教育新論』（Principles and Practice of Teaching, 1878）を翻訳し、第十二章「美育」の冒頭に「美妙學ノ性質」を論じ、「直覚論」と「経験論」を「美ノ本源、性質及之ヲ判断スベキ標準に關シテ茲ニ二種ノ説」[76]として紹介している。

美育ノ目的ハ美ニ在り、美ハ即チ物體及其形質ノ官能ニ感ズル所ノ關係上ノ眞なり。（中略）通例風致ト稱スル所ノ感覺ハ人人大差有リト雖ドモ、正統ノ練習ニ因テ常ニ進歩セシムルコトヲ得ルモノナリ。[77]

また「幽玄を以て始まり、幽玄を以て終わる」[78]と評価され、同時代の青年を惹きつけた著作家大月隆（生没年不詳）の『美妙』（一八九六年）もそうである。彼が序文に書いた要旨のような言葉は、まさしくこの時代における「美妙学」という西の訳語に対する最も良い注釈になるだろう。

美とは萬象の結氣襲ひ來りて吾人の情緒を動かしじとき妙機名くべからざる愉快の感情を以て又萬象に交際する趣味を云ふ。妙とは善悪異仝黒白醜美の間に交合的の離るべからざる雅趣ありて萬物皆調停せらるる處の致味を云ふ。美とは道理の華にして物を通して流れ出るものなり。妙とは不調を調停する生命にして〔後略〕。[79]

それらは「美妙学」が最後の確定的な訳語として、世間に受け入れられていた証拠となる。『百一新論』から『美妙学説』まで、西周の美学思想には一貫した部分があり、また更なる発展を成し遂げた部分もある。一貫した部分は、すでに「和魂」の中に浸透した漢学の素養であり、更なる発展を遂げたのは「洋才」として新しく受け入れた西学の知識である。つまり、伝統と文明、感性と理性は、常に西の内面にぶつかり合って角逐し、最終的に功利主義的傾向[80]と美の自律性という矛盾な形で、われわれの前に現れてくる。しかし、こういう西周の思想は西洋近代のような芸術至上主義ではない一方、日本近世文学の勧善懲悪主義でもないのである。芸術の功利主義的理解は明治初頭の文学論の主要な傾向であり[81]、文明開化を目標とした明治社会に生きた和魂洋才の使命でもあったであろう。しかも、こういう西周の「美妙学」や『美妙学説』は、「美の理想をまとめて学問的に日本に紹介した最初の書物」[82]として、一種の東西の文化を調和した努力と見なされ、日本語上の考証によって自らの美学の理論を立てようとしたことにも特に注目したいのである。それはその後の訳語「哲学」とかなり異質な点であり、〈日本美学〉の系譜を辿るにあたってここで取り上げた理由でもある。

3 「美学」という訳語の初出——『維氏美学』への再評価

さて、「美妙学」と一字の差しかない「美学」という訳語は、いつ誕生したのか。

先述した『哲学字彙』を編纂した井上哲次郎（一八五六〜一九四四）は自伝に、「倫理学、美学、言語学等の語は自分が作った」[83]と語っていたが、実際には、一八八四（明治十七）年に発行した第二版の『哲学字彙』にも「美妙学」という西の訳語をそのまま踏襲した。「美学」が訳語として初めて使用されたのは、紛れもなく、中江兆民が一八八三〜一八八四（明治十六〜十七）年に文部省編輯局の嘱託で訳した、共和主義者として知られたフランス人ジャーナリスト、ヴェロン（Eugène Véron, 1825–1889）の『維氏美学（L'Esthétique. 1878）』である[84]。

中江兆民は、フランスに留学し、ルソーの『社会契約論』の訳書、『民約訳解』を著した明治の自由民権運動の理論的指導者として知られ、「東洋のルッソー」と呼ばれた人物だが、彼は「民権運動に自ら参加すると共に哲学に対してもまた熾烈な愛着をもち研究心もまた豊かな一人」[85]でもあった。彼の手により訳された『維氏美学』は、美学の原理論八章と芸術各論七章、付録「プラトンの美学」一章から構成されており、上下二冊で一三〇〇頁を超えた。「エステチック」の定義や研究対象について詳しく論じた「第六篇　美学ノ物タル如何」では、ヴェロンの原意のみならず「自由訳」や「再話」を翻訳姿勢とした[86]兆民が、なぜこれを「美学」と訳したのかという解釈や理由をも読み取れる。

【引用二】美学ノ何物タルヲ論ゼント欲スルニ臨ミ、先ヅ美学ノ字義ヲ解釈シテ之ヲ一定スルハ之レガ為メナリ、（中略）「エステチック」《美学ト訳スル者》トハ何ゾヤ、曰ク、此語ハ本ト古昔希臘（ギリシア）ヨリ伝フル所ニシテ、「サンサション」、若クハ「ペルセプション」ト訓ズ、「サンサション」ハ感触ノ義ニシテ、「ペルセプション」ハ知覚ノ義ナリ、故ニ若シ字義ノ源頭ニ由リテ論ヲ立ツルトキハ、「エステチック」ナル者ハ、当ニ釈シテ感触及知覚ヲ論ズルノ学ト謂フ可シ。（「第一章　美〇美ノ一字未ダ以テ芸文ノ義ヲ尽スニ足ラザル事〇模擬ヲ主トスルノ説未ダ信憑スルニ足

ラザル事〇美学ノ釈義」）〔87〕

【引用二】顧フニ「エステチック」ノ語ヲ解セント欲シテ、必ズ美ノ字ヲ用フルハ、畢竟古来ノ慣習ニシテ実ハ謬ヲ伝フルニ過ギズ、且ツ苟モ美ト云フトキハ、人必ズ先ヅ想像シテ形状ノ美ト為サントス、此レ他無シ、美ノ字ノ本義ハ元ト形状ノ外ニ出デザルヲ以テナリ、故ニ「エステチック」ノ釈義ニ於テ必ズ美ノ字ヲ用フルコトハ、予ノ甚ダ喜バザル所ニシテ、以為ヘラク之ヲ襲用シテ或ハ謬誤ヲ致スハ、初ヨリ美ノ字ヲ用ヒテ謬誤ノ憂ヲ剔除スルニ如カズト。〔中略〕故ニ衆議ヲ排シテ決然此字ヲ捐棄シ、「エステチック」ヲ釈シテ曰ハントス、作者ノ才能ヲ考覈スルノ学ナリト。（「第一章　凡ソ芸術ノ作ニ於テ賞鑑家ノ感服スル所以ノ者ハ作者ノ才能ニ在リ〇「エステチック」《美学》ノ釈義」）〔88〕〔傍線強調引用者。「〇」は原著のまま、並列・間隔の意味だと思われる。〕

つまり、【引用一】において、ヴェロンはギリシャ語を辿って解釈し、そして【引用二】で「エステチック」というバウムガルテンに由来した学名が誤解を生じやすいことを強調した上で、「作者ノ才能ヲ考覈スルノ学」という自らの定義を示した。それに対して、すこし逆説のようにも取れるが、ここで兆民が定めた「美学」という訳語は、ヴェロンの最後の主張に一致していないが、間違いだらけの「畢竟古来ノ慣習」にぴったり合うものではないだろうか。もっとも絶妙なのは、兆民が西の訳語「美妙学」の「妙」という字を省いたことである。この〈妙〉については、のちに森鷗外が石橋忍月（一八六五～一九二六）との幽玄論争で言及したように、中国古典詩学における重要な範疇・概念の一つでありながら、ドイツ古典主義哲学にも共通する部分でもある。「妙」という字を消したことは、中国的詩学との決別しただけでなく、まさに「プラントンに依拠して「理想美」の追求を専らにする官学派の形而上学的美学」〔89〕を「批判対象」としてフランス実証主義の立場を取ったヴェロンの学説に対する最も良い注釈にもなるのだろう。

したがって、兆民がなぜこの書目を選択したのか、また文部省の嘱託がどのようなものであったのか、この「現今最新なる美学書」を翻訳し教科書に充当されたが当時の大学でどこまでに使われたのか、という一連の実情については更なる考察が待たれるが[90]、原著出版後わずか五年を経た頃に訳出したことは、当時の明治美学界の不毛さから見れば、日本近代美学史における『維氏美学』の存在は決して看過することができない。断片的な紹介ではなく、体系的で精密に整ったものとして、この『維氏美学』はまさに日本における端緒であろう。坪内逍遥（一八五九～一九三五）は『小説神髄』を書き終えた後に、美術学生の長原孝太郎（一八六四～一九三〇）から『維氏美学』の存在を知らされ、これを読み大きな感激と啓発を得たとして、自らの思考を一新した出来事の一つと回想したこともあるようである[91]。

『維氏美学』の歴史的意義を認める一方、そこに問題が存在していたことも同じく否定できない。例えば、原文の〈idéal〉〈naturalism〉〈réalisme〉の区別を十分理解しないままに「イデアリスム」「レアリスム」の二項にまとめて整理した[92]中江兆民の作業に対する、その後の高山樗牛（一八七一～一九〇二）の批判は妥当かもしれない。

> 飜て我邦に於ける斯學の現象を見るに、尚ほ更に甚だ幼稚なるものあり。倫理、心理等の諸學にありては、著書、飜譯共に數ふべきものあれども、審美學の著書とては一もあらざるなり。十数年前、中江兆民氏の手に成れるベロンの飜譯、維氏美學二巻ありと雖も、今日より是を見れば、その選擇の無謀、譯文の粗笨は、當時の人が如何に斯學の歴史及び意義に昧かりしかを證するの一標章たるに過ぎず。吾等若し明治二十九年の今日にありて、審美學に於ける社會の知識が維氏美學時代に比して多少の進歩をなせりと言ふことを得ずば、是れ寧ろ甚だ奇怪なることとなるべし。（「現今我邦に於ける審美學に就いて」）[93]

さらに、樗牛の批判より極端な、森鷗外の評価もある。

> さて己が批判の根據としてハルトマンの標準的審美學を取つてから、審美學といふ一科學の我國に於ける價値と、

ハルトマンといふ一學者の我國に於ける勢力とに多少の影響を及ぼしたことは、反對者でも認めぬ譯には行かぬ。文部省が非形而上學派といふよりは、寧ろ非學問派なるヱロンの美學を中江篤介氏に譯させて印行したのは、明治十六年であつた。これは我國の文學美術には、殆何の影響をも及ぼさなかつた。大學はじめ處々の學校で、或は審美學の講義に今までにない重みを置くやうになり、或は始めて審美學の講座を置くことになり、今では専門の審美学者といふ人々さへ出て来たのは、少なくともその動因の一つとして己が明治二十二年から二十七年まで、二三同志の友達と一しよに出した柵草紙の中の、極めて穉い論文に促されたものだといつても過言ではあるまい。(「月草叙」)[94]

言うまでもなく、これについては、ただ芸術の理想主義に魅了され、新カント派のエドゥアルト・フォン・ハルトマン(Karl Robert Eduard von Hartmann, 1842-1906)およびその日本での代弁者である自らの地位を樹立しようとした鷗外の気概と戦略にすぎない。一八九二(明治二十五)年一〇月発行『早稲田文学』第二六号に掲載された当時の「美学講義」の状況についての紹介を見ればすぐわかるように、『維氏美学』の地位を一筆で抹殺できたならば、「しがらみ草紙」を刊行・主宰した鷗外はまさに明治美学界早期の唯一の存在になっただろう。

美學の一學科として講究せらるることとなりしは哲學全盛を以て誇る歐洲の學問社會に於てだに尚近きころよりの事なれば我が明治の文壇に斯り學の未だ盛ならざるはもとより怪しむに及ばぬことなれど審美又は美といふ語の耳近げに用ひらるる割合には美學の研究甚だ淺々しといはざるを得ず英國にさへ純正美學の著書は指を屈するばかりなれば我が國に斯學に闕したる著書無きはさもあるべき事ながら譯述したるものさへ中江篤介が一昔の前に著せし『維氏美學』の外は『しからみ草紙』の論文あるのみ。(「彙報」)[95]

ハルトマンの学説は森鷗外の節で詳述するが、軍隊を退役後に哲学に没頭し、ジャーナリストとして活躍しながら、進歩的で社会主義的な立場で多彩な批評活動を行ったフランス人ヴェロンを「非学問派」と揶揄したのは、やはり「五十歩百歩」のことであると言わなければならない。むしろ、先述したように、この演繹的推論を重んじたアカデミックな形而上学的美学を「皆臆構妄架ノ説ニシテ、芸術ノ実施ニ於テ害有リテ益無キ者ナリ」[96]と批判したヴェロンの立場は、その対局に立つ鷗外の感情的な反感を買ったのであろう。二人の間には直接の論争はなかったが、その裏には派閥の争いが隠されている。

というのは、まず哲学界における大きな世界局勢から言えば、「古今の哲学史を講じて特にギリシャやドイツ等に於ける形而上学的若しくは非経験論的の哲学を祖述する内外学者が大学の教授となるに至って、哲学の傾向は漸次一変して昔時の形而上学と異なった形に於ける理想主義の哲学が大勢を制するようになった」[97]というような変化において、反アカデミズムのヴェロンの実証主義的な立場に対して、鷗外が守ろうとしたのが伝統的な形而上学的美学であった。鷗外は『柵草紙（しがらみそうし）』に連載した「審美論」において、「美の所在は官而上に求むべからず。官而上なるものは、官能界を離れて彼岸にある上は、即ち美の領地のあなたにあり」[98]との立場を表明したことがある[99]。また日本に即して言えば、在朝派（官僚派）である明六社派の後を受け継いだ大学派・講壇哲学派に属した鷗外に対して、『維氏美学』の訳者兆民はそれと対抗した在野派・実際哲学派の源流を開いた人物である[100]。兆民は、諸塾に転じて修学し大学南校のフランス語の教員となり、後にフランス遊学を実現したが、公的な場での活躍に着目すると始終不遇であった[101]。一八七四（明治七）年から自らの思想を講じる重要な窓口として開いた仏蘭西学舎（のち仏学塾）も、私塾が盛んな明治初頭では、福沢諭吉の「慶応義塾」をはじめ、西周の「育英舎」、尺振八の「共立学舎」、中村正直の「同人社」、鳴門義民の「鳴門塾」、石田英洲の「共励学舎」、箕作秋坪の「三叉学舎」という名塾と競合せざるを得なかったに違いない。さらに孤高な性格で、一八八六（明治十九）年になっても、西周をはじめとする在朝派が定めて、当時において一般的に受け入れられた用語に従わず[102]、また東京大学に理学部と文学部哲学科が既に区別され設置されていたにもかかわらず、「哲学」を相変わらず「理学」と訳して『理学鉤玄』や『西洋理学沿革史』を出版したことも、一種の挑発であったのではなかろうか[103]。この挑発は一九〇一（明治三十四）年の批評『一年有半』において「近日は加藤某、井上某、自ら標榜して哲学家と為し、世人も亦或は之を許すと雖も、其実は己れが学習せし所の泰西某々の論説を其儘に輸入し、所謂崑崙に箇の棗を呑めるもの、哲学者と称するに足らず」[104]というように露わにされた。

高山樗牛や森鷗外の兆民への評価は、のちに同文館の『大日本百科辞書』の一巻として一九〇九〜一九一二（明治四十二〜四十五）年に刊行された『哲学大辞書』における「美学史」という項目の執筆を担当した阿部次郎に踏襲され、次のように日本美学史の通説となったようである。

> 明治に入りて夙く佛蘭西のVéron: *L'Esthétique* (1878)を飜譯せる中江篤介（兆民）の『維氏美學』あれども顯著なる影響を見ず。明治二十年代の末に至りてハルトマンの美學一般に信仰せられたり。[105]

しかしながら、森鷗外をはじめ、この訳語に賛同しない人々もいたにも拘わらず、文部省の公的影響力が大きかったからかもしれないが、この兆民の訳語は最終的に確立するに至り、東アジアの漢字文化圏に広く受け入れられるようになったのは事実である。兆民が翻訳した際、それより以前に「美学」という語を使った花子安の著作を読んでいたかは論証し難いが、中国における「美学」という訳語の定着は確実に日本から影響を受けたようである[106]。一九〇五（明治三十八）年、中国の新聞『新民叢刊』に、観雲の署名で、『維氏美学』に関する書評が掲載された。

> 是論本法国Everon氏所著Esthetigue書中之一篇。Esthetigue者美学之義、日本中江篤介訳其本為維氏美学。茲取其関于詩学這論述之、以供我国文藝界之参観。[107]

これを通じて、当時の中国人はすでに「美学」という言葉の出典について明確に認識していたと言えよう。また兆民に言及してその本の「詩学」の部分を中国の文芸界に紹介したことは、まさに先に引用した「我國の文學美術には、殆何の影響をも及ぼさなかつた」[108]という鷗外の論断に対する有力な反撃にもなると考える。それ以外に、王国維(一八七七〜一九二七)の論述も証拠になる。王国維は日本語に精通して立花銑三郎(一八六七〜一九〇一)の『教育学』、牧瀬五一郎(一八六六〜一九二〇)の『教育学教科書』、桑木厳翼(一八七四〜一九四六)の『哲学概論』など多くの日本語著作を翻訳した学者であるというだけではなく、二度にわたり来日し、内藤虎次郎(一八六六〜一九三四)、狩野直喜(一八六八〜一九四七)などと親しく交友した人物でもある。日本の学界と深い繋がりがあり、日本の学界事情をよく知る彼が「論新学語之輸入」という文章において、日本人が訳した用語に留保を示しつつも、「而日本之学者、既先我而定之矣、則沿用之、何不可之有」[109]と、すでに訳されていた用語をそのまま踏襲することを主張した。いずれにせよ、「かれ(鷗外)」が「非学問的」と見たものは、学問におけるスタイルの違いにすぎず、西洋美学の移入期において、ドイツ観念論の抽象的思弁よりも、フランス実証主義の具体的な記述が有用な面があったに相違ない」[110]という佐々木健一の指摘通りであると考える。

三 「美学」の制度化

1 日本講壇美学の濫觴

十九世紀後半以降、「西学東漸」の推進につれて、美学という学問は新学や西学として、徐々に知識人の視野に入ってきた。その学問的価値に最も早く注目して、さらに「各般の美術の妙趣を精確に鑑定するの基本たる批評の真理を細論するもの」[111]として運用したのは、坪内逍遥や森鷗外をはじめとする日本における文芸評論というジャンルを開いた小説家・評論家らである。彼らは新しい文芸批評というジャンルにそれを振って実作家の作品創作を批評・

指導し、またよりよく批評するために西洋の美学理論の翻訳・移植を精力的に行った。確かに「美学とは何か」という最初期の認知段階において、啓蒙思想家、文芸評論家らは重要な役割を果たし、彼らの高い名声によって「実際には、日本の近代史において、思想の中心的な担い手は、哲学者や、その他のアカデミシャンよりも、文学者や文芸批評家だった。すなわち、日本の近代にあっては、特定の分野の専門知の範囲を越えて、一般の公衆に思想を供給したり、彼らの知を刺激してきたのは、主に、文学者や文芸批評家だったのではないか」[112]と大澤真幸が指摘したように、文学者や文芸評論家たちがアカデミックな研究者よりも影響力があるという現象も一時現れていた。しかし、真の意味でその学問を日本に定着させ、持続的に発展させてきたのは、大学における美学学科の開設、すなわち講壇美学の成立と発展である[113]。

日本における近代的な教育は一八七二(明治五)年の「学制頒布」を嚆矢とする。これに先立ち、江戸時代には武士の子弟に向けての藩校、家塾、郷学ないし庶民の子弟に向けての寺子屋が各藩に多く開設された以外に、高度な人材を養成する施設として、儒学のための昌平坂学問所(学問所や昌平黌とも称され、のちに昌平学校と改名)、国学のための和学講談所、和漢医学のための医学館、西洋医学のための医学所、西欧近代学や言語学のための蕃書和解方(のち洋学所、蕃書調所、開成所と改名)なども幕府によって設立された。蕃書調所の時代に、西洋哲学は西周によりすでに講じられていた[114]ようであるが、美学を専門的に講じるには大学の創設を俟たなければならなかった。

明治以降、旧幕府に設置されたこれらの諸学機関が再編され、大学校、大学南校・東校の時代を経て、ようやく一八七七(明治十)年四月一二日に法学部、理学部、医学部、文学部という四部構成を持つ東京大学の創立を迎えた。新設された文学部には当初第一科「史学、哲学及び政治学科」と第二科「和漢文学科」がそれぞれ設置されていたが、一八八一(明治十四)年九月に哲学科が独立して第一科となり、その哲学科の中には、心理学、「世態学(社会学)」、西洋哲学、印度哲学、「支那哲学(中国哲学)」などと並んで、美学が「審美学」という名称で開講された。さらに一八八六(明治十九)年三月の「帝国大学令」によって、四部構成の東大は工科を加えて五分科大学となり、文学部から拡充された文科大学には、哲学、和文学、漢文学、「博言学（言語学）」という四科が設置され、「審美学」という科目も哲学科の一講座として開講された。この東京大学創立から文科大学の発足に至るまでの時期はいわゆる講壇美学の第一段階であり、前史とも言える。この段階において、美学はまだ哲学から独立を遂げてはおらず、ただ西洋哲学講義[115]の一部として、アメリカでスペンサー（Herbert Spencer, 1820–1903）派社会学を専攻とした外山正一（一八四八～一九〇〇）やお雇い外国人教師らにより講じられていた。

外山正一は一三歳のときに藩書調所に入って英文を学び、一六歳でイギリスへ留学し、その後一八歳でアメリカへ渡った。ミシガン大学で哲学と理学の学位を取得した俊才であり、帰国後は東京大学教授、文科学長、大学総長、文部省大臣などを歴任し、大学行政の実権者にもなっていった。最初の哲学科の教授陣の一人として、論理学・東洋哲学史を担当した井上哲次郎、心理学を担当した元良勇次郎（一八五八～一九一二）、倫理学を担当した中島力造（一八五八～一九一八）などと並んで、外山が担当したのは哲学・史学・英吉利語（英語）であり、東京大学における最初の審美学講義は一八八一（明治十四）年に彼によって行われたといわれている[116]。一八九三（明治二十六）年、講座制の確立に際して、外山は社会学講座を担当するようになったが、「初め數年間東京大學に於てミル、スペンサー、ベイン及び英譯シュエグレルの哲學史等の教科書を用ひて哲學及び論理學を授業されたこともあるから、我が国に於ける哲學研究の興隆には決して無関係ではなかったのである」[117]と、哲学・哲学史第一講座を担当した井上は回想している。また井上は、進化論の立場から自らの人生観を述べた外山晩年の作である「人生の目的に関する我信界」（『哲学雑誌』第一一巻一五四号）を通じて彼の学説を概観できるとも述べている。外山は一生を通じて、スペンサー進化論の紹介、ローマ字学会の創設、新体詩運動、演劇をはじめとする文芸諸ジャンルの改良、教育改革などに力を入れて多大な業績を挙げ、高山樗牛に「学者として、本邦人には珍らしきブロード・カルチュアを有したり」（「外山博士を憶ふ」）[118]と評価された一方、美学という領域においてはこれらと同じような誇示すべき業績が見いだせない。のちに一八九〇（明治二三）年四月二七日明治美術会での講演「日本絵画ノ未来」がドイツ留学を終えて帰国したばかりの若き森鷗外に非難され、それを既存の美学・美術史家は重視して「画題論争」と呼んだ。しかし、この「論争」において鷗外の美学的・原理論的な批判に対して、学界の指導者の一人である外山は終始沈黙のままであった。このような外山が哲学講義を任されたのは、もとより彼が文芸改良運動に示したような文芸に対する強い熱情ないし豊富な素養を持つからである一方、当時の日本哲学界の貧困さを物語ってもいたであろう。

この貧しさを都合よく補うのはお雇い教師アメリカ人アーネスト・フランシスコ・フェノロサ、イギリス人チャールズ・ジェイムズ・クーパー(Charles James Cooper, 生没年不詳)、アメリカ人ジョージ・ウィリアム・ノックス(George William Knox, 1853-1912)、ドイツ人ルートヴィッヒ・ブッセ(Ludwig Busse, 1862-1907)、ロシア人ラファエル・フォン・ケーベル(Raphael Koeber, 1848-1923)らである。その中に、一八七八(明治十一)年東京大学文学部初のお雇い教師として来日したのはフェノロサであり、一八九三(明治二十六)年から一九一四(大正三)年まで二一年間の長きにわたって東京大学・帝国大学文科大学で教壇に立ったのはケーベルである。この二人についてはのちの節で詳述するが、ここではまずほかの三人を簡潔に紹介しよう。

東京大学における任期あるいは日本での滞在期間が短いためであるかもしれないが、この三人の日本での活動はフェノロサやケーベルより凡庸であり、残された記録や資料も少ない。信頼できる関連資料と言っても、東京帝国大学編『学術大観』や雑誌『早稲田文学』(一八九一年一一月号、一八九二年一〇月号)における記載ないし井上哲次郎の回想しか見あたらない[119]。これらによれば、クーパーが一八八〇(明治十三)年四月から一八八一(明治十四)年七月まで東京大学で哲学を講義し、ノックスは一八八六(明治十九)年九月から同年一二月まで哲学や審美学の講義、ブッセが一八八七(明治二十)年一月から一八九二(明治二十五)年一二月まで哲学の講義をそれぞれ担当していた。クーパーはカントの哲学を中心として授業し、『純粋理性批判』の英訳テキストを使用した。日本におけるカント研究を開いた人物と見られている[120]。ノックスという人はアメリカ人であり、ハミルトン・カレッジを卒業したあと、神学院に入って学んだ。一八七七(明治十)年、キリスト教の宣教師として日本へ派遣され、筑地大学校、東京一致英和学校で英文、神学、心理学の教鞭を執った。一八八六(明治十九)年、フェノロサの後を継いで東京大学へ赴任した。審美学講義のテキストとして使用したのはリュプケ(Wilhelm Lübke, 1828-1893)の『美術史大要』(*History of Art*, 1881)である。在職中、彼はカント哲学の紹介に力を入れ、事実と法則と原理の調和を円満の美と主張していた。ブッセはライプチヒ、インスブルック、ベルリンなどの大学で学んだ人であり、一八八七(明治二十)年から東京大学の哲学の講師に任命された。彼は新カント学派の先駆であるロッツェ(Rudolf Lotze, 1817-1881)の美学理論に重点を置いて新形而上学を提唱し、自然科学の立場と観念論の世界観との調和を主張した。ドイツに戻ったあと、ローシュトック大学、ケーニヒスベルク大学、ミュンスター大学の教職を経て、四六歳の若さでハルベルミュクットにて歿した。日本語の学術論文『ロッツェ氏倫理学一斑』(『哲学界雑誌』第一二号、一八八八年)や帰国後の著書*Philosophie und Erkenntnistheorie* (1894)、*Die Wechselwirkung zwischen Leib und Seele* (1900)、*Geist und Körper, Seele und Leib* (1930)などを残した。

2　フェノロサの業績およびその美学講義

フェノロサはペリー来航の一八五三(嘉永六)年、アメリカのマサチューセッツ州に生まれ、一八七四(明治七)年ハーバード大学哲学科を首席で卒業し、ボストン美術館付属の美術学校を経て、動物学者であるエドワード・モース(Edward Morse, 1838-1925)の紹介で一八七八(明治十一)年東京大学へ赴任することになった。ハーバード在学中には、スペンサーの社会進化論に大きく影響されて「スペンサー倶楽部」の設立に尽力し、また、ヘーゲルに感化を受け、それは生涯を通じ彼の思想の重要な構成的要素となったという[121]。来日後、彼はまず「経済及哲学」教授の任に就いたが、二年毎の契約更新で途中からは論理学教授や審美学教授の職名も加え、一八八六(明治十九)年までの八年間で東京大学にて哲学、政治学・経済学・論理学・美学を講じた。また講義の外に、フェノロサは日本美術を収集して研究し、助手や通訳を務めた同志でもある岡倉天心と日本伝統美術の保存と振興をめぐって奔走した。美術事務官、美術学校理事、帝室博物館美術部理事などを務めヨーロッパへ美術行政や美術教育を視察するなど、東京美術学校の創立や古社寺保存法の制定を促すという業績も残した。

日本の伝統的な美術について、フェノロサは当初重要視していなかったようであるが[122]、一八八〇（明治十三）年奈良・京都方面での旅行によって日本の仏教美術に古代ギリシャ的な芸術的伝統が潜んでいることに気づき、認識を一変させた。狩野派を古典的理想や「真誠の画」として擁護し、文人画を文学と混同するものとして評価しないという立場で、日本画の本来的価値を熱狂的に説くようになった。一八八二（明治十五）年に彼が龍池会で行った講演は、大森惟中（一八四四〜一九〇八）によって『美術真説』として整理・翻訳・出版され、当時の日本で広く読まれ、「美術（芸術）とは何か」ないし「美の自律性」という問題について明治の人々を大きく刺激した。観念論的・啓蒙的傾向を持って日本画を価値づけようとしたこの講演において、フェノロサは従来の「美術」に関する諸説、すなわち「技倆ノ精巧ハ卽チ所謂美術ノ善美ヲ構成スル所ノ性質ナリ」[123]という「技倆精巧説」、「吾人ノ心意ヲ愉悦セシムル事物ヲ以テ所謂美術ノ善美トナス」[124]という「快楽説」、「天然ノ實物ニ擬似スルヲ以テ美術ノ要訣トナス」[125]という「自然模倣説」を退け、「美術」の本質を「其物件ト他物トノ外面ノ關係」[126]ではなくて「其事物ノ本體中」[127]に求め、「各分子互ニ内面ノ關係ヲ保チ終始相依テ常ニ完全唯一ノ感覺ヲ生スルモノ」[128]を「妙想（idea）」としている。「妙想」というものが「美術」の根本であるが、この根本以外に「旨趣」と「形状」という要素もある。この三者の組み合わせによって詩・音楽・絵画を構成している。つまり、「詩ニ於テハ旨趣ノ妙想ヲ主トシ、形状ノ妙想ヲ次トシ、音楽ニ於テハ反テ形状ノ妙想ヲ本トシ、旨趣ノ妙想ヲ末トス。（中略）（画ニ於テハ）旨趣形状相密着平均シテ偏重偏軽スヘカラサルコト猶ホ車ノ両輪ニ於ルカ如シ」[129]というものである。さらにこの概念を「美術」たらしめる基準とし、これに基づいて「絵画の構造」としての「十格」（「図線の湊合（unity of line）」「濃淡の湊合（unity of shades）」「色彩の湊合（unity of color）」「図線の佳麗（beauty of lines）」「濃淡の佳麗（beauty of shades）」「色彩の佳麗（beauty of color）」「旨趣の湊合（unity of subject）」「旨趣の佳麗（beauty of subject）」「意匠の力（force of subject）」「技術の力（force of execution）」）の理論を打ち出した[130]。これによって、佐久間象山以前まではまだ意識されていなかった実用的な技術とともに存在する自律的な「芸術・美術（Fine arts）」としてのArt

の概念は徐々に日本に定着したのである[131]。

一八八九（明治二十二）年の東京美術学校開校に際して、学者という立場のみならず講演など精力的な社会的活動[132]を通じてすでに日本美術の指導者としての地位を確立したフェノロサは、「美学及美術史」の講義も担当した。東大時代の哲学講義に関しては、受講生の三宅雪嶺（一八六〇～一九四五）や井上哲次郎の追憶によって、次のようなことがわかる。

授業中に学生の参考書としたのは独人ジュエーグレル哲学史の英訳であって（中略）講義以上に諒解したのは米人ボウエンの近世哲学である。[133]

當時氏は年少氣鋭であつたから、餘程學生には強い刺戟を與へた。氏は進化論者であつたが、普通の進化論者の如くただ進化論を講ずるのみでなく、獨逸の哲學をも併せて講じた。その中に於いても特にヘーゲルの哲學を力説した。ヘーゲルの哲學にあるところの進化思想と、科學的の進化思想と、この兩者を打つて一丸となし、その上に出でようと努力したのである。それ故に、決して當時流行の物質主義に迎合したのではない。やはり一種の理想主義であつた。[134]

また、美術学校に開講した美学の講義については、岡倉天心の翻訳と大村西崖（一八六八～一九二七）の編成によるものが、現在『岡倉天心全集』第八巻に収録されているため、より忠実な内容が窺える。これによれば、世界には定まった「一定の美学」[135]がなく、この講義もただ彼の個人的な言説のみである。しかし、急務として、東西における美術の方法や主義の相異を問わず、美術に普遍的に適用する真の美学を成立させなければならない。この目標を持って、彼はまず東洋の「六藝」や「琴棋書画」などの概念ないし事情を比較することによって、西洋語における「美術」（今日の「芸術」に相当）という概念をめぐって説明し、次のような概念の成立史を明らかにした。

希臘の画工は未だ美術なる語を知らず、又之れを説明するの必要をも知らざりき。只之れに似たる語とてもMusicの外ある事なし。然れども其の意味判然せず、只高等社会の人の為す可き技藝と云ふ意あるが如く、詩歌、音楽を包含せりと知らる。羅馬に至り始めてArtsなる語あり。又希臘にTechneなる語あり。英語のart and technicなる語の起原なり。アルスなる語は人工を以て作る者の意にして、美術のみならず万般の手藝を含めり。又殆ど二千年前に方りてArtes liberalesなる語ありてLiberal artsを意味せり。之れは他の家業として習ふ技藝の外に、高等の技藝をして区別せるなり。〔中略〕又此の七藝の上にArts poetica（poetry）なる語あり。〔中略〕十三世紀より十六世紀の間、美術の復古ありて以太利其の中心たり。〔中略〕当時に有りては画工、彫工、建築師など自ら其の技藝の高きをも知らず、美術なる事をも知らずしてかかる大作を為せるなり。〔中略〕十八世紀の始めに至りて詩歌、絵画、建築、彫刻の四者を並称し、之れを総括する名を求むる事となり、高尚なる技藝と云ふ意味にて仏国に於て始めてBeaux artsなる語を生じ、十八世紀の終りに至りて之れを英語に訳してFine artsと称し、始めて美術なる文字を生じたり。[136]

そして「是れより以来美術なる語の生ずると共に其の性質をしらべ、其の定義を下す事となりて、始めて美学の形を成せり」というように、美学という学問を「美術」の語とともに発生した「高尚なる智識を要する技術」として位置づけている[137]。しかし、ここからフェノロサの講述は自然に美学の説明に入るとはならない。フェノロサはこれからまた「美術」という概念の変容および「三十五、六年前に起りて十五年前に大成」を遂げた「美術の定義の大革命」に転じて大幅に紹介し始めた[138]。この変容史および「大革命」を一言で言えば、すなわち「美術」の範疇に音楽や「Decorative art（装飾美術）」の地位を求めようとした運動であろうが、その中に日本の「美術」が果たした役割を次のように位置づけていることは興味深い。

数百年来卑微の衰境に陥没せる世界の美術として一朝急に新面目を開きて急劇の進歩をなさしめたるは、西洋の美術家が東洋の殊に日本の美術に接したるに由れりと云はずんばあらず。千八百五十三、四年、欧米諸国と日本との交通始めて開けてより、日本の美術品、殊に模様本など彼国に渡り、非常の力を以て影響し、殊に欧米に於て少しく挽回の芽萌ありし時なりしかば、其の刺戟の強さは云ふも愚なる位なり。[139]

このように「実物に由らずして美を生ずる其の他の要素を具する」詩歌・音楽・絵画・彫刻・建築・装飾という「六美術」からなる「美術」の成立と変容の歴史を明らかに描いた後、フェノロサは美の本質や本体の探求を「美術哲学の本務」[140]として、装飾が美術の範疇に入ることによって「美術」も新しい定義を求めているから、これに関する諸家の説を批判的に紹介しようとする。紹介された順に、「Non Representive は美術に普通の性質なるを以て、天然を写さずして実物に遠ざかる程美術なり」[141]という「スチルマン・ワイルド等」の説、「画は唯其の画相美なれば足れり。事物万般の中、其の如何なる物を採るとも線、色の配合を好くして美なれば乃ち可なり」[142]という英国の画家ホイスラー（Whistler）の説、「固より物を画くには天然物に酷似せざる可からず。写生の上に画相の美を具ふ可し」[143]という保守的な説、「美術を二部に大別するなり。有限美術（Finite art/Decorative art）は実用に限られて形、色を施し、無限美術（Infinite art/pure fine art）は制限さる事なくして材料も至りて自由なる独立の美術なりとす」という「英人イースト氏等」[144]の説、「美術は常に時代の関係に由りて盛衰す」という社会学的・歴史的に美術を論じる「英吉利のデイン氏」[145]の説、美術が「power（其の技倆に感ずるとなり）」「imitation（筆墨刀鋸を以て天然物を模倣せるを喜ぶ事なり）」「truth（其の中に宗教及び道徳の精神より来る）」「beauty（其の本体を説かず、其の原因、性質を論ぜずして只其の人間に快楽を与ふる者を指して云ひたる如し）」「relation（画ける事実の意味の面白み）」の五因によって「人に快美の感を与ふる」[146]というイギリスのラスキン（John Ruskin, 1819-1900）の説である。最後に、美術の衰退を「技倆（Skill）に流るる」、「宗派、主旨の陋習（School ideal tradition）」「天然模倣（Nature-likeness）」によるものとして、この衰退を救う方法が「Originality」「True love of Subject」「Truth of Art form」であると結論づけ、未完のままで講義を閉じている。

この講義を西周のそれに比べて見れば、かなり進歩的と言えよう。西周が紹介する「美学」が、他人の学説の祖述や百科全書的内容にすぎないのに対して、フェノロサのそれは個人的な見解を含めた批評的な紹介である。やや時代遅れを呈した西周の紹介と異なり、フェノロサのものは歴史的状況のみならず、当時の動向を把握したものである。また、西周は人間の精神を知・情・意に分けてその学問の紹介を進め、いわゆるバウムガルテンの定義や方法にしたがって「美学」の紹介を行うが、フェノロサは、ヘーゲルの影響[147]を受けそれを「美術哲学」あるいは「美術」の補助学とし、東洋との比較によって西洋の学説を紹介している。この点で見れば、フェノロサは日本における比較美学の先駆者であると言える。これは、『東西芸術精神の伝統と交流』を著した山本正男が、フェノロサを第一章「明治時代の美学思想」で独立した章として取り上げ、また彼を「東西芸術精神の交流」を最も早く実践した人として高く評価するに至った理由の一つであろう。しかし、全面欧化あるいは廃仏毀釈の大波に日本の「美術」品の価値を高めようとしたフェノロサの積極的な意図もあり、その比較は、必ずしも客観的なものではないことも看過できない。例えば、「美術」における装飾の特徴を論じる時、フェノロサは「日本に於ける凡ての美術は装飾にて、凡ての装飾は皆高尚優美なり。欧米に有りては之れと異なり、日本の如く美術的に装ふの意味にあらず、襖紙の如く実用物に絵画を施す事などなく、単に物に形づけ色づけてきれいにするまでの意味にて、無色の壁を黄色にし、衣服の上に金モールをつける如く、少しも美術的の考へなく、小児の遊戯と一般なりき」[148]と述べ、実物模倣の写生主義を排斥し、装飾性が強くて歴史を持つ狩野派の美術を評価するという立場を貫いた。これは「「漢字破り」を著はし、羅馬字會を起し、「漢字に反對するものならば何でも賛成する」」[149]という洋才の立場を徹底した外山を嫌がって、『日本絵画ノ未来』において「方今吾邦繪畫ノ事ヲ談ズル者ハ大約二流派ニ屬スルナリ卽チ一ハ外人ノ稱揚ニオダテラレテ今日宇内ノ活美術ハ特リ日本ニノミ存在スルトナリト妄信スルノ族ナリ」[150]と皮肉った所以であるかもしれない[151]。

一八九〇(明治二十三)年、フェノロサはアメリカへ戻ってボストン美術館の東洋部部長に就任し、東洋美術の専門家として東洋美術の発展や実情を西洋世界へ紹介した。主著には*Epochs of Chinese and Japanese Art, 2vols* (1912)(有賀訳『東亜美術史綱』、森訳『東洋美術史綱』。以下『東亜美術史綱』と称する)がある[152]。この「三十年間潜心尋求し、苦心に苦心を重ね、資財と勞力とを吝まず、有らゆる快樂を犠牲にして著作」[153]した遺著の特徴として、主に以下の四点が挙げられる。(一)工芸の技巧上に重きを置いて美術の材料によって分類する美学上の動因を問わないものに対して、この本は「或る一時代の美術工藝の全部に透徹する國民的意匠の上より」[154]考察するものである。(二)美術に関する文献ばかり研究する美術文献史というものではなく、美術そのものを主に分析した実証的な研究である。(三)東西を比較することによって論を展開したが、やはり「美術は世界的標準に依りて判斷すべきもの」[155]として、「東西美術の一致點に重きを置き、世界的見地に依り、東洋美術の歴史を著すこと」[156]というように世界的(=西洋的)通用概念である「美術」の中に東洋美術を捉えている。(四)日中の美術の関係を「希臘美術と羅馬美術」[157]にたとえて一貫して論じる一方、日本の文化の特異性を強調する。

さて、『東亜美術史綱』において「曾てボストンに有りて、哲學者として美術を研究し、又其の實地を試みたり。其の後日本に來りては、余は一の古物家たり、美術の權威たるを以て目せられたり」[158]と自称したフェノロサを、どのように客観的に評価すべきであろうか。同書に付された「憶ふにフェノロサ君は美學の泰斗、美術の大批評家、奬勵者たりき。本邦に於て美學に關する哲學即ち美術を講説せしは、君を以て嚆矢とせば是等に就きて茲に聊か記述しおかむとす、(中略)其美學上の所見に基き、能く哲理に據り、實物に徴し、殊に東西の美術作品を比較研究せるを以て、大に其識見を廣くし随て作品の批評も正確にして、尋常の鑑識者等の及ばざる所あるに至れり」[159]という濱尾新の高揚した評価に対して、岡倉天心は講義録『泰東巧芸史』のなかで「此の頃よりフェノロサ、ビゲロー等の諸氏の如き、我が国の美術に一隻眼を有せる人々の来朝となり、やがて日本美術のために力を致すに至りたり。フェノロサはヘーゲリアンでスペンセリアンにして、真面目に泰東美術を研究せんとせり。只当時、猶ほ材料乏しく、其の結論の当らざるもの多かりしも、組織的研究法を伝へたる功績は没すべからず」[160]と、やや冷静な態度を示した。おそらく「この人は進化論者でスペンサーを尊崇してをつたが、それと同時にヘーゲルの哲學を信じ、兩者を統一することに努力してをつたのである。然しながら氏は數年の後日本の美術に趣味を懷き、次第にその方に沒頭して到頭哲學を擲つて日本美術の研究者となつてしまつた」[161]と井上哲次郎が評価したように、フェノロサは美学理論の研究・紹介・導入という学問上の貢献より、美学を芸術哲学として美術評価や美術史研究に持ち入れて具体的に運用し、その学問の価値を世に知らしめたというところでの影響力のほうが鮮明であろう。それは「近きころ某氏という米国の博識がわが東京の府下に於てしばしば美術の理を講じて世の謬説を駁された」[162]と、坪内逍遥が影響を受け日本初の文芸批評『小説神髄』をその後著したように、美学を用いて文芸批評界に頭角を現した森鷗外にも明らかにフェノロサからの影響が見られる。それ以外に、フェノロサが日本で大いに人気を博した理由には、彼の発言が当時の日本人の感情的な欲求に適ったということもあるに違いない。彼の日本の伝統的な美術品を重視しようという説は欧化主義の波で不安を感じつつあった人々が同調し支持するところであり、日本ないし東洋美術を世界文明の体系に位置づけようとしたことも「脱亜入欧」という旗を上げて西洋の文明国の列に一日でも早く入ることを目指した洋才派の努力と一致している。要するに、彼はお雇い外国人の中で最も影響力を持つ一人であり、日本の美術史学あるいは芸術社会学を開いた人物であると言っても過言ではない。

3　ケーベルと美学講座の創設

ここまでは、東京大学創立から文科大学発足に至るまでの時期を講壇美学の第一段階あるいは前史と位置づけ、この段階において審美学という学問はまだ哲学の講義から独立していなかったと説明してきた。「帝国大学令」による文科大学の発足をきっかけに、一八八六（明治十九）年以降審美学が独立し、最終学年である「第三学年の学生に対して毎週二時間（或は三時間）づつ課せられた」[163]。そして、一八八九（明治二十二）年には「審美学美術史」、一八九二（明治二十五）年には「美学美術史」と改められ、一八九三（明治二十六）年には翌年講座制の導入によって文科大学の二〇講座の一つへ昇格した[164]。「これは大学の美学講座としては、パリ大学（ソルボンヌ）の講座設立（一九一九年）に先行する世界最初のものである」[165]。ところが、大塚保治がヨーロッパ留学を終えて講座担当教授へ着任した一八九〇（明治三十三）年まで、「美学美術史」の講座担当教授は欠員のままであった。この審美学講義の講座制の導入に至るまでの時期が講壇美学の第二段階あるいは準備期と言えよう。この段階においては、美学を専門とする若い日本人学者を育成することが重大な急務であり、それを背負って見事に成し遂げたのはお雇い外国人として来日して長く日本の大学で教鞭を執ったケーベルである。

ケーベルはフェノロサと並んで、日本講壇美学へ最も深遠な影響を与えた外国人教師の一人である。彼はロシアのニシニイ・ノフゴロットに生まれ、六歳の時にモスクワ音楽院に入学しピアノを習い、ドイツのイェーナ大学をはじめ、数カ所のドイツの大学で哲学を専攻した。さらに、著名な哲学者でありノーベル文学賞の受賞者でもあるルドルフ・クリストフ・オイケン（Rudolf Eucken, 1846–1926）の授業を受けたこともあるといわれている。「ドクトル・オブ・フィロソフィー」の学位を得た後、ケーベルはまずカールスルーエの音楽学校に招聘され、倫理学・音楽史および音楽理論等の科目を担当した。のちに自由の身となってミュンヘンに閑居し、哲学の著述に没頭した。哲学史教科書においてハルトマンに関する紹介やハルトマン哲学の大要に関する書物を執筆したため、ハルトマンによく知られるようになった。そして偶然ハルトマンのところへブッセの後任者として哲学者を推薦してもらいたいという井上哲次郎の依頼があった経緯から、一八九三（明治二十六）年東京帝国大学へ赴任することとなった。以降ケーベルは一生を日本で過ごし、東京帝国大学で哲学や美学などの科目を二十一年間にわたって担当したほか、東京音楽学校で西洋音楽を教授したり、少数の有志者に向けてギリシャ語・ラテン語・ドイツ語の教室を開いたりした。哲学者としての彼の業績は、主に来日前に出版した *Das philos. System E. V. Hartmanns* (1884) や *Die Philosophie A. Schopenhauers* (1887)

や*Repetitorium der Geschichte der Philosophie* (1893) などハルトマンやショーペンハウエルに関する研究である。来日後、「講義等に忙しかつた為か、學術上の著書は出版さるるに至らなかつた。ただ來朝後間もなく、哲學會に於て一回、ショーペンハワーからハルトマンに至る論理的關係を説かれたことがある」[166]ないし「自分の知る所では、先生が公開の席で講演せられたのは、此（齋藤信策を記念するため開いた青年会）と一度の哲学會と、二度のみである」[167]と、身近な人たちが回想したように、主な精力を学生の教育と指導に注いだという。

大学を退任後、ヨーロッパへ戻って地中海のニース近郊のヌラフランカへ移住しようと考えたが、戦争により横浜のロシア領事館で人生最後の十年を過ごした。この間、雑誌『思潮』や『思想』のためにエッセイを執筆し、さらに*Kleine Schriften* (1918)、*Kleine Schriften, Neue Folge* (1921)、*Kleine Schriften III* (1925) のドイツ語論文集三冊を岩波書店から刊行した。この論文集には久保勉（一八八三〜一九七二）の邦訳によって『思潮』や『思想』などに発表したエッセイの原文以外に、一九〇四（明治三十七）年カントの百回忌、一九〇五（明治三十八）年シラーの百回忌、一九〇六（明治三十八）年ハルトマン追悼に際し雑誌Wahrbeitに発表した論文や哲学会で講演した原稿なども収録されている。その後、この論文集は『ケーベル博士小品集』『ケーベル博士続小品集』『ケーベル博士続々小品集』という書名で深田康算（一八七八〜一九二八）と久保勉によって訳出された。なお、久保勉には「小品集」を再録・増補した『ケーベル博士随筆集』（岩波文庫、一九二八年）という編訳書や『ケーベル先生とともに』（岩波書店、一九五一年）という回想記もある。

ケーベルの美学講義の内容については、フェノロサの「美学講義」のような講義記録が残されていないが、学史資料を通じて以下のようなことがわかる。

> 彼は通訳を使わず英語で講義した。その内容は、三部に分かれ、先ず西洋美学の学説史概要として、プラトンの美学説から説き起こし、アリストテレス、プロティノスを経て西洋中世思想の重要性を指摘しつつ、ライプニッツ、バウムガルテンを経てドイツ観念論に至るものであり、次ぎに主としてドイツ観念論に依拠した考え方によって

美及び芸術の本質を省察し、美的認識と直観とを論ずる美学体系の部分が続き、最後に芸術に関する特殊研究とも称されるものであった。これは講義が美学美術史となっていたため、西洋美術史の概要を述べた年の方が多かったが、これに代えて音楽美学を講じた年もあった。『東京帝国大学学術大観』（昭和十七年）によると、このケーベルの講義も「本来の意味における美学の講義としては今日から見て甚だ粗略の感なきを得ない」（四四一頁）と評されている。実際に美学演習は全く行なわれていなかったが、ケーベルは自宅でプラトン、シェリング、ニイチェ等の原書購読の集いをもよおしており、実質的な美学の演習ともなっていたし、また彼が哲学の特殊講義に際し選んだ題目には、一般詩学やファウスト論等もあり、音楽学校では講師として音楽学を教授していた。[168]

何よりも学生ないし日本美学界に感銘を与えたのは、具体的な講義内容よりケーベルの人格であろう。「ケーベル氏は金銭等に淡白であつたのであらうが、旅行もしないし又妻子眷族等の無かつた為に淡白に遣つて行けた點もある。そして又係類がないからして隠者の態度をとつて好きな精神上の學問に没頭することも出來たのである。（中略）もとよりそうゆう隠者風の超越した所があつたから高尚であつた。殊に金銭に淡白な所からも解る」[169]ということである。彼は一人の教師として、自らの高潔な人格と幅広い学識や素養を持って若い学生を親しく迎え、数多くの立派な学者を育成した。「現在斯學界に於て活動する人々の大部分は先生の門に出たものである」[170]と桑木嚴翼が評価したように、彼の門下から多くの英才が出た。その中の一人であり、一八九九（明治三十二）年九月から一九〇二（明治三十五）年の夏まで哲学科に在籍した夏目漱石（一八六七～一九一六）は、「文科大学へ行って、ここで一番人格の高い教授は誰だと聞いたら、百人の学生が九十人までは、数ある日本の教授の名を口にする前に、まずフォン・ケーベルと答えるだろう」[171]と彼を東京帝国大学文科大学の教授の中で最も人格者であると称賛し、「年月を以て數へれば私が先生に知られてから凡そ二十三年、私の今日までの生涯の丁度半分を私は先生と共に生きて來た」と回顧した[172]。京都帝国大学美学講座を開いた深田康算も、「私は私の知れる限りに於ては、ケーベル博士に於て、所謂『美しき魂』Schöne Seele

の型に屬する唯一人の生きた個性を見た」[173]と礼賛している。さらに、「教養の観念は主として漱石門下の人々でケーベル博士の影響を受けた人々によって形成されていった」[174]と三木清（一八九七〜一九四五）が述べたように、阿部次郎の『三太郎の日記』や『人格主義』に代表される大正から昭和にかけて流行った「教養主義」的傾向ないし教養派の成立[175]も、ケーベルと密接な関係があると言っても過言ではない。

ケーベルをはじめとする外国人教師の指導のもと、東京大学文学部・東京帝国大学文科大学の哲学科の卒業生らは輩出された。彼らの多くは哲学や美学の発信地である西欧への留学を経て帰国後、大学等で教壇に立ち、第一線の美学研究者となった。先駆者である大塚保治は一九〇〇（明治三十三）年に留学を終えて美学・美術史講座の担当教授へ就任し、深田康算、阿部次郎、矢崎美盛（一八六九〜一九三二）もそれぞれ留学から帰国後に、一九一〇（明治四十三）年京都帝国大学、一九二三（大正十二）年東北帝国大学、一九二五（大正十四）年法政大学の美学講座の教授となった。

大塚保治は一八九一（明治二十四）年東京帝国大学文科大学哲学科卒業生の中で当時数少ない美学を専門とした一人である[176]。卒業後は大学院へ進学したが、在学中「文科大学の哲学科に於て二年の先輩であった」[177]大西祝（一八六四〜一九〇〇）の紹介によって東京専門学校（早稲田大学の前身）でハルトマン美学を講じた。一九〇〇（明治三十三）年、留学を終えて東京帝国大学美学講座の担当教授として、三十年に亘って東京帝国大学をはじめ、東京専門大学、哲学館などの高等教育機関でも講義し、日本講壇美学の発展のために堅実な基礎を築いた。大塚の評価は、論文執筆に対するもののみではなかった。生前、彼には「審美的批評の標準」（一八九五年）、「美学的性質及びその研究法」（一九〇〇年）など数少ない論文発表しかなく、まとまった著書はなかった。「普通草稿を用ゐず、一葉の紙片に主要概念のみを書き留めた極めて簡単なる覚え書きを手にして、然かも其の中から深遠なる理論を微に入り細を穿つて、縷々として紡ぎ出されるの」[178]を特徴とした彼の講義は死後、「聴講者の筆記したノートを蒐めて新に原稿を作成する」[179]という大西克礼や竹内敏雄（一九〇五〜一九八二）の編集や整理を経て、『大塚博士講義集Ⅰ　美学及芸術論』（一九三三年）、『大塚博士講義集Ⅱ　文芸思潮論』（一九三六年）の二冊に結実し出版された。「美学概論」「芸術論」「建築論」「彫刻論」「絵画論」「造型美術論」「唯美主義」「象徴主義」などその内容は豊かで、高い価値を持つと言えよう。これらは、西欧美学や文芸理論の翻訳書がまだ乏しい明治時代において、経験論や観念論など、西欧最新の美学理論および唯美主義や象徴主義など時代の発展につれて進行していた文芸思潮に触れる重要な窓口にもなっていた。美学研究において、大塚は単に西欧の美学理論を引用し教授したのみではなく、ハルトマン、ヴント（Wilhelm Wundt, 1832-1920）およびディルタイ（Wilhelm Dilthey, 1833-1911）などのドイツ人哲学者をはじめ、世に現れた美学理論を広く研究して美学の歴史を辿った後、卓見を持って自らの立場を「藝術」と「科學的方面」に置いた。

凡そ美學の研究問題については、美を主とするか、藝術を主とするかの二つがあるが、ここには美よりも藝術を主なる對象として美學を講述する。研究方法については、哲學的方法と科學的方法とあるが、ここでは哲學的方面よりも寧ろ科學的方面から研究する方針である。[180]

ここで特に説明を要するのは大塚が提唱した「科學的」方法である。大塚の美学的立場はハルトマン流の哲学的美学、心理学的・社会的美学を経て、ここに至ったのである[181]。彼が指した「科學的」というのは、自然科学あるいは文化科学、歴史科学ではなく、心理的因果性に基づいて成立した精神科学でもない。文化科学と精神科学の間に位置する「類型学」であることが講義集を通読することによってわかる。彼によれば、美的体験の中枢には創作と鑑賞という二つの芸術的体験が存在し、感情移入説は鑑賞体験に適用できる一方、創作体験には応用できないため、ディルタイの「類型学」によって美学研究を行い、さらに美学全体の対象を各類型、すなわち絵画的・彫刻的・抒情的・劇的など芸術の種類と崇高・悲壮・滑稽などの美的範疇、および古典的・浪漫的・象徴的・表現的など芸術の様式に分類することによってこそ、もっと有効的に美学や芸術の問題を研究・解釈することができるという[182]。

さて、東京帝国大学において大塚は当初、美学の講義の外に美術史も講じており、いわゆる美学と美術史が未分化の状態であったが、一九一四（大正三）年一月美学・美術史第二講座の新設に伴って、瀧精一（一八七三〜一九四五）が美術史方面を担当するとなり、大塚は第一講座の担任者として美学を専門的に講じるようになった。ここから東京帝国大学における美学・美術史講座は事実上、美学を取り扱う「美学・美術史第一講座」と美術史を取り扱う「美学・美術史第二講座」に分かれた。それが制度上で承認されたのは一九六七（昭和四十二）年であり、「美学美術史講座」はそれぞれ単独の講座となった。さらに一九七一（昭和四十六）年に美学講座は芸術哲学の増設に伴い改名し、一九七三（昭和四十八）年には美学芸術学専修課程を設置した。大塚の後任は大西克礼、竹内敏雄、今道友信などである。

その一方で、京都帝国大学は、一八九七（明治三十）年の勅令第二〇九号によって、法科大学・医科大学・文科大学・理工科大学という四分科からなるもう一つの帝国大学として、新たに設置された。一九〇六（明治三十九）年に開設された文科大学は哲学・史学・文学の三学科編成を取っており、その文科大学規定には「美学美術史」が哲学科の正科目、史学科や文学科の副科目として設けられていたが、事実上「美学、美術史」講座の新設は一九〇九（明治四十二）年五月である。担当教授深田康算がヨーロッパ留学中のため、「心理学講座担当教授の松本亦太郎が本講座の事務と学生の指導に当たり、西洋文学講座担任の教授藤代禎輔が美学の講義を担当し、武田五一（一八七二〜年一九三八）、瀧精一、濱田耕作（一八八一〜一九三八）の各講師によって西洋および東洋の美術史が講ぜられた」[183]。深田は一九一〇（明治四十三）年留学を終えて就任し、一九二八（昭和三）年に病気で死去するまで在任していた。深田を受け継いだのは京都帝国大学の卒業生で元講師でもあり、留学を経てすでに九州帝国大学教授となっていた植田寿蔵（一八八六〜一九七三）である。その後の後任者は井島勉（一九〇八〜一九七八）、吉岡健二郎（一九二六〜二〇〇五）、岩城見一などである。なお、一九五六（昭和三十一）年四月には「美学美術史第二講座（美術史）」が増設された。

また同時期には、慶応義塾・東京専門学校・同志社などの私立大学や東京美術学校も美学の講座を設置した。中でも、早稲田と東京美術学校は特筆すべきであろう。

早稲田美学の端緒を開いたのは大西祝[184]である。『早稲田大学百年史』によれば、「哲学科の第一回の卒業生井上哲次郎がドイツ留学から帰国し、独裁力を振って、その前から教えていた気に入らぬ者には遠慮なく退出を求め、大西には、キリスト教の信仰を捨てるのを条件に学内に残ることを求めると言った」[185]という状況に、大西は大学院の卒業論文の提出を見合せ、一八九一(明治二十四)年一一月[186]から東京専門学校の講師となり、新たに開学する京都帝国大学文科大学学長の人選でヨーロッパ留学を命じられる一八九八(明治三十一)年二月まで哲学や美学を教えた。大西祝のほかに、高山樗牛や大塚保治もその時期に東京専門学校で美学を講じている。この早稲田の文科の門からは、坪内逍遥や大西祝をはじめとする講師陣の指導を受けながら『早稲田文学』の編集と運営に携わることを通じて、第一期卒業生の金子馬治(築水)(一八七〇~一九三七)、第二期卒業生の島村滝太郎(抱月)(一八七一~一九一八)、第三期卒業生の綱島栄一郎(梁川)(一八七三~一九〇七)など、美学や文芸批評界に活躍する人材が数多く輩出された。

東京美術学校も早くから美学講義を開始した教育機関である。開校時、フェノロサの美術教育理論によって編成されたカリキュラムは、入学後の二年間を普通科、次の三年間を専修科(絵画科、彫刻科、図案科)としていた。その中に「美学及び美術史」という科目が設けられ、普通科第二年で週二時間、専修科第一と第二年でそれぞれ週三時間が当てられていた。フェノロサは一八九〇(明治二十三)年に帰国するまでの約一年半、この講義を担当しており、授業中に日本語通訳を務めたのは岡倉天心である。フェノロサ帰国の一八九〇(明治二十三)年八月、「美学及び美術史」の講義は規則改正によって専修科第一年生に週二時間を課すことになり、その後何度も変更を重ねた。天心は帰国したフェノロサを引き継ぎ、一八九六(明治二十九)年七月までこの科目を担当した。天心の美学講義については、すでに紹介した大村西崖が記録したフェノロサの「美学講義」のような全貌を把握できる資料は現存しないが、一八八九(明治二十二)年九月に入学した菅紀一郎のノート『美術学校講義筆記雑草稿』には「欧州ニ於ケル美術ノ意義ノ変遷ヲシメセ。美術ヲ写生的ト非写生的ト区別スルノ謬解タル理由ヲ示せ。美術ト宝物ノ真宝ノ関係如何」[187]という岡倉の美学講義の試験問題と推測されるメモが残されている。また一八九七(明治三十)年から一九〇一(明治三十四)年まで彫刻科に在学していた本保義太郎(一八七五~一九〇七)記『森鷗外西洋美術史講義ノート』には「岡倉氏ノ説タル審美論亦タ「ラスキン」ニ據レル所ナルヘシ」[188]という鷗外の言葉も残されている。そして天心の後にこの講義を引き継いだのは森鷗外であり、彼は一八九六(明治二十九)年三月から一八九九(明治三十二)年六月一四日小倉へ赴任する直前まで在任していた。鷗外の講義は上記の本保の「森鷗外氏講義、美学、巻之一～巻之五」「森鷗外氏講義、西洋美術史、上古巻、中古巻、近世巻之一、近世巻之二」(富山県立美術館蔵)という受講生の筆記メモがあり、一八九九(明治三十二)年出版の『審美綱領』とだいたい合致している。「「美学及び美術史」の科目が本校の創立者であるフェノロサと岡倉覚三が斯学の研究者であったことなどにより、学科の中で特に重要な位置を占めていたらしく(中略)東京大学などの美学、美術講座が発足するのはこれよりかなり後のことである」[189]と『東京芸術大学百年史』に記述されたことがあるが、美学講義の開始時期では、東京美術学校と東京帝国大学はほぼ同時期と言える。そもそもフェノロサも天心も、東京帝国大学にいた人物であるが、実際に制作に従事する芸術家とアカデミックな研究者を育成するという両大学の教育目標および性質の違いによって、その講義が異なるものとなったのは当然である。佐藤道信は美術史学を比較して、次のように述べている。

両者の違いを対比的にいえば、第一に東京美術学校の美術史学が、美術教育の一環として始まったのに対して、東京大学のそれは、美学哲学研究の一環として始まったこと。第二に、東京美術学校のそれが、日本・西洋の美術を対比させながら、同時並列的に始まったのに対して、東京大学のそれは、西欧の美学美術史の移植から始まり、日本東洋美術史はやや遅れて始まること。第三にその際、東京大学での日本東洋美術史は、実際の流れとしては美学というよりむしろ、前代の国学・漢学系の考証学の伝統の上に、近代の歴史学として成立した性格を持っていること、などが指摘できる。しかし東京大学だけでなく美術史研究の一般的な傾向としても、西洋美術史は美学哲学研究の一環、日本東洋美術史は歴史研究の一環として成立し、以後もそのように展開した傾向が強い。[190]

東京帝国大学をはじめ、これらの大学における美学の講座あるいは講義の開始は、美学の研究者に広い舞台を与えた[191]。一時、坪内逍遥、森鷗外、岡倉天心、大西祝、立花銑三郎、大村西崖、金子馬治(築水)、高山樗牛、島村抱月など数多くの美学者・文芸理論家が世に出て、明治の学界や文芸世界で活躍した。まさに彼らの牽引によって、日本の講壇美学は次の新たな発展へ導かれた。また、美学研究活動の活発化に応じて、専門的な学会も当然要請された。全国的組織として、機関紙『美学』の刊行、年一回の全国大会、東西月例会などの研究組織化を果たした日本美学会は一九四九年に発足されたが、それ以前の明治末から各大学にはすでに美学美術史専攻の生徒を主体とした「美学研究会」[192]があったようである。

おわりに

近代から今日に至るまでの日本における美学の歴史を大まかに見れば、「美学とは何か」、「西欧美学の移植」、「日本での美学」、「日本の美学」という段階に分けられる。「美学とは何か」という初期段階において、立役者とも言えるのは、主に西周や中江兆民を代表とする啓蒙思想家である。彼らは美学を専門として研究・従事する者ではないものの、関心を持って自分の知の体系の一部としてこの学問を世に紹介してきた。彼らの作業は一種の入門案内と言っても差し支えない。しかし、紹介するにつれて、訳語が自然に問題となってくる。すでに紹介したように、日本において、aestheticsの早期訳語として、西周が当てたのは「善美学」「佳趣論」「美妙学」であり、中江兆民が当てたのは「美学」である。さらに、西周が最終的に決めた「美妙学」という訳語と同時期に「審美学」が流布していた。これは東京大学が文学部哲学科でその科目を開講したときに使われてきた学科名であり、森鷗外が終始用いたものでもある。ところが、一八九二(明治二十五)年、東大は講座名を「審美学」から「美学」へと改称した。しかし、当時の出版物を調査しまとめた『明治のことば辞典』からもわかるように、明治四十年代になっても、「審美学」は変わらず影響力を持つ訳語であったことは間違いない。以下、引用する。

【美学】［ことばの泉・明三一］美とはいかなるもの、美術はいかなるものなるかを論究する学。［新編漢語辞林・明三七］審美学。［国語漢文新辞典・明三八］美といふことに就いて論究する学。［新式以呂波引節用辞典・明三八］美とは如何なるものなるか、美術は如何なるものなるかを研究する学問。［仏和会話辞典・明三八］esthétique.［中等百科辞典・明三九］審美学ニ同ジ。［新訳和英辞典・明四二］Aesthetics.［模範英和辞典・明四四］Esthetics.［大辞典・明四五］哲学ノ一。美ノ何物デアルカヲ研究スルモノ。審美学。［新式辞典・大一］審美学に同じ。――史、――者。［美術辞典・大三］エスセチックス（英）の訳語で、審美と訳された事もある（下略）。《意味》英語 aesthetics の訳語。明治時代の新語。「審美学」の略語。明治十六年には中江兆民訳『維氏美学』が出版されている。

【審美】［熟語新辞典・明四〇］美をきはむること。［辞林・明四四］美と醜の性質及法則等を研究する科学。美学。［大辞典・明四五］美ノ理ヲ究メルコト。［ローマ字索引国漢辞典・大四］美といふ事をきはめしらべること「審美学」。《意味》明治時代の新語。英語 aesthetics の訳語「審美学」の略語として誕生したものか。森鷗外の『柵草紙の山房論文』逍遥子の諸評語（明二四）に「程経て心をハルトマンが哲学に傾け、その審美の巻に至りて、得るところあるものの如し。」とある。

【審美学】［ことばの泉・明三一］びがくにおなじ。［新編漢語辞林・明三七］テツガクノ一部。スベテ美トイフコトニツイテキハメルガクモン。［中等百科辞典・明三九］Aestohetik.（下略）。［新訳和英辞典・明四二］Aesthetics.［辞林・明四四］美と醜の性質及法則等を研究する科学。美学。［大辞典・明四五］美学ト同ジ語。英語 Aesthetic ニ対スル訳。［新式辞典・大一］美学に同じ。［文学新語小辞典・大二］美の本質を研究する学問、今日はむしろ美学と云ふ。《意味》英語 aesthetics の訳語。明治一四年の『哲学事彙』には「美妙学」とあり、明治四五年の三版になると「美学」の訳語になっている。小幡甚三郎訳『西洋学校軌範』（明治三）「コロンビヤ」大学校ノ規則には「審美学」とある。森鷗外の著書に『審美論』（『しがらみ草紙』明治二五〜二六）、『審美綱領』（明治三二）がある。

【美妙学】［哲学字彙・明一四］Aesthetics.［学校用英和字典・明一八］aesthetics.《意味》英語 aesthetics の訳語。訳語「美学」が定着するまで使用された。明治四五年刊の『哲学字彙』（三版）では「美学　感覚論」が aesthetics の訳語となっている。[193]

では、なぜ東京大学は「審美学」から「美学」へ改称したのか。「美学」という中江兆民が考案した学名はのち統一的な名称として日本や中国に定着して行ったたが、当時の学界や社会にすぐに受け入れたとは言えないのである。そこには、いったいどのような背景があったのか。以下では、この謎に迫り、本章のおわりに代える。

これを解明するために、まず『維氏美学』に対する森鷗外の極端な評価を想起する必要がある。これについては、筆者が挙げた例以外に、歴代の研究者も多くの根拠を挙げて反論している。例えば、山本正男は「この書がわが国の芸術思想に及ぼした影響については、森鷗外はほとんど無視しているが、しかしたとえば坪内逍遥の「美術論」等を見ても、その示唆は充分窺えるのであり、明治初期の啓蒙的役割を果たしたことは否定できぬであろう」[194]と言い、坪内逍遥の「美とは何ぞや」（一八八六年）を『維氏美学』の影響の下に生まれたものと見なしている[195]。青木茂も「兆民訳と同時期の坪内逍遥は「美学」である」[196]とし、逍遥が小山正太郎（一八五七〜一九一六）の弟子である長原孝太郎からこの本を借り感銘を受けてフェノロサ批判に至ったこと、「内田魯庵が読み、大町桂月・上田敏はこれを使って論じ合い、市島謙吉の回想にもあるという。竜池会副会頭細川潤次郎の「裸体の彫像画像ヲ論ズ」にもヴェロン氏のエステティックスは引用されている（『竜池会報告』二四号、一八八七年）。長原孝太郎はもちろん読んだのであるが、高橋源吉は丹念に抜き写して訳本にはない多くの小見出しまで付けている。彼は「美術真説駁論」という稿本も残している」[197]と説明している。さらに、神林恒道はこの青木の説明に依拠し、「とりわけ小山正太郎の私塾不同舎の画学生の間で盛んに読まれていたというのは興味深い。おそらくは、フェノロサの『美術真説』の妙想の説か伝統的絵画を学ぶ者たちを鼓吹したように、ヴエロンが『維氏美学』で説いた、過去の規範にとらわれることなく自由な感情表現を目指すという新しい芸術の指針が、西欧画を学ぶ若い画学生たちを感奮させたのではないだろうか」[198]と述べている。

「興味深い」のは神林が指摘したことだけであろうか。そこにはもっと興味深い点があり、すなわち「美学」という訳語がなぜ「美妙学」や「審美学」に代わって統一的・標準的な用語になったかという理由が潜んでいるのではないだろうか。周知のように、一八八二（明治十五）年、小山正太郎と岡倉天心の間で「書ハ美術ナラス」という論争があった。この時、美術教育で鉛筆画を採用すべきと主張した小山は毛筆画を推す天心やフェノロサに敗れ、新設された東京美術学校から排除されてしまった。『維氏美学』は論争の武器として「小山正太郎の私塾不同舎の画学生の間で盛んに読まれて」大事にされた一方、敵方の天心らにも読まれた可能性がある。天心は、「鉄槌道人」を筆名として一八八五（明治十八）年一〇月三一日付で『大日本美術新報』第二四号に発表した「日本ノ滅亡坐シテ俟ツヘケンヤ」という論説で、「現今百事日新ノ風潮ニ伴ヒ美術ヲ振興セントスルニハ泰西美學ノ眞理ヲ適用シ眞正着實ニ勸奬スルノ外ナシ」[199]云々と美術振興における美学の必要性を説き、「美学」という言葉を使用した。これを見ると、おそらく天心もこの本を読んだことがあるのであろう。しかも、一八八九（明治二十二）年に開校した東京美術学校のカリキュラムにおけるこの学問の学科名も、大村西崖によって記されたフェノロサの講義のノートでもすべて「美学」と表記されている。天心とフェノロサは当時の美術行政の権力者・指導者であるため、東京美術学校が定めた学科名は決定的な影響力を持ったと推察できる。兆民が考案した訳語が天心や東京美術学校に採用されたため、当時、主にお雇い外国人によって講じられた東京帝国大学、さらに学界全体が受け入れるようになったのではないだろうか。

大塚保治が一九〇〇（明治三十三）年留学を終え東京帝国大学の美学・美術史講座の担当教授に就任したことは、「美学とは何か」という認識段階が終わって「西欧美学の移植」が始まった象徴的な出来事である。「西欧美学の移植」という段階において、まず先鞭をつけてその学問の価値を人々に広く知らせたのは森鷗外である。鷗外はさまざまな論争を挑発し、それらの論争において「美学」という錦の御旗を掲げる一方、本格的な西欧美学の翻訳をおこなった。次章では、森鷗外の美学における業績を追いながら、幽玄論という日本人の美意識論に収斂していく。

注

1 夏目漱石『漱石全集』第一巻、岩波書店、一九六五年、二四九〜二五〇頁。

2 渡邊靜夫編『日本大百科全書』（小学館、一九八八年、七五七頁）の「和魂漢才・和魂洋才」（原田隆吉執筆）の項に次のことが記述されている。「和魂漢才は平安中期に生まれた思想で、当時は「やまとだまし・からざえ」といった。中国渡来の正確鋭利な知識（漢才）もたいせつだが、日本社会の常識に通じ臨機の処置をとれる人柄（和魂）もまたたいせつというので、いわば専門と教養との兼有を説くもの。『源氏物語』に「猶ざえをもととしてこそ、やまとだましゐの世にもちゐらるるかたもつよからめ」とみえるのはもっとも早いほうで、『大鏡』『今昔物語』『愚管抄』などに同様の用例がある。鎌倉後期、蒙古襲来からおきる日本神国思想は、これに一変化を生じる。室町時代成立の『菅家遺誡』はその典型で、「一、凡神国一世無窮之玄妙者……凡国学所要……和魂漢才」とみえ、神国は至上で漢土の革命の国風と違う、日本の研究はかならず和魂漢才を兼具する必要があるという。この書は、平安前期の和漢兼修の大学者菅原道真に仮託された偽書であるが、中世の人々が漢土に学ぶとともに日本の特性に注意し自覚をもつことを説いたのがよくわかる。「わこん・かんさい」という語はここで確立した。幕末から明治にかけての新時勢は、また一変化を生んだ。和魂をふたたび「やまとだましい」と読み、吉田松陰の「かくすればかくなるものと知りながらやむにやまれぬ大和魂」（辞世）のように国のため生命を惜しまぬ直情な日本独得の精神とされ、国家主義とともに昭和まで盛んに用いられた。明治の菅原道真ともいうべき和洋の学芸に精通した森鷗外は、平安以来の系統を踏んで「和魂洋才」をすすめた。それは西洋文化の摂取とともに、それと日本文化との融合を説く良識豊かなものであったが、近代日本の激流的な思想界はそれを流布させないで終わった」という。

3 平川祐弘『和魂洋才の系譜』河出書房新社、一九八七年、一九頁。

4 丸山眞男『日本の思想』岩波新書、一九六一年、五頁。

5 美学という学問が西欧から日本を通じて中国へ導入されたことについて、中国の学界にはすでに明確な認識がある。例えば、李心峰は「日本の近代美学、芸術思想の中国への影響」（岩城見一編『芸術／葛藤の現場――近代日本芸術思想のコンテクスト』晃洋書房、二〇〇二年、二二三〜二四〇頁）や「関注美学上的「日本鏡」」（『外国美学』江蘇鳳凰教育出版社、第二一号、二〇一三年、六六〜六九頁）において、中国が美学を導入・移植した歴史における日本の役割を「日本橋」や「日本鏡」に巧妙にたとえ、陳望衡も「〝美学〟、西洋から日本へ、そして中国へ」（『アート・リサーチ』第六号、二〇〇六年、一〜一〇頁）などにおいて、中国美学発達史における日本の重要性を強調した。この理路に従って、彭修銀が主宰した中国社会科学基金プロジェクト「日本近代文芸学対中国現代文芸学的影響」（02BZW017）をはじめ、近年、中国の学界にもいくつか有意義なプロジェクトが発足した。しかし、こういう現段階での研究は、まだ表面の概念や術語の相互関係の究明に止まっており、制度上ないし思想上からの観点は不足していると考える。

6 土方定一『近代日本文学評論史』法政大学出版局、一九七三年、三四六〜三四七頁。

7 吉田精一『近代文芸評論史　明治篇』至文堂、一九七五年、一〇四〇〜一〇四三頁。

8 同右、一〇四一〜一〇四二頁。

9 同右、三一〇頁。

10 和田繁二郎「書評　吉田精一著『近代文芸評論史　明治編』」『比較文学』第一八巻、一九七五年、六七〜六九頁。

11 吉田『近代文芸評論史　明治篇』（前掲注7）、八二八頁。

12 太田勤之「後記」麻生義輝『近世日本哲学史――幕末から明治維新の啓蒙思想』書肆心水、二〇〇八年、三二三頁。

13 山本正男『東西芸術精神の伝統と交流』理想社、一九六五年、一八頁。

14 同右、二一・四九・九五・九六頁。

15 金田民夫『日本近代美学序説』法律文化社、一九九〇年、一七・一八・八三頁。

16 同右、四八・三八・四九・九三・七六頁。

17 「「日本」の美学」や「日本の「美学」」という呼び方の詳細については、神林恒道「序「日本」の美学と日本の「美学」」（『美学事始――芸術学の日本近代』勁草書房、二〇〇二年）を参照されたい。また、「日本の『美学』と『日本』の美学」（アジア芸術学会報告、『美術教育』通号第二八四巻、二〇〇二年、三二〜三五頁）において、神林は外山正一の「日本絵画の未来」についての講演に対する森鷗外の反論を「『日本の美学史』の始まり」、大塚保治の東大就任を「日本の『美学』の原点」、岡倉天心の『日本美術史』の構想を「わが国最初の『日本の美学 Aesthetics of Japan』」としたこともある。「『日本』の美学」あるいは「日本の『美学』」という一連の言い方には矛盾したところもあり、やや微妙である。

18 濱下昌宏『主体の学としての美学――近代日本美学史研究』晃洋書房、二〇〇七年、二一三頁。

19 隈元謙次郎ほか編『岡倉天心全集』第四巻、平凡社、一九八〇年、一三頁。本巻に付録された「解題」(五二四頁)によれば、この講義は「東京美術学校開校の翌年、即ち明治二十三年(二十九歳)より三年間にわたって行われた。二十三年十月、校長兼教授に任ぜられた岡倉は、普通科二年生に『美術史』を、専修科一年生に『美学及美術史』を、各々週二時間講義した」という。

20 北澤憲昭「「近代」と「現代」の区分」北澤憲昭ほか編『美術のゆくえ、美術史の現在』平凡社、一九九九年、四六頁。

21 「近代化」および「西洋化」の定義についてはMoore, Wilbert E.: *Social Change*, *Englewood Cliffs*, N.J., PrenticeHall, 1964lを参照し、社会学から日中両国を論じたものにはLevy.Marion J.. 1953: *Contrasting Factors in the Modernization of China and Japan*, *Econ. Develop.* Cult. Change. II-3. 161-197という名作がある。また、日本語の著作には富永健一『近代化の理論——近代化における西洋と東洋』(講談社学術文庫、一九九六年)がある。富永(同、四〇二頁)によれば、「近代化」は、「核家族化と親族集団の解体」「組織の形成」「地域共同体の解体と地域社会の拡大」「社会階層の平準化」「国民社会と国民国家の形成」という五つの方向に向かって進み、後発国家の近代化を左右するものには「近代化・産業化にとっての初期状態」「政府の近代化・産業化政策」「近代化推進派と伝統主義派との内部コンフリクトの克服」「西洋からの文化伝播として受け入れたものの内部化」「国際関係における不利な状況からの離脱」という要件があるという。

22 阿部次郎『阿部次郎全集』第一七巻、角川書店、一九六六年、三五九頁。

23 一六三三(寛永十)年江戸幕府の第三代将軍徳川家光(一六〇三〜一六五一)が初めていわゆる「鎖国令」を発布して以来、徳川幕府は合せて前後五回の「鎖国令」を出し、中国、朝鮮およびオランダ以外の国との通商が禁止された。

24 日本における〈器〉の概念およびそれを重視する伝統については、青木孝夫「器の詩学」(『日本の美学』三五号、灯影舎、二〇〇二年、一一六〜一二九頁)や「芸道的中心概念:審美習慣——以世阿弥能楽論中的樹木与器為線索」(『中国美学』第二巻、中国社会科学文献出版社、二〇一六年、六五〜八六頁)を参照されたい。他方、中国には職人や手仕事が卑しまれる伝統があり、「形而上者謂之道、形而下者謂之器」(『易経』)や「君子不器」(『論語』)というような言葉が示したように、西洋と接触し始めた一九世紀後半になっても、「機巧の智」として蔑視したことも士大夫の間にはよくあった。それについて、森鷗外(「洋学の盛衰を論ず」『鷗外全集』第三四巻、岩波書店、一九七四年、二二四頁)には「彼(ヨーロッパ)の学風は、希臘Aristoteles以来、自然を重んじ、偏に精神のみを説くに安んぜず。近世に及びて、所謂自然科学の勃興は、全欧洲学問界の気風を一変し、技術は資を此に仰ぎて蒸気電気の利用となり、(中略)此学風は支那の無き所にして、支那朝鮮は其の心を偏重し博物な卑む学を墨守せるを以ての故に、今の憐む可き所動の地位に立ち、我国はこの西洋学を輸入したるを以ての故に、今の賀す可き能動の地位に立てるなり」という鋭い観察がある。

25 佐久間象山『省諐録』佐藤昌介ほか編『日本思想大系五五　渡辺崋山・高野長英・佐久間象山・橋本左内』岩波書店、一九七一年、四一一二頁。

26 張之洞著・李忠興評注『勧学篇』中州古籍出版社、一九九八年、一二八頁。

27 日中両国が自らの文化に対する認識について、神野藤昭夫は「近代国文学の成立」(酒井敏・原國人編『森鷗外論集　歴史に聞く』新典社、二〇〇〇年、八~九頁)に、自らの中国体験と研究に基づいて、以下のように評価した。「中国における日本文化研究の主流は、自分たちの文化的影響がいかに日本の隅々まで波及しているかの一方的確認であり、自らを規範とすることによって、それらがいかに変形もしくは歪曲されているかを指摘するところにあるといってよい。結局のところ、中華文明の権威とでもいうべきものの自己確認に終わって居るのではないかというのが、私の得た実感である。一方、長い視野から眺めてみると、海を隔てた島国日本では、遣唐使派遣の昔から、中国が自分たちの文化の故郷であるような親慕と敬愛の感情をいだきつづけて来た。と同時に、日本人は、中国文化を主体的に咀嚼消化し、独自の文化を形成してきたという自負を抱いてきた」。

28 富永(前掲注21、『近代化の理論』五八~五九頁)によれば、日本近代以来の思想史を「ナショナリズムが支配した幕末の尊皇攘夷の時代」、「『文明開化』という名の欧化主義が支配した明治前半の二十年間」、「国民精神の発揚が標榜された明治二十年代以降の明治後期」、「『大正デモクラシー』と呼ばれる自由主義・民主主義の西洋主義的風潮が一斉に開化するにいたった大正年間」、「『国粋主義』すなわち『反西洋主義』の支配した昭和前期」、「『アメリカニズム』という新しい西洋主義の時代」という段階に分けられる。また桂広介(『日本美の心理』誠信書房、一九六八年、二五頁)によれば、日本の近代化は江戸時代の後期にすでに現れており、全体から見れば「自己発展による近代化」、「欧化を通じての近代化」、「欧化のための欧化にすぎない模倣的傾向」という三つの段階がある。

29 富永『近代化の理論』(前掲注21)、三七九頁。

30 今道友信「序論　美学とは何か」今道編『講座美学一　美学の歴史』東京大学出版会、一九八四年、二~三頁。さらに、今道によれば、「aesthetica(感性学)」という言葉はそれほど適切ではなく、その学問を自らが造語した「calonologia(美を理性的に考える学)」と訳されるべきと主張した。

31 熊月之『晩清社会与西学東漸』上海人民出版社、一九九四年、七~一五頁。この本において、熊は中国の晩清社会における西学の広がりを以下の四つの段階に分けた。第一の段階(一八一一~一八四二)では、漢学に通暁する西洋人によって広がり、その目的は主に宗教の宣伝であった。第二の段階(一八四三~一八六〇)では、中国人の知識人が西洋の著作の翻訳に取り組み始めた。第三の段階(一八六〇~一九〇〇)では、清の政府が専門的な翻訳機関である「京師同文館」や「江南製造局翻訳館」を設けて西洋の科学技術を中心に大規模な翻訳活動を進めた。第四の段階(一九〇〇~一九一一)では、西洋の学問的仲介は英語・フランス語・ドイツ語から日本語に転じた。つまり、一九〇〇年以降、中国では主に日本を媒介として、西洋の著作を翻訳し、その時期における翻訳の重点も科学技術から思想や学術などの精神的文化に変わったという。

32 羅存徳の生涯について、那須雅之（「『英華字典』を編んだ宣教師ロブシャイト略伝」『しにか』一九九八年一〇～一二期）の実地調査がある。また近年、沈国威（『近代英華華英辞典解題』関西大学出版部、二〇一一年）や熊英（『羅存徳及『英華字典』研究』北京外国語大学博士学位論文、二〇一四年）などの研究もある。これらによれば、羅は一八二二年ドイツ西北部の村に生まれ、二二歳の時 Rheinische Mission Gesellschat（ＲＭＧ）の神学校に入って神学や医学について勉強し、高い語力を評価されて一八四八年にＲＭＧにより香港に派遣されたという。一八八三年、井上哲次郎増訂版は日本で出版され、その中（二一頁、カリフォルニア大学図書館藏「大槻文庫本」参照）の訳語も中国版と同じであることが確認された。

33 東山主人『新輯各国政治芸学分類全書・西国学校』鴻宝書局、一九〇二年、四頁。

34 黄興濤「美学一詞及西方美学在中国的最早伝播」『文史知識』二〇〇〇年〇一期、七六頁。

35 顔永京は一九五四年アメリカへ留学し、一八六二年卒業して帰国した。キリスト教の牧師として文化教育活動に活躍し、一八七八年からの八年間で上海教会学校である聖約翰書院の学長を就任し、心理学などを講義していた。中国における心理学の普及に大きく貢献した。

36 顔永京訳『心霊学』（Joseph Haven, Mental Philosophy: *including Intellect, Sensibilities and Will*, Gould and Lincoln, 1857, 1869）益智書会、一八八九年、一三頁。なお、日本には西周がこの本を『心理学』（一八七五～一八七六年、文部省）と『奚般氏著心理学』（『心理学』の改版、一八七八年）と訳したことがある。大久保利謙編『西周全集』第一巻（宗高書房、一九六〇年）「総記」（八頁）によれば、ヘヴンは「アメリカのシカゴ神學校の神學教授、アーマストカレッヂの知識・道徳哲學の教授を歴任した人で、この書のほかにも *Moral Philosophy. History of ancient and modern Philosophy* 等がある。いづれも教科書風の啓蒙書、この *Mental Philosophy* もその一つで、わが國でもかなり讀まれ一時は各學校で教科書にも用いられていたということである」という。

37 譚達軒ほか編『英漢辞典』一八七五年（前掲注34、黄『文史知識』七六頁より引用）。

38 福沢諭吉について、麻生義輝には次の評価がある。「福沢諭吉は決して哲学者ではない。しかし広く啓蒙的思想、特に英米の功利主義的見解に基づく啓蒙思想を以て、封建的・守旧的思想、特に支那学的超俗思想に打撃を与えた点に於いては、幕末及び明治初年の代表的思想家と言わなければならぬ」（前掲注12、麻生『近世日本哲学史』三二頁）。

39 大久保利謙編『西周全集』第三巻、宗高書房、一九六六年、七二三頁。

40 大久保利謙編『西周全集』第二巻、宗高書房、一九六二年、一二四頁。

41 土方定一「解題」『明治文学全集七九　明治芸術・文学論集』筑摩書房、一九七五年、三九九頁。

42 美学領域における西周の思想と業績に関する先行研究については、藤田一美による「啓蒙思想における「為国家之用」の論理——西周の啓蒙哲学における美学思想（一）」（『美学藝術学研究』第二二巻、二〇〇三年、一～四九頁）、「啓蒙思想における「為国家之用」の論理——西周の啓蒙哲学における美学思想（二）」（『美学藝術学研究』第二三巻、二〇〇四年、七三～一六三頁）、「美妙学における美妙と善美あるいは佳趣論と価値論——西周の啓蒙哲学における美学の一断面」（佐々木健一編『日本の近代美学（明治・大正期）』科研費報告書、二〇〇四年、一～二七頁）のほか、濱下昌宏による「実学としての美学——西周による西洋美学受容」（神林恒道編『日本の芸術論——伝統と近代』ミネルヴァ書房、二〇〇〇年、一九七～二一七頁）、「西周における西洋美学受容——その成果と限界」（島根県立大学西周研究会編『西周と日本の近代』ぺりかん社、二〇〇五年、二五二～二八一頁）、「西周『美妙学』」（『主体の学としての美学——近代日本美学史研究』晃洋書房、二〇〇七年、九～四九頁）などが挙げられる。

43 『百一新論』は西周の生前に公刊された多くはない出版物の一冊である。山本正男は「西周の公刊した著書および飜訳書の六種十二冊の中で、自著は『百一新論』と『致知啓蒙』とにすぎず、主著とするにたりる論稿は出版されなかった」（前掲注13、山本『東西芸術精神の伝統と交流』三三頁）と指摘している。その成稿年代について、森鷗外の「西周所著目録」（『西周伝』西紳六郎刊、一八九八年、一六二頁）によれば、「京都に在る時の著なり。稿本なし」とされる。また藤田一美の推定によれば、それを書き始めたのは、少なくとも西周が留学を終えた慶応二年、すなわち西が開成所教授あるいは慶喜のために『議題創案』を書いた頃であるという（前掲注42、藤田「啓蒙思想における「為国家之用」の論理（二）」九〇頁）。

44 大久保編『西周全集』第一巻（前掲注36）、二八九頁。

45 同右、二三四頁。

46 同右、二八八頁。

47 同右、二六五頁。

48 吉田賢抗『新訳漢文大系・第一巻　論語』明治書院、一九六〇年、八五頁。

49 同右、一六〇頁。

50 この言葉について、西自身も「孔子、韶ヲ評シテテ美ヲ尽セリト謂ヒ、武ヲ評シテト美ヲ尽セリ未タ善ヲ尽サスト謂ヘルカ如キ」（前掲注36、大久保編『西周全集』第一巻、四八一頁）と美学を体系的に説いた『美妙学説』に引いたことがある。これが西周の訳語選定の教養的背景であると主張するのは、今道友信（前掲注30「序論　美学とは何か」七頁）や藤田一美（前掲注42「美妙学における美妙と善美あるいは佳趣論と価値論」一八頁）で、反対に、神林恒道はこれがギリシアの「kalokagathia」に由来するとしている（神林恒道『近代日本『美学』の誕生』講談社学術文庫、二〇〇六年、八三頁）。なお、「kalokagathia」について、藤田一美には確かな調査があり、詳細は「カロカガティア系譜考――その予備的考察（1）」（『美学藝術学研究』第二〇巻、二〇〇一年、四一〜一二一〇頁）、「同（2）」（同第二一巻、二〇〇二年、一〜八〇頁）を参照されたい。

51 大久保編『西周全集』第一巻（前掲注36）、八頁。

52 これについて、麻生義輝の「大政返上の直後から明治五年に至る間に於いては、日本人の西洋哲学に関する知識は倍加し、西洋哲学的に物を思考することも顕著となってきた。しかしこれ等の思想が流入されるに就いては、全く異端的なるものが突如として渡来したのではなくして、そこに媒介をなすものがあった。西洋思想を日本に流入せしむるに就いて尤も有力な媒介をなしたものは支那思想、特に儒学であった。西洋の思想を儒学の思想と比較して見て、儒学の中にあるものは仮にその表現を籍りて、先ず輸入されたのである」（前掲注12、麻生『近世日本哲学史』一八八頁）という発言もある。

53 森林太郎『鷗外全集』第三六巻、岩波書店、一九七五年、一三四頁。

54 森鷗外の『西周伝』（前掲注43、一一〇頁）には「又毎月六次、別にEncyclopaedia の講筵を開く。所謂百学連環是なり」という記載があるほかに、のちに『西周全集』に収録された『百学連環』の稿本となった永見裕の筆録にも「明治三年十月ヨリ西周私塾育英舎ニ於テ「インサイコロヘジア」ニ拠リ、史学地理学文章学数学心理学神理学哲学格物学等ノ諸学科ヲ研究シ、同四年九月其稿十冊ヲ編纂シテ百学聯環ト称シ、之ヲ藩庁へ差出ス」（大久保利謙編『西周全集』第四巻、宗高書房、一九八一年、六〇〇頁）という記載がある。

55 同右、大久保編『西周全集』第四巻、一一頁。

56 同右、一六八頁。

57 同右。

58 因みに、「美術」という言葉は「fine art」の対訳語として、一八七二（明治五）年に開催されたウィーン万国博覧会の出品規定に初めて現れたと一般的にされている。そこには「美術（西洋ニテ音楽、画学、像ヲ作ル術、詩学等ヲ美術ト云フ）ノ博覧場ヲ工作ノ為ニ用フル事」とある。詳細は、北澤憲昭『眼の神殿――「美術」受容史ノート』（美術出版社、一九八九年初版。二〇二一年、ちくま学芸文庫化）を参照されたい。

59 大久保編『西周全集』第四巻（前掲注54）、一五・四六頁。

60 山本『東西芸術精神の伝統と交流』（前掲注13）、二八頁。

61 雑誌『太陽』の増刊号には『美妙学説』の一部分が紹介され、その全文が公表されたのは一九三三年刊行の麻生義輝編『西周哲学著作集』である。その成書年代について、いくつかの異説がある。一つは「明治五年一月十三日御前演説」（麻生義輝『近世日本哲学史』近藤書店、一九四二年、二四五頁）という一八七二年説であり、もう一つは大久保利謙の一八七七年説（「解説」、前掲注36、大久保編

62 『西周全集』第一巻、六七〇頁）である。そのほかに、宮家所蔵文書を調査した森県（「西周『美妙学説』成立年時の考証」『国文学――解釈と教材の研究』第一四巻六号、一九六九年、二〇六頁）によれば、それは一八七九年一月一三日「宮中御談会」の講稿として存在する可能性が高い。いずれにせよ、「御前講稿」であること、ないしヘヴンの『心理学』が訳出された時期とだいたい重なっていることを否定できないと考える。

63 大久保編『西周全集』第一巻（前掲注36）、四七七頁。

64 同右、四七九～四八〇頁。

65 同右、四八二頁。

66 同右、四八六頁。

67 同右、四八九頁。

68 同右、四九二頁。

69 森『西周伝』（前掲注43）、二頁。

70 『カント全集八　判断力批判　上』牧野英二訳、岩波書店、一九九九年、一〇頁。

71 同右、一六一頁。

72 濱下「西周における西洋美学受容」（前掲注42）、二六六頁。

73 大久保編『西周全集』第一巻（前掲注36）の「総記」（七～八頁）によれば、『心理學』（和装三冊）は一八七五～一八七六年、『奚般氏著心理学』（洋装）は一八七八～一八七九年に刊行し、西が一八七二～一八六三年頃からこの書の翻訳を着手したらしい。

74 大久保編『西周全集』第一巻（前掲注36）、一六二頁。

75 井上哲次郎ほか編『哲学字彙』東京大学三学部印行、一八八一年、三頁。一九一二（明治四十五）年の増補版『英獨佛和　哲学字彙』には、それは「美學（按、舊云審美學）、感性論」（五頁）となっている。

76 本文で引用した例のほかに、聶長順の調査によれば、一八八四年出版した坪井仙次郎の『心理要略』（八四頁）にも「美妙学」を使ったことがあるという（聶長順「近代 Aesthetics 一詞的漢訳歴程」『武漢大学学報（人文科学版）』第六二巻六期、二〇〇九年、六五〇頁）。

77 ゼームス・ジョホノット『教育新論』第三巻、高嶺秀夫訳、東京茗渓会、一八八六年、四四九頁。

78 同右、四四七～四四八頁。

「批評」『国民之友』第二二〇号、一八九四年三月。宗像和重「もう一つの『文章世界』――大月隆と文学同志会のことども」（『早稲田大学大学院文学研究科紀要』第六三巻、二〇一八年、一一三五頁）による。宗像はこの文章でいろんなところに散在している大月隆に関する記述を集めて、大月隆および彼の筆業について紹介した。これによれば、大月隆は明治二十年代後半から積極的な著作活動を行った文学同志会の編輯兼発行人であり、『文学の調和』や『美妙』などベストセラーと言えるほど通俗的美学著作を世に出した著述家である。彼の名は今日においてほぼ忘れられたが、講壇美学者の対面である在野美学者として、近代日本美学の系譜には彼の位置があるはずであろう。

79 大月隆『美妙』文学同志会、一八九六年、一頁。

80 西周がジョン・スチュアート・ミルの『利学』(*Utilitarianism*, 1863)を翻訳したため、この思想における功利主義的傾向がしばしば論じられた。ところが、麻生義輝が「明六社」の特徴をまとめた際に指摘した「彼等は決して利我主義者などではなかった。西洋の功利主義を日本の時代に適応するよう特に改変して論じていたのであって、西周などは一種の功利主義的倫理学を樹てているけれども決して西洋の学説を踏襲したものではなかった。彼の倫理学では知識、誠意などが幸福の原則として認められている。物質的欲望を以て最高の理想とする如き倫理説とは甚だ異なるものであった」(前掲注12、麻生『近世日本哲学史』一八頁)や桑木厳翼(『日本哲学の黎明期――西周の『百一新論』と明治の哲学界』書肆心水、二〇〇八年、一九頁)の「西氏の事業はコントの実証学風に私淑する所が少なくないが、その方法や内容に於ては独創の見を立てる所が認められることもまた注意を要する」という発言に着目してほしい。

81 久松潜一『日本文学評論史 近世・最近世篇』至文堂、一九三九年、一二三九頁。

82 柳田泉『明治初期の文学思想』下巻、春秋社、一九六五年、六四頁。

83 井上哲次郎『井上哲次郎自伝』富士房、一九七三年、三三頁。

84 『維氏美学』は『中江兆民全集』(松本三之介編、二〜三巻、岩波書店、一九八四年)に収録されている。中江兆民の序文(第二巻、三頁)によれば、脳症のため舞蹈音楽の二篇を、仏学塾の高弟である野村泰亨に代わって訳してもらったが、そのほかの部分は全て自らが訳したという。『維氏美学』についての先行研究としては、上記の『中江兆民全集』(第三巻、四二一〜四五四頁)に収録された井田進也の「解題」のほかに、『明治文化全集補巻(一)維氏美学』(明治文化研究会編、日本評論社、一九七〇年、三〜二七頁)にも柳田泉の「維氏美学解題」があり、さらに先行研究として島本晴雄「『維氏美学』と中江篤介――比較文学研究ノート」(『女子大文学』第九号、一九五七年。のちに前掲『明治文化全集補巻(一)維氏美学』四一三〜四三〇頁に再録)、飛鳥井雅道「民権運動と『維氏美学』」(桑原武夫編『中江兆民の研究』岩波書店、一九六六年、一一六〜一二八頁)、佐々木健一「揺籃期の美学における『維氏美学』」(前掲注42『日本の近代美学(明治・大正期)』七四〜八四頁)なども挙げられる。

85 麻生『近世日本哲学史』(前掲注12)、二七九頁。

86 「自由訳」は全集の「解題」を書いた井田の言葉であり、「再話」といったのは佐々木である。井田は『中江兆民全集』別巻(岩波書店、一九八六年、五八五～六一六頁）に、兆民の翻訳作品の中でフランス語原文から離れて彼自身の理解を加えている部分を摘出し「一覧表」にしたことがあり、また「翻訳作品加筆箇所総覧　解題」（同、七四七～七七〇頁）において原著と対比・照合した上で、多くの例を挙げながら『維氏美学』における「長大な加筆・訳し変え」を指摘した。

87　松本編『中江兆民全集』第二巻（前掲注84）、二二八～二二九頁。

88　同右、二五六～二五七頁。

89　井田「解題」（前掲注84）、四三〇頁。

90　兆民が『維氏美学』を選出した理由について、金田民夫は「かくして文献の選択について批判すべき美学的な立場が成立していなかったことの故に、また多分に評論的要素の濃い、或ひは啓蒙書的な性格の強いヴェロンの『美學』が取り上げられたとも考へられるのである」（前掲注15、金田『日本近代美学序説』一六頁）という。おそらく民権運動を指導してきた兆民には反アカデミズム・自由主義旗手のヴェロンと、道義上の共鳴があるのだろう。

91　柳田「維氏美学解題」『明治文化全集補巻（二）維氏美学』（前掲注84）、四頁。

92　井田「解題」（前掲注89）、四四二頁。

93　姉崎正治・笹川種郎編『改訂註釋　樗牛全集』第一巻、日本図書センター、一九八〇年、一八一頁。

94　森林太郎『鷗外全集』第二三巻、岩波書店、一九七三年、二九九頁。

95　『早稲田文学』一八九二年一〇月号、一八頁。

96　松本編『中江兆民全集』第二巻（前掲注84）、九頁。

97　桑木『日本哲学の黎明期』（前掲注80）、二三頁。

98　土方編『明治文学全集七九　明治芸術・文学論集』（前掲注41）、二三〇頁。

99　森鷗外の反レアリスム、非自然主義志向について、吉田精一は「文芸評論史の方法と明治時代の文芸評論外観」に西欧の近代文芸批評史の発展を紹介した際、次のように解明している。「こうしたフランスにおける小説論と小説の発達にくらべて、ドイツにあってはやや趣をことにしていた。十九世紀初頭に完成したヘーゲルの『美学』では、「詩」もしくは「詩的なもの」が文芸の理想・標準であり、「散文」もしくは「散文的なもの」はその反対であった。その散文論の当否は別として、自然の理想化にのみ美をみとめ、散文的写実を非美とする思想が通行している環境においては、近代小説の本体たるべきレアリスム系統の文学は同情されず、また隆盛たり得ない。ドイツの観念美学や理想主義に親しんで帰ってきた森鷗外が、はじめから反レアリスム、非自然主義の志向を示した一理由はここにあった」（前掲注7、吉田『近代文芸評論史　明治篇』二〇～二一頁）。

100　「在朝派」や「在野派」の呼び方は麻生義輝から受け継いだ。麻生は兆民を次のように評価している。「彼によって初めて在野派の哲学というべき一流派が在朝派（官僚派）と対抗することになった。これまでの哲学派は明六社派一派であったがこれから後は中江を中心とする在野派が顕れて対立的に活動することになった。〔中略〕この点から中江は在野思想家の大宗といわれるべきである。在朝派（官僚派）、後の大学派又は講壇哲学派と在野派もしくは実際哲学派との二潮流はその後の日本哲学を貫く二つの流派であるが、その源は個人としては中江篤介にまで泝ることが出来るのである」（前掲注12、麻生『近世日本哲学史』二七九頁）。

101　中江兆民のフランス留学について、井上哲次郎の回顧録（「明治哲学界の回顧」『岩波講座哲学』第二〇回、岩波書店、一九三二年、三七頁）には、一つの逸話が記載されている。民間に放浪していた兆民は、官立学校の生徒のように選抜を通じて留学することができないため、一策を講じ、時の内務卿大久保利通の馬丁と知り合いになり、馬車の後方に乗って内務卿の邸内に入り、内務卿に留学を懇請して実現したという話である。

102　桑木厳翼によれば、「明治七年西周氏が『百一新論』で哲学という語を用いて以来、これが定名となったようである」（前掲注80、桑木『日本哲学の黎明期』一四八頁）という。また三宅雄二郎（「明治哲学界の回顧附記」、前掲注101『岩波講座哲学』八七頁）によれば、兆民がフイエの哲学史を訳して『理学沿革史』と題したのは、幕府時代の伝統に従ったからであるが、「これより先き、明治十年文部省で既に哲学を確定語とし、理学の語が行われなかった。『哲学』は明治七年西周が案出し、西が政府で要地を占めたので、同十年文部省で東京大学に文学部を置く時、之を採用した」という。

103　鈴木貞美は『「日本文学」の成立』（作品社、二〇〇九年、一〇〇～一〇一頁）で近代日本における哲学と理学の関係について次のように述べた。「三宅雪嶺「哲学涓滴」（一八八九）は、東京大学文学部に哲学科ができたことにより、それまで「理学」と呼ばれていた分野について「哲学」の語が流行したと書いている（『明治文学全集三三』筑摩書房、一九六七年、一四九頁）。だが、東京大学が学部として理学部を持ち、文学部のなかに哲学科を設けて発足したものの、「哲学」を「理学」と呼ぶ用法は簡単にはなくならなかった。中村敬宇、植村正久、馬場辰猪らがフィロソフィーの意味で「理学」を用いている。本のタイトルとしては、中江兆民『理学鉤玄』（一八八六）がその最後の例にあたるかもしれない。この一八八六年は、帝国大学が理科大学、工科大学を抱え発足した年である。概して、東京大学に比して、帝国大学の学部学科名は、かなりの影響力をもっていたと思われる。〔中略〕「理学」は、「窮理学」を縮めた語。宇宙論までをふくめた壮大な体系である朱子学は、朱熹の「格物致知」の考えをもとに「理」「気」ふたつの原理のうち、「天理」を至上とする。これを考究することを『易経』（説卦伝）に出てくる「窮理」（ものごとのコトワリを追究する）をふまえ、「窮理学」といった。江戸時代後期の三浦梅園は、西洋の天文学や物理化学を「窮理ノ学」と呼んでいたが、もともと対象世界の法則をふくめて人間が真理と考えること全般をいうので、"physics"（物理学、「理科」とも）と"philosophy"の翻訳語にあてられた」。また、三宅雄二郎

（雪嶺）は「明治哲学界の回顧附記」（前掲注102『岩波講座哲学』八七頁）にも次のような同じ主旨を述べた。「若し舊幕時代に明清の學問が今一層入込んでをつたならば、哲學の語が出來ず、理學と稱する事になつたらう。〔中略〕清朝の初めに孫奇峯の『理學宗傳』が出で、次いで竇克勤の『理學正宗』が出で、孰れも宋儒を主としつつ、支那の哲學史と稱すべきであつて、それが我が聖堂を初め、諸藩の學校に讀まれたならば、理学と云ふものが如何なる性質のものであるかを知り、フィロソフィーに接し、西洋の理學と認める事になつたらう。蘭學者及び英佛學者が此等の書を讀んだならば、フィロソフィーに「理学」の語を當て嵌めたらうと思はれる。明治十九年中江篤介が文部省の依囑でフイエの哲學史を譯し、『理學沿革史』と題したのは、此邊に考へる所あつての事なれど、これより先き、明治十年文部省で既に哲學を確定語とし、理學の語が行はれなかつた。「哲学」は明治七年西周が案出し、西が政府で要地を占めたので、同十年文部省で東京大學に文學部を置く時、之を採用した」。

104　松本三之介編『中江兆民全集』第一〇巻、岩波書店、一九八六年、一五五頁。

105　『阿部次郎全集』第一七巻、角川書店、一九六六年、三五九頁。

106　他方、漢字の学名・用語について、鈴木貞美には東アジアの学芸の近代化における中国の役割を重視した観点がある。例えば、「東アジアにおける学芸諸概念とその編成史」（『日本研究』第三七巻、二〇〇八年、二五四頁）において彼は、「日本においては漢訳洋書の解禁から蘭学の流れが形成され、十九世紀以前にもヨーロッパの宗教や学術が伝えられてはいたが、それは知識層の一部にとどまっていた。ところが、十九世紀半ば、上海でキリスト教宣教師と中国人の「秀才」との協力によって大量の西洋新知識が翻訳され、それが日本にもたらされるやいなや伝統観念の大きな変容、すなわち学芸概念編成の組み替えがはじまった。列強の植民地にされるかもしれないという危機を敏感に感じた日本は、欧米に知識人を派遣し、また欧米諸国から知識人を雇い入れ、学芸の近代化の先陣を切った」と述べている。

107　観雲「維朗氏詩学論」『新民叢刊』第三巻第二四号、一九〇五年、四五頁。

108　森『鷗外全集』第二三巻（前掲注94）、二九九頁。

109　傅傑編『王国維論学集』中国社会科学出版社、一九九七年、三八七頁。

110　佐々木「揺籃期の美学における『維氏美学』」（前掲注84）、七四頁。

111　東京帝国大学編『学術大観　総説・文学部』（大西克礼・藤懸静也・児島喜久雄「第十五章　美学美術史学科」一九四二年、三六五頁）には「最初本学の講義においては審美学と呼ばれていた。当時の記録によれば『審美学に於ては各般の美術の妙趣を精確に鑑定するの基本たる批評の真理を細論するものとす』とある」という記録がある。

112　大澤真幸『近代日本思想の肖像』講談社、二〇一二年、一〇頁。

113 以下、諸大学における美学講義や講座の設置およびその変遷について、主に大学の学史資料を手掛かりに関連資料の調査・整理・統合を行った。なお、美学会第二二回全国大会の際、東京大学美学芸術学研究室もこれについて調査したようである。その結果は「諸大学における美学講座等開設に関する資料」(藤田一美)と題して『美学』第二二巻第三号(一九七一年、六八～七〇頁)に掲載され、ごく簡潔に東京大学、京都大学、東北大学、九州大学、慶応義塾大学、早稲田大学、同志社大学、関西学院大学のそれらを紹介している。また、京都における美学講座の状況については、神林恒道編『京の美学者たち』(晃洋書房、二〇〇六年)を参照されたい。

114 麻生義輝の調査によれば、西家蔵の蕃書調所時代に執筆された西の「哲学講義案」は「日本に於ける西洋哲学研究の第一声」(前掲注12、麻生『近世日本哲学史』四〇頁)である。

115 『学術大観　総説・文学部』によれば、東京大学文学部哲学科が創設以来、「哲学は所謂西洋哲学を指す慣ひとなり、此の慣行は今日我が哲学科に至るまで行われているのである。〔中略〕西洋哲学と特に規定して呼ばれる場合もあった。即ち例えば東洋哲学史に対して西洋哲学史といふごとき場合がそれである。また屢々純正哲学といふ如き称呼も用いられた」(前掲注111、東帝大編『学術大観　総説・文学部』三二四頁)という。

116 東京大学百年史編集委員会編『東京大学百年史　部局史二』一九八六年、五八八頁。

117 井上「明治哲学界の回顧」(前掲注101)、三五頁。

118 姉崎正治・笹川種郎編『改訂註釋　樗牛全集』第三巻、日本図書センター、一九八〇年、五六二頁。

119 伊藤吉之助・池上鎌三「第八章　哲学科」『学術大観　総説・文学部』(前掲注111)、三三四頁。『早稲田文学』一八九一年一一月号、一八九二年一〇月号、六八～七二頁、一八頁。井上哲次郎「ラファエル・フォン・ケーベル氏を追懐す」『哲学雑誌』第四三八号、一九二三年、六〇頁。

120 日本におけるカント研究の系譜を辿った際、麻生は次のように述べている。「カントが真に研究され始めたのは封建的残存分子の一掃された明治十年以後のことであって、当時新設の東京大学に於いて、お傭の外人哲学教授クーパー(Cooper)が、英訳のテキストを使用して、カントの第一批判を講読したことなどは、我が邦に於けるカント哲学研究の真の萌芽であったと言われるべきであろう」(前掲注12、麻生『近世日本哲学史』六三～六四頁)。

121 メアリ・マクエール「未亡人序文」有賀長雄訳注・大村西崖校閲『東亜美術史綱――日本文化名著選』第一巻、創元社、一九三八年、一八～一九頁。この序文はフェノロサの生家、幼小期から三井寺への埋葬まで、彼の生涯と業績を詳しく記述しており、「フェノロサ列伝」とも言えよう。なお、この著作の新訳者森東吾(『東洋美術史綱・上』東洋美術株式会社、一九七八年、三三三・三三五頁)によれば、メアリ・マクエール署名のこの「未亡人序文」の一部は、フェノロサの回想を筆録したものであり、このメアリ・マクエールという人は一八九〇年代フェノロサがリジー夫人と離婚した後に再婚した元助手であるという。

122 岡倉天心（「日本美術界の恩人・故フェノロサ君」隈元謙次郎ほか編『岡倉天心全集』第三巻、平凡社、一九七九年、三二六頁）によれば、「日本絵画の趣味を持つて熱心に研究仕様となつたのは、彼のドクトル・ビケローの日本に来た為めであらうと思ふ。少なくともビ氏の来朝の為めに、氏は日本絵画を研究する思想を助長したといふ事が出来る。何ぜなれば氏は日本に来る前に、已に仏国にて日本美術を買つて、頗る日本美術に多大の趣味を持つて居た。それから日本に来た。そしてフ氏と同居する迄に親交を結んだのであるから、其間に大なる感化を受けたのであらうと思ふ」という。まことに天心の言うとおり、ビケローに影響されたのか。一八八〇～一八八一（明治十三～一四）年頃、フェノロサは「洋画拡張論者」から「日本画奨励説」へ一転した。これについて、「高橋由一履歴」には「明治十三年文部省御雇米國人フェネロサ氏由一ガ寓居天繪學舍ニ來リ洋畫並海外畫道沿革等ノ畫擴張説ヲ示シ又屡畫學所ニ臨ミ洋畫論並海外畫道沿革等ノ演説ヲ為シ畫生及有志諸氏ニ傍聽ヲ許サンコトヲ談ス由一滿足シテ之ニ應シ同氏ガ演説ヲ煩ハサンコトヲ契約セリ是レヨリ由一モ時時氏ガ本郷ノ舘ヲ訪ヒシニ同氏ハ自作ノ油繪ヲ示シ遂ニ一面ノ景色畫ヲ由一ニ與ヘタリ自後彌洋畫勸誘談ノ為メ親交ヲ結ビシガ同氏ハ本務多忙ニシテ講日ヲ豫定スルコト難ク由一ハ畫學場狹隘ニシテ聽衆ヲ容ルルニ苦メルヨリ互相因循セル際フェノロサ氏ハ日本畫奬勵説ニ變セシヨリ前約遂ニ解クルニ至レリ」（前掲注41、土方編『明治文学全集七九　明治芸術・文学論集』二五七頁）とはっきり記載されている。

123 同右、三七頁。

124 土方編『明治文学全集七九　明治芸術・文学論集』（前掲注41）、三七頁。

125 同右。

126 同右、三八頁。

127 同右。

128 同右、三九頁。

129 同右。

130 同右、四一～四二頁。

131 実用的な技術と自律的な芸術とが区別し難い理由について、金田民夫は「実用的な技術と自律的な芸術との間の区別が、明治十五年頃に一般化していたとは考えられない。しかしこのことは、日本芸術のもつ本来的に曖昧な性格に基づくものでもあった。日常の生活の場の中に芸術を位置づけて考えることは、日本の芸術思想における伝統的な性格であったし、それ故に工芸的な性格から実用性を離れた「藝術」の自律性などといった観念の成立し得なかったことは当然であった。日本の伝統藝術は、この意味において生活芸術的な性格を持っているのである。文芸の世界においても、単なる遊びといふよりも戯れとしての戯作的なものか、勧善懲悪といふ道徳的な目的に役立つべき読本（稗史）の類しか知らなかったのが、当時の状況であった」（前掲注15、金田『日本近代美学序説』一一頁）と述べている。

132 久富貢『アーネスト・フランシスコ・フェノロサ――東洋美術との出会い』（中央公論美術出版社、一九八〇年、二八〇～二八七頁）には「フェノロサの著作及び講演目録」が収録されている。なお、山口静一は美術関連の文章を抽出して『フェノロサ美術論集』（中央公論美術出版社、一九八八年）を編集した。

133 三宅「明治哲学界の回顧附記」（前掲注102）、八七頁。

134 井上「明治哲学界の回顧」（前掲注101）、七〇頁。

135 隈元謙次郎ほか編『岡倉天心全集』第八巻収載の「解題」（平凡社、一九八一年、五一〇頁）によれば、「『美学　明治廿三年第一学期筆記　美術学校御雇エルネスト、エフ、フェノロサ講述　同校幹事文学士岡倉覚三口訳　学生塩沢峰吉筆記』と表記された塩沢峰吉（大村西崖）のノートを翻刻した。明治二十年一二月二日、東京美術学校雇いとなったフェノロサは、翌年二月から講義を始めたと推定され、本講義は二三年二月からの講義と思われる。本筆記が完結していないのは、この年七月、フェノロサがボストン美術館に新設された日本美術部キュレーターとして帰国したためであろう」という。東京大学においては「審美学」を「美学」と改めたのは明治二十五年であり、ここで西崖の記述が「美学」であることに注意されたい。

136 同右、隈元ほか編『岡倉天心全集』第八巻、四五〇～四五二頁。

137 同右、四五三頁。

138 同右、四五三～四五六頁。

139 同右、四五七頁。

140 同右、四七〇頁。

141 同右、四六一頁。

142 同右、四六二頁。

143 同右、四六二頁。

144 同右、四六三頁。

145 同右、四六四頁。

146 同右、四六五～四七〇頁。

フェノロサにおけるヘーゲルやスペンサーの受容について、山本正男は「フェノロサの東洋美術観」に詳しく紹介しているので、ここでは「もとよりフェノロサの所説はあまりに簡略で、充分な照応や検討は望みがたいとは言え、しかも叙述された範囲についてみても、その基本的な理論方向においてはまったくヘーゲルを踏襲するもののあることを否定できないであろう。すでにスペンサーの進化論的・実証的立場をとったフェノロサは、いままたヘーゲルの観念論哲学に基づく美と芸術とへの見解をかように取り入れているのである」（前掲注13、山本『東西芸術精神の伝統と交流』一四二～一四三頁）という彼の結論を掲出するだけで、再び贅言しない。

148 隈元ほか編『岡倉天心全集』第八巻（前掲注135）、四五七～四五八頁。

149 高山樗牛「外山博士を憶ふ」『改訂註釋　樗牛全集』第三巻（前掲注118）、五六三頁。

150 土方編『明治文学全集七九　明治芸術・文学論集』（前掲注41）、一四九頁。

151 なお、「二派」の分け方については、フェノロサにも「今日日本の美術は又革命の時なり。其れに二派あり。一は日本の長を学び得て其の力を以て陋習を破らんとし、一は西洋の異なりたる面目を以てせんとす」（前掲注121、有賀訳『東亜美術史綱』四七二頁）という対立するような記述がある。二人の対立は講演を行った場所からも窺える。フェノロサの「美術真説」が披露されたのは龍池会である一方、外山が「日本絵画ノ未来」を講演したのは明治美術学校である。龍池会は東京美術学校の設立に至る日本の伝統的絵画を保存することを目的とし結成された団体は言うまでもないが、明治美術会は東京美術学校に排斥された旧工部美術学校出身の西洋画家らを中心として結成し、歴史的主題を特に重視する団体である。明治美術会の成立経緯について、神代種亮は「日本絵画ノ未来解題」（吉野作造編『明治文化全集』第二〇巻、日本評論社、一九二八年、一二頁）に「明治繪畫會は我が洋畫界の衰微を憂へて小山正太郎、淺井忠、松岡壽、五姓田芳柳、山本芳翠の諸家が中心となつて、大學總長渡邊洪基、教授菊池大麓、外山正一、矢田部良吉、及び田中不二麿、花房義質、矢野文雄、原敬等の諸家を後援者として設立したもので、第一回展覧會を其の年秋に開いた。恰も國粋思想の漲つてゐた際であつたから、社會から賣國奴とまで目せられた程の有様であつたが、後援者の斡旋により皇后宮の台覧を仰ぐことを得たのは、大いなる力であつた」と述べている。

152 日本に発表した論文として、紹介した「美術真説」と「美術学校講義」以外に、明治二十二年岡倉天心を中心として創刊した木版色刷りの高価美術雑誌『国華』に掲載された「浮世絵史考」（『国華』第一、二、四、六、八号）、「美術哲学概論」（『国華』第二号）、「美術ニ非ザルモノ」（『国華』第五号）などもある。日本語以外の著作として、紹介した『東亜美術史綱』（*Epochs of Chinese and Japanese Art, 2vols,* 1912）のほかに、浮世絵の系統的解説である『浮世絵絵略史』（*An Outline of History of Ukiye,* 1901）、エズラ・パウンド（Ezra Pound）との共著『能』（*Noh, or Accomplishment,* 1916）などもある。なお、この『東亜美術史綱』に関しては、フランス語訳（*L'Art en Chine et au Japan, adaptation et préface par Gaston Migeon, Paris,* Hachette, 1913）とドイツ語訳（*Ursprug und Entwichlung der*

Chinesischen und Japanischen Kunst, Ins Deutshe übertragen von Fr.Milcke und Shinkichi Hara, 2Bde, Leibzig, Hiersemann, 1913）もあり、当時の西洋圏にかなり影響力があった著作と言えよう。

153 有賀訳『東亜美術史綱』（前掲注121）、四〇頁。

154 同右、四頁。

155 同右、一三頁。

156 同右、八頁。

157 同右、五頁。

158 同右、一四頁。

159 同右、二〜三頁。

160 隈元ほか編『岡倉天心全集』第四巻（前掲注19）、二六二頁。

161 井上「明治哲学界の回顧」（前掲注101）、六〇頁。

162 坪内逍遥『小説神髄』岩波文庫版、二〇一〇年、一五頁。

163 東帝大編『学術大観　総説・文学部』（前掲注111）、四四〇頁。

164 「審美学」から「美学」へ名称変更した年について、『学術大観』には「なほ審美学の名は明治二十五年から美学と改められた」（東帝大編、一九四二年、四四一頁）とある一方、東大編『東京大学百年史　部局史一』（前掲注116、五八七頁）では「二十四年授業科目の改正により、美学美術史と呼ばれるに至った」としている。

165 東大編『東京大学百年史　部局史一』（前掲注116）、五九一頁。なお、青木孝夫「近代日本に於ける「教養主義」の成立を巡り」（広島大学編『第五三回美学会全国大会当番校企画報告書』二〇〇三年、二三九頁）によれば、韓国に美学の講座が設けられたのは一九二七年であるという。中国にそれが設けられたのは一九一七年蔡元培が北京大学学長に就任してからであり、正式的に美学の学科が開設されたのは一九二一年一〇月である。

166 桑木嚴翼「ケーベル先生に就て」『哲学雑誌』第四三八号、一九二三年、六六頁。

167 姉崎正治「ケーベル先生の追懐」、同右、七二頁。

168 東大編『東京大学百年史　部局史一』（前掲注116）、九〇頁。

169 井上「ラファエル・フォン・ケーベル氏を追懐す」（前掲注119）、六四頁。

170 桑木「ケーベル先生に就て」（前掲注166）、六六頁。なお、『哲学雑誌』以外に、雑誌『思想』も「ケーベル先生追憶号」（第二三号、一九二三年）を出している。その中に、久保勉、深田康算、波多野精一、橘糸重、得能文、西田幾多郎、桑木嚴翼、紀平正美、西晋一郎、長谷川誠也、吉村冬彦、藤原正、市河三喜、小山鞆繪、安部能成、高橋里美、出隆、大庭米治郎、眞鍋嘉一郎、和辻哲郎、上野直昭、伊藤吉之助、姉崎正治、ウェルフェル、M.Kubo、G.Würfel の文章が収録されている。

171 夏目漱石「ケーベル先生」『夏目漱石全集』第八巻、角川書店、一九七四年、二五三頁。

172 深田康算「追憶」『深田康算全集』第四巻、岩波書店、一九三一年、六四八頁。

173 深田康算「ケーベル博士論文集（獨文）」、同右、六四〇頁。

174 三木清「読書遍歴」『読書と人生』新潮文庫、一九七四年、二六頁。

175 日本における「教養主義」ないし「教養派」の成立については、青木「近代日本に於ける『教養主義』の成立をめぐり」（前掲注165、二三八～二四八頁）を参照されたい。

176 これについて、高山樗牛は「現今我邦に於ける審美學に就いて」で「斯學を専門とせるもの、若しくは専門とせむとするものは、大塚文學士及び文科大學中に一二の人あるのみ」（前掲118『改訂註釋　樗牛全集』第三巻、一八〇頁）と述べている。

177 大塚保治「大西祝博士を憶ふ」『哲学雑誌』第二九巻第三三四号、一九一四年、八二～八四頁。この文章において、大塚は二人の関係について、「大西祝君は私よりも、文科大學の哲學科に於て二年の先輩であつた。其頃の文科の學生は、今より遥かに少なく哲史文總體で二十人足らずの小人數であり、其大部分は寄宿舎に生活して居つた。私は大學に入ると〔中略〕直に知り合ひとはなつたが、先輩と後輩といふ關係以外に、親しい間といふのではなかつた。其頃の二人は智識學問、趣味習慣等の差が、あまりかけ離れて居つた為めに、友となることが出来なかつたのである。〔中略〕然し、時が經つに從ひ、自分の智識が進めば進む程、君のいふ事も判り、君の智識學問の廣く、深い事も知れ、且、君の同情に富める人格に惹きつけられて、私の方から種々哲學問題につき、意見を尋ね、指導を求める様になり、畏友として常に敬愛の心持を懐く様になつた。大西君からも私は學友の一人に加へらるるに至り、私が洋行前二三年間、早稲田でハルトマン美學を講じたのも、君の紹介になつたのである」と述べている。

178 大西克礼編『大塚博士講義集Ⅰ　美学及芸術論』岩波書店、一九三三年、三頁。

179 同右、七頁。

180 同右、一七頁。

181 美学に関する大塚の研究方法の変遷について、瀧一郎は「比較と類型――大塚保治の美学」（前掲注42、佐々木編『日本の近代美学（明治・大正期）』一四六～一五九頁）に「藝術批評のための美学を探究した時期」「心理学的美学・社会学的美学の移植に力を注いだ時期」「類型学としての美学の提唱される時期」という三つの時期に分けて、詳しく論じられているので、そちらを参照されたい。なお、同論文の最後には、大塚に関連する参考文献リストも収録されている。

182　大西編『大塚博士講義集Ⅰ　美学及芸術論』（前掲注178）、三三三頁。

183　京都大学百年史編集委員会編『京都大学百年史　総説編』一九九八年、七六頁。また上記の京都帝国大学の学史的状況についても同書（三二六～五五・七六～八一・一二三～一四九頁）を参照した。

184　ここで、大西祝の美学思想の説明を展開することができないため、重要な文献資料を挙げた上で、代表的な評価のみを掲出しよう。まず、大西祝が書いた美学に関する論考には「和歌に宗教なし」（一八八七年四月初出、全集第七巻）、「美術と宗教」（一八八八年四月初出、全集第七巻）、「批評論」（一八八八年五月初出、全集第六巻）、「日本人は美術心に富めるか」（一八八八年一二月初出、全集第七巻）、「我國美術の問題」（一八八九年七月初出、全集第六巻）、「詩歌論一班」（一八九〇年一二月初出、全集第七巻）、「悲哀の快感」（一八九一年三月初出、全集第七巻）、「滑稽の本性」（一八九一年三月初出、全集第七巻）、「歌話數則」（一八九二年六月初出、全集第七巻）、「詩歌論」（一八九二年七～九・一一・一二月初出、全集第七巻）、「香川景樹翁の歌論」（一八九二年八、九月初出、全集第七巻）、「批評心」（一八九三年一月初出、全集第六巻）、「國詩の形式に就いて」（一八九三年一〇・一一月初出、全集第七巻）、「劇詩論」（一八九四年四月初出、全集第六巻）、「批評的精神」（一八九四年六月初出、全集第六巻）、「近時の和歌論」（一八九四年四月初出、全集第六巻）、「自然美と人間美」（一八九五年三月初出、全集第六巻）、「観美心と肉感」（一八九五年五月初出、全集第七巻）、「審美的感官を論ず」（一八九五年六月初出、全集第七巻）、「生れて天才となるは幸か不幸か」（一八九七年一月初出、全集第七巻）、「近世美學思想一班」（一八九七年一、二月初出、全集第七巻）、「審美新説一班」（一八九七年一一月初出、全集第七巻）ないし著作『西洋哲学史』に「バウムガルテンと其の美学説」、「カントの第三批判の問題」、「シルレルの美説」など美学に言及したものおよび未発表のHistory of Aesthetics Ⅱの草稿（早稲田大学中央図書館所蔵）がある。これについては、「大西祝における〈理想〉と〈美〉」（前掲注42、佐々木編『日本の近代美学（明治・大正期）』所収、六一～七三頁）の著者相澤照明氏からリストを提供されたことがある。ここに感謝を述べて記しておきたい。

　相澤氏によれば、大西の美学思想は、「初期の美術論」「美的カテゴリーに関わる心理的美学」「美的享受に関わる劣等感覚の意義を論じたもの」という大きく三つの段階に分けられる。「初期の美術論」とは大学院入学前に書かれた「美術と宗教」「日本人は美術心に富めるか」「我國美術の問題」の三つの芸術論であり、理想主義的傾向が見られる。「美的カテゴリーに関わる心理的美学」とは、大西が大学院に入り美学への関心を深めた結果と言える「滑稽の本性」と「悲哀の快感」である。「美的享受に関わる劣等感覚の意義を論じたもの」とは「晩年」の作「観美心と肉感」「審美的感官を論ず」などである。次に、大西祝に関する同時代の人々の追憶には、白松南山「大西操山論」（『早稲田文学』一九一〇年一月号）、坪内逍遥「故大西祝氏の追憶」（『早稲田文学』一九一〇年十一月号）、五十嵐力

「大西先生の回顧」（『早稲田文学』一九一〇年一月号）、姉崎正治「大西祝君を追懐す」（『哲学雑誌』一九〇一年五月）、島村抱月「大西氏の追憶」（『中央公論』一九〇七年）、大塚保治「大西祝博士を憶ふ」（『哲学雑誌』一九一四年二月号）、姉崎正治「思想家として大西博士の人格」（『丁酉倫理會　倫理講演集』第三四〇輯、一九三一年）、金子馬治「黎明期哲學における大西博士」（『丁酉倫理會　倫理講演集』第三四〇輯一九三一年）、桑木厳翼「大西博士と啓蒙思想」（『丁酉倫理會　倫理講演集』第三四一輯、一九三一年）などがある。また彼の学問的風格については、「ドイツ流の理想主義に性格が適合しており、自らの好みもそこにあったが、イギリス風の実証主義の堅実さも捨てず、できるだけこれを加えようと工夫した跡がある。伝記者達が進化的理想説と言っているのが蓋し当っているであろう。殊に美学は、逍遥・鷗外の没理想論争で我が批評界を風靡したハルトマンの学説を紹介して、十分に評価し、美学の全問題が殆どここに尽きると言いながら、逸速く英米の心理的美学にも心を傾け、解説し、早稲田は実に我が美学界に先鞭をつけて、ハルトマンを止揚し、ヨーロッパ学界の大勢を占めてくる心理的美学説と呼応した」と、『早稲田大学百年史』（早稲田大学大学史編集所編『早稲田大学百年史』一九七八年、六六六頁）がまとめている。

185　同右、『早稲田大学百年史』六六四頁。

186　九月の説もある。『大西博士全集』第七巻（日本図書センター、一九八二年、四頁）に収録された「文学博士大西祝先生略傳」には九月とあった。

187　東京芸術大学百年史刊行委員会編『東京芸術大学百年史　東京美術学校篇　第一巻』一九八七年、四六七頁。なお、東京芸術大学における美学講義の情報も同書（四二五〜四九二頁）を参照した。

188　同右、四六七頁。

189　同右、四六四頁。

190　佐藤道信「美術史学の近代と現代」北澤憲昭ほか編『美術のゆくえ、美術史の現在』（前掲注20）、三六〜三七頁。同じ内容は佐藤道信『明治国家と近代美術』（吉川弘文館、一九九九年、一三一〜一三三頁）にも記述されている。

191　『早稲田文学』第七六号の「文界彙報」（一八九二年一〇月号、八一頁）によれば、「〔前略〕我が國に斯学に關しある著書無きはさもあるべき事ながら譯述したるものさへ中江篤介が一昔の前に著せし『維氏美學』の外は『しがらみ草紙』の論文あるのみ（同雑誌三十七號よりは審美學の講義をはじめんといふ豫告あり）府下の書肆を經めぐりて見るに原本のハルトマン又ロッチェ、ヘーゲルが美學の英譯などはたまさかに見あたれど其の他のは名をだに知らぬさまなりとぞ、さて高等なる文學を教授する諸學校の摸様はいかにと聞くに流石にそれらの學校にては此の學の講義行はれたり文科大學にては獨逸人ブッセ氏此の科を擔任し口授のかたはら參考書として各生徒に獨人リユゲケ氏の“History of Arts”を讀ましむといふ（因に記すブッセ氏は常に事實、法則、原理三者の調和を以て圓滿の美なりと説けりとなり）扨専門學校文學科にては本年初めて三年級を設けたれば新に美學の一科を設け美術史と共に文學士小屋保治氏擔當せり又慶應義塾にても森林太郎氏講師となりてハルトマンの美學を講ずと聞けり尚専門學校と慶應義塾との教課の詳報は次號に掲ぐべし」という。また続く第七号の「文界彙報」（一八九二年一一月号、六二頁）によれば、「前號の報道にては吾人の着眼を疎漏の失に陥りき今重華生よりの報道を聞くに學習院にても高等科三年級（高等中學本科二年級に當る）には審美學科の設ありて現に文學士立花銑三郎氏の擔任にかかるとの事なり」という。

192 山本正男の追憶「「大西研究室」の思い出」（大西先生生誕百年回想録編集委員会編『大西先生とその周辺——回想録』一九八九年、八五頁）によれば、「その頃大西先生の御指導で、定期的に山上御殿で「美学研究会」が開かれ、諸先輩の研究発表と質疑応答をめぐる、学問的雰囲気と交流は、われわれにとって学的精神への測りがたい支えとなった。因みにこの「美学研究会」は終戦後の全国的な「美学会」設立の母胎となり、現在我国の美学研究の中心をなすに至っている」という。なお、同書にも「美学研究会の概要と研究発表リスト」（一五六〜一七二頁）が付されている。

193 惣郷正明・飛田良文編『明治のことば辞典』東京堂出版、一九八六年、四七五〜四七六・二七六〜二七七・四八六頁。

194 山本『東西芸術精神の伝統と交流』（前掲注13）、三九頁。

195 同右、五三頁。

196 青木茂「解題」青木茂・酒井忠康編『日本近代思想大系　一七　美術』岩波書店、一九八九年、二頁。

197 同右、四四二頁。

198 神林『近代日本「美学」の誕生』（前掲注50）、九二頁。

199 東京芸大編『東京芸術大学百年史　東京美術学校篇　第一巻』（前掲注187）、四六八頁。

第二章　幽玄論史百年
——複眼的・総合的研究への道程

第二章　幽玄論史百年

――複眼的・総合的研究への道程

湖の水まさりけり五月雨とかや。猿簑の選を蒙りて、不易流行の巷をわかち、後猿の新風にのぞみても、終に幽玄の細みをわすれず。

（森川許六『風俗文選・巻之六・去來誄』）[1]

はじめに

一八九〇（明治二十三）年、『うたかたの記』をめぐる森鷗外と石橋忍月の論争、いわゆる「幽玄論争」の発端以来、日本の中世文芸の中心概念・美的理想の一つである幽玄に対する研究は、すでに百年余りの歳月が過ぎた。この間に、幽玄研究は、日本文化の一つの縮図として、人々の叡智や努力によって膨大な成果を収めた一方、国文学の分野に閉じられ、タコ壺化してきた。しかし幸いにして、近年の国際日本学的視野と総合科学的研究手法の提唱によって、幽玄研究にも一種の機運が潜んでいると考えられる。

日本学と言えば、まず思い出すのは、おそらく梅原猛と上山春平（一九二一～二〇一二）との対話の形で成した『日本学事始』（小学館、一九七二年）であろう。その中で、梅原は「日本学という言葉を、私たちがいつ用い始めたかは、はっきり記憶にないが、それは、私と上山氏などの友人の間に、自然に用いられるようになった」[2]と述べ、新しい学問としての「日本学」について、次のように指摘している。

私たちが、自分たちの学問を、従来の日本についての学問から区別しようとする意志によってである。私たちから見ると、従来の日本についての学問は、あまりにも部分的であり、たとえばそれは、日本の歴史なら歴史、文学なら文学の、しかも、一時代のきわめて限られた現象にかんしては精密な研究をする。しかし、日本の文化を総合的、統合的に研究する学問はまだない。私も上山氏も、哲学を専攻した学者であるが、哲学というものは、普遍の学・総合の学である。それは広く世界を全体として認識する学問である。こういう哲学的態度で日本古代世界を見ると、今までの日本についての学問は、いかにも部分的であり、全体的な眺望を欠いていた感がある。[3]

「日本学」という言葉自体は、二重の文脈に立脚している。一つは江戸時代に興隆していた「からごころ」に対抗して打ち出された「やまとごころ」(本居宣長『玉勝間』)としての「国学」の延長線上にあり、もう一つは現代欧米に成立し二十世紀末に日本へ逆輸入されたjapanologyの訳語である[4]。この平行する二重の文脈の下に、画期的・象徴的な事項として、一九八八(昭和六十三)年「国際日本文化研究センター」が設立された。「いまや、日本文化は日本人にしかわからないなどとうそぶいている時代は終わった」[5]と、当時の所長であった梅原猛が宣言したとおり、幽玄など「純粋の日本出来のもの」[6]も「国家単位のネーションの枠組み」を越え、国際性に溢れたものとして生まれ変わった。その一方で、総合科学的研究は、リベラルアーツ重視の教養教育から発展し、「基礎科学と人文・社会・自然の諸学を総合することによって、新しいディシプリンをうち立て、時代と社会の要請に応える新しい枠組みによる現代科学を創造する」[7]ことを目指す。今日、国際日本学的視野と総合科学的研究方法の並行的運用においては、伝統的学問はより深いところへ研究を推し進める方途があり、既存の学問的枠組みから新しい横断的学問領域へ改めて組み立てなければならない岐路をも示していると言い換えることができる。

ところで、百年の歴史を作り上げた前人たちは、いったいどのように幽玄を論じてきたのか。それを明らかにすることは、輝く未来への通路であり、現在の幽玄論者の歴史的使命でもある。本章では、前人が少しずつ寄せ集めた幽玄論をはじめ、日本人の美意識に関する論説を近代から発生した美学史において虚心坦懐に振り返り、できるだけ客観的に史的に検証する。しかし、すべての先行研究に逐一言及するのは、到底不可能であるため、重要なものあるいは大きな反響を及ぼしたものだけに焦点を当てる。具体的にはまず、幽玄論の発端とも言える森鷗外と石橋忍月との幽玄論争をはじめ、さらに鷗外の早期芸術批評活動の展開を手掛かりに、坪内逍遥との没理想論争、高山樗牛との美学論争を考察することによって文芸批評における〈幽玄〉の位置づけないし美学的運用の可能性を探究する。そして日本人美意識論の展開を背景に、大西克礼・久松潜一（一八九四〜一九七六）・岡崎義恵（一八九二〜一九八二）など幽玄論の土台を築き上げた学者らの成果を順に考察する。これらに基づいた上で、新しい幽玄解釈学ないし〈日本美学〉の生成方法への通路を拓くこともできるのではないかと、期待を持っている。

一　森鷗外と石橋忍月の「幽玄論争」をめぐって

1　幽玄論争の背景

改めて百年前の明治に目を向けよう。この波瀾万丈な時代に、どうしても見逃せないヒト・コトがある。それは、佐藤春夫（一八九二〜一九六四）などの文学史家に「近代日本文学の紀元」[8]と高く位置づけられた森鷗外のドイツ留学である。東京大学医学部を卒業して間もなく陸軍省に入省した鷗外は、衛生制度調査および軍陣衛生学研究のため、一八八四（明治十七）年八月から一八八八（明治二十一）年九月にわたるドイツへの留学を命ぜられた。留学中、とりわけミュンヘンに滞在したとき、鷗外に最も衝撃を与えたのは、『独逸日記』（明治十九年六月十三日）にも詳しく記されたルードヴィヒ二世と侍医グッデンの溺死事件であり、これを素材として、ドイツ土産三部作の中で「もっとも浪曼味に富む、小説らしい小説」[9]と評価された『うたかたの記』（『しがらみ草紙』第一一号、一八九〇年八月）が創作された。『うたかたの記』の内容と文学史上の意義は今日においても贅言を要しないが、これをめぐっての、「将軍が士卒を呵する如く。〔中略〕刻薄にして恩少く、此は剴切にして情多し、将軍の呵責には無辜の人を斬て軍令を明にすることわり」[10]と鷗外に評された石橋忍月との論争を再考する必要がある。石橋忍月は、今日の辞書では、森鷗外との論争によって歴史に名を残したというようにほぼ記載されているが、当時の文芸評論界においては、鷗外よりも有名であった。一八六二（文久二）年生まれの鷗外より、一八六五（慶応元）年生まれの忍月は三歳年少で、鷗外がドイツから帰国した一八八八（明治二十一）年、忍月は東京帝国大学法科大学の二年生になったばかりであった。しかし、忍月はすでに、『女学雑誌』や『国民之友』で数多くの作品批評を発表し、「女性の幸福」を唱えた『女学雑誌』の編集人巌本善治（一八六三〜一九四二）や「平民主義」を唱えた「民友社」の創設者であり月刊雑誌『国民之友』の主宰者でもあった徳富蘇峰（一八六三〜一九五七）らに認められ、当時最も注目される新進の文芸評論家であった。さらに、「レッシング論」（『国民之友』一八八九年三月）という日本における最初のレッシング（Gotthold Ephraim Lessing, 1729-1781）の紹介文を発表したことによって、「日本のレッシング」と呼ばれ、山田美妙（一八六八〜一九一〇）の小説批評を持って文壇デビューした内田不知庵（一八六八〜一九二九）とともに文芸批評家として当時の文壇に臨んだ。「病臥六旬」（『中央公論』一九二六年六月）において、不知庵は畏友忍月のことを次のように追憶している。

忍月が批評の筆を執つたのはタシカ私（ママ）よりも較や以前であつた。プラトンやアリストテレスを引合ひに出した忍月の犀利の批評は鷗外出でざる以前獨逸學派の一人舞臺であつた。レツシングを日本に紹介したのは忍月が初めてで、矢鱈とラオクーンを引張出すのでレツシング忍月の諢名があつた。當時の批評は所謂穿ちや穴捜しや感想ばかりで、堂々の論陣を張つたものは殆ど無かつたから忍月の論理井然たる侃々諤々の批評は目を聳てさしたもんで、鷗外出馬前千里獨行の感があつた。忍月の批評に由て文壇の蒙を啓き讀書界を提撕したのは争はれない。〔中略〕当時の忍月の批評は必ず文壇及び讀者を啓發するものがあつたので、忍月の文壇を指導した功績は没すべからざるものがある。[11]

こうした地位があったからこそ、鷗外は積極的に彼と応酬したわけである。この論争によって、中世の遺物であった〈幽玄〉がようやく近代化・西洋化の大波に心酔した明治人に想起せられたのである。したがって、この論争は幽玄研究にとって重大な歴史的意義があるのみならず、鷗外・忍月研究あるいは明治文芸批評・論争史の角度から見ても研究する価値に溢れる。

しかし、幽玄論争について論及した先行研究は、鷗外側から論争方法を分析した嘉部嘉隆の「森鷗外文芸評論の研究（五）――「幽玄論争」の論理と方法（一）」（『樟蔭国文学』第一九号、大阪樟蔭女子大学、一九八二年）や、論争内容を簡単に要約した関良一（一九一七～一九七八）の『近代文学論争事典・幽玄論論争』（至文堂、一九六二年）、久松潜一の『日本文学評論史　近世・最近世篇　幽玄論』（至文堂、一九三六年）、亀田俊郎「忍月と鷗外の論争をめぐって（二）――うたかたの記論争」（『国文学試論』第四号、一九七七年）など少数しか認められず、「舞姫論争」や「没理想論争」よりはるかに数が少ない[12]。しかも、鷗外と忍月がどのように幽玄を理解していたのか、またどのように幽玄を説いたのかを重点として展開される論文はあまり見当たらない。なお、この論争は必ずしも統一された名称[13]を有しているわけではないことも、断っておかなければならない。ここでこれを「幽玄論争」と呼んでいるのは、『うたかたの記』をめぐる計二回の論争で、〈幽玄〉という言葉・概念が中心的論点をなしているからである。これ以前に、「演劇改良」や『舞姫』をめぐって忍月と鷗外の間にすでに論戦があったことはさておき、一八九〇（明治二十三）年一〇月二三日の「国民之友」に発表された忍月の評論文「うたかたの記」により、われわれの関心を集めている「幽玄論争」が改めて始まったのである。具体的な考察に入る前に、まず当時の思想界ないし文壇状況を一瞥しておこう。

当時の日本の思想界は、極めて重要な転換期を迎えていた。それは日本における哲学の移植の大波が、英米仏の自由主義、功利主義、実証主義などの啓蒙思想や進化論的世界観、人生観から、ドイツ観念論に大きく方向を転じた、ということである。明治初年、英米仏流の自由民権思想は主流のイデオロギーとして、明治政府国家体制の構築を支えてきたが、明治二十年代にはすでに段階的な役割を終え、むしろ集権国家の発展の阻害となる観があった。日本と同じく後発国家に属しながら急速な発展を遂げたドイツは次第に明治政府のモデルとなり、保守的なドイツ系の哲学も強力な政府を作ろうという明治政府の主旨により相応しいものとなってきた。その影響として、前章で触れた東京大学文学部哲学科が雇った外国人教師の出身地からもわかるように、一八七八（明治十一）年から東大へ就任したフェノロサ、一八八〇（明治十三）年からのクーバー、一八八六（明治十九）年からのノックスはアメリカやイギリスの出身であるが、一八八七（明治二十）年や一八九三（明治二十六）年からのブッセやケーベルはドイツの出身である。しかも明治政府は一八六二（文久二）年オランダへ、一八六六（慶応二）年イギリスへ、一八六八（明治元）年アメリカへと留学生を集中的に派遣したが、その後は森鷗外を含めて留学生の派遣地もほぼドイツであった。これについて、井上哲次郎は一八九〇（明治二十三）年を重要な分水嶺とし、次のように自らの関与が大きいと述べている。

自分は丁度此の教育勅語煥發の際に獨逸から六、七年ぶりに歸朝し、幾くもなく其の教育勅語を解釋し、『勅語衍義』と題して之を世に公にするの光榮を得たのである。それから丁度其の教育勅語の煥發せられた頃より東京大學に教授となつて教鞭を執り、三十三年間繼續し、其の間、〔中略〕西洋哲學としては主として獨逸の哲學を紹介し、且つ之を學生に教へ込んだのである。而して哲學及び其の他精神科學研究の爲めに西洋に派遣せらるる留學生には主として獨逸に往くことを勸誘したのである。我が國に於いて獨逸哲學の重要視せらるるやうになつたのは自分等の努力に依ることが多大である。尤も明治二十年に來朝したブッセなども此のことに關係が無かつたとは云へない、それ迄の英、米哲學を本位にして居つたのとは非常に形勢が變つて来た、殊に大學及び其の他講壇の側に於いて然るのである。それで、明治二十三年は諸種の方面から見て、哲學史上一時期を劃してゐると思はれる。〔14〕

これ以降、国家的行為によって日本思想界におけるドイツ哲学の比重はますます大きくなり、講壇を支配するような局面にもなっていた。同時に、当時の文壇において、ジャーナリズムの勃興にも関わるが、新しく開かれた文芸評論というジャンルには原理論を要請されることも急務となってきた。それは明治時代に美学を専攻した評論家が多く出た理由でもある[15]。坪内逍遥や大西祝はいち早く英米仏流の経験論、プラグマティズムなどの哲学思想に基づいて文芸評論を展開したが、本格的にドイツ的観念論を用いて文芸評論を始めたのは森鷗外であった。ここから明治の美学界は二つの主流を成した。一つは大西祝や坪内逍遥によって開かれ、そして夏目漱石や早稲田美学を源流として島村抱月・金子築水・後藤宇外(一八六七〜一九三八)・綱島梁川(一八七三〜一九〇七)らに受け継がれてきた心理学的美学であり、もう一つは森鷗外のハルトマン美学の移植より始まった超越的・抽象的な観念論的美学である。

2 幽玄論争の内容

以下では、幽玄論争の内容について、原文を引用しながら少しずつ見ていく。まず、論戦を直接に触発することになった忍月の評論「うたかたの記」から抜粋する。これは忍月が鷗外の小説『うたかたの記』のあらすじを「偽狂」「真狂」「学問狂」に分けて忠実に紹介した部分を取り除き、評価した発言だけを集めたものである。

①文勢層畳語法健全縦横闔闢轉換多くして毫も滞礙せず、恰かも珠の盤上に走るが如し、然りと雖もこれ唯文章の末技に於て斯の如くなるのみ、更に飜つて此篇の成立したる所以、此篇の精神の注ぐ所を知らず。

②純粋のラブ其ものをアブゾルートに寫したるものにあらず、彼の舞姫のエリスと太田とのラブを是と同一轍の仕組にして、〔中略〕予は此ラブの成立は不感服なり。

③うたかたの記マリイの來歴のを一段を讀んで、而して涙を堕さざるものは其人必らず不情と、斯の如く賞賛するといへども、そは唯其外形についていふのみ、其内面の果して健全にして不朽幽玄の意思精神なるや否やは別問題に屬す。(「うたかたの記」)[16]

ここでは、忍月が『うたかたの記』に対してどのように評価しているのかが窺える。つまり、忍月は称賛の基調を持っている一方、傍線部分のとおり、疑問や指摘を投げかけている。それに対し、言うまでもなく、鷗外は納得できるはずがなかった。彼は、書評的な「うたかたの記」とまったく異質の原理論的な「答忍月論幽玄書」（『しがらみ草紙』第一四号、明治二十三年十一月）をもって応酬し、論理的戦陣を張った。意図的な戦略や論法があったかもしれないが、「答忍月論幽玄書」において、忍月が指摘した「ストーリーの仕組みの重複」についての回答は一切なく、「文章」や「内面」の問題しか取り上げていなかったことは明らかである。こういう巧みな、もしくは強引な論法によって、論争の中心も知らず知らずのうちに、具象的な記述的問題から鷗外の得意な抽象的な美学的討論へと移行してしまった。

主に、次のような二つの問題に関わっている[17]。

第一に文学の構成要素である。これについて鷗外は、「君は我文を評せむとするに当りて、三点に注視し玉へり。曰文章。曰外形。曰内面」[18]と述べ、「忍月の三分法」に対し、文学は主に「詩形」と「想髄」の二要素から構成され、それ以外の「内面」は存在しないと、異なる主張をした。しかし、のちに忍月が「鷗外の幽玄論に答ふる書」（『国会』一八九〇年一二月三日、四日）でも書いているが、これはあくまでも相手の主張を誤解あるいは歪曲したうえで生じた行き違いにすぎない。忍月の所論は【図Ｉ】のように、鷗外と名称が多少変わっているだけで、趣旨はほぼ同じであると言っても差し支えない。

第二は「内面」（「想髄」）の中で捉えるべき「幽玄」についてである。この言葉、すなわち「不朽幽玄の意思精神なるや否やは別問題に属す」[19]という評価を忍月が最初に持ち出した時、彼はこの箇所でしか言及せず、詳しい説明がな

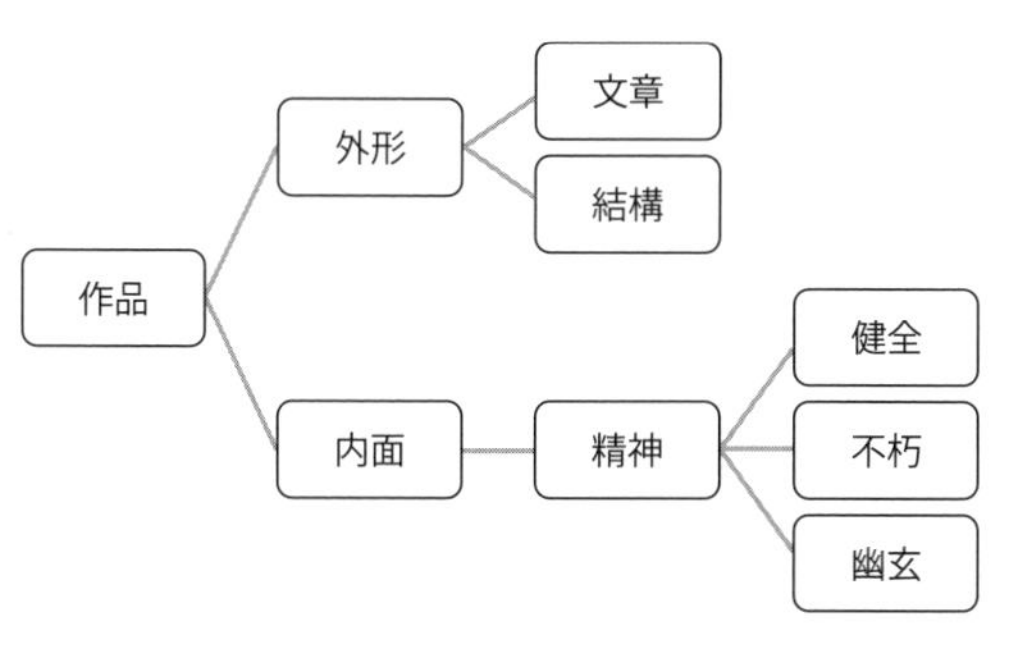

【図Ｉ】石橋忍月の批評理論構造（筆者作成）

いため、重視し検討した上で用いたとは思えないが、鷗外の側にいたっては大きな問題となっている。十分な紙面を使って定義・分析し詳しく論じていることはもとより、文章のタイトルを「答忍月論幽玄書」としたこと自体も、この言葉に対する重視を示している。加えて、忍月への皮肉や揶揄も多少含まれていると言えるだろう。

では、鷗外は具体的にどのように〈幽玄〉を論じていたのか。

何より先に直面するのは、〈幽玄〉の定義、いわゆる「幽玄の何物たるか」という問題である。それについて、鷗外は次のように述べている。

美術の境界には、固より健全にして、幽玄にして、不朽なるものあり。そのこれなきは、美術として崇ぶに足らず。今煩を憚るゆえに、此健全而幽玄而不朽なるものを幽玄と稱すべし。而してこれに當つべき洋語は則ち「ミユステリウム」ならむ。〔中略〕小竹散人曰く。玄可析乎哉。可析非玄也。雖然非析則人莫知玄之不可析矣。美術の幽玄も亦析すべきものにあらねど、これを析して、以てその析すべからざるを知らしむるは審美家の務なるべし。學者の美を求むるに、曲線に於てするものあり。活動に於てするものあり。是れその比較的に抽象的なるものなり。單純なるものなり。淺近なるものなり。漸く進みて類想に至り、又進みて個想に至るときは、其境地次第に具象的になり、複雜になり、遼遠になる。〔中略〕狹くいはば詩中の幽玄、廣くいはば美術中の幽玄、是れ具象的の美に於て理路の極闇処に存ずるもののみ。[20]

彼によれば、ドイツ語の「ミユステリウム（Mysterium）」[21]に該当する〈幽玄〉は、美術を成立させる際に欠かせない神秘的な境地を指しており、江戸後期の儒学者である篠崎小竹（一七八一〜一八五一）の言葉でいう〈玄〉と同じように、「審美家」にとっては解析しなければならないものである。篠崎小竹は、古文辞学を学んだ後に朱子学者となり、関西の有名な三島塾の運営もした学者である。鷗外文庫には、篠崎小竹をはじめ関西およびその以西に住む当時著名な漢詩詩人六名の作品が収まる墨香生輯『摂西六家詩鈔』六巻が発見されている。その表紙に「留学以前に用いられた「林太郎」印が押されていることから、若年の頃の閲読と考えられる」[22]。ここで鷗外は篠崎小竹を漢詩あるいは儒学界の権威として、彼の話を引用したのである。さらに、「類想」「個想」「具象的」などの美学上の概念・用語の導入によって、〈幽玄〉は「具象的の美に於て理路の極闇処に存ずるもののみ」と結論づけている。その一方で、これらの概念について、鷗外はここで詩文を例にして説明するだけで、定義してはいなかった。それゆえ、われわれがこれらの例を通じて知りうることができたのは、次のようなことしかなかった。つまり、「薄命の佳人」「悪棍」「忠臣孝子」などのような「形迹」または「理路」があり、それぞれ「典型」に即して書いたものは「類想」であり、他方「形迹」があるものの「理路」が捉えがたいものは「個想」である。これらの概念の間に、どのような関係があるのか、あるいはどのような解釈理論に立っているのかは未解決のままであった。

3　幽玄論争の結論

これらの問題を解くために、もうすこし岐路を辿り、この文章を鷗外早期の文芸批評活動の全般において見なければならない。鷗外早期の文芸批評活動は次節で詳しく考察するが、ここでハルトマンから受容して諸論争に活用された鷗外のこの批評美学を一言にまとめておくならば、すなわち「類想」「個想」「小天地主義」という三段階の結象理想説である。この結象理想説によれば、概念的・類型的な「想・想念（イデー）」[23]は「類想（ガッツンクスイデエ）」であり、これによって創られる作品は下位のものである。対して、真に個性的な「想」は「個想（インディヴィヅアルイデエ）」であり、そこから創られる作品は中位である。この「個想」によって、またさらなる渾然たる一小宇宙を結象することができるのは、最高位にある「小天地想（ミクロコスミスムス）」である。この「小天地想」は彼の文芸理想であり、忍月との幽玄論争で説いた〈幽玄〉でもある。

そして〈幽玄〉を定義した後、鷗外が答えているのは、芸術創作あるいは鑑賞の主体としての人間と最高境地の〈幽玄〉

との間にある連結・交流・交感の仲介的契機、いわゆる「幽玄をどのように会得するのか」という問題である。これについて、鷗外は次のように指摘している。

詩にても美術にても、此幽玄を會得するを悟といふなり。美術の天地には結象のために理路闇くなりたる外に幽玄あるべからず、此幽玄を知るより外に悟あるべからず。漢詩には嚴羽卿一悟字を得て、李献吉一法字を得たりなど稱し、又禪學貴妙悟、詩道亦貴妙悟、然悟有三、有透徹、有分解、有一知半解と氷川詩式にいへる如き、審美的に詩理を尋繹する謂にもあらず、又一詩につきて幽玄なる乎幽玄ならざる乎と品評する謂にもあらず、要するに詩才の高下を論じて其神來の時に於ては、能く幽玄の境に入る所謂「シエニイ」を以て透徹の人となすのみ。詩筆に靈ありといひ、描寫神に入るといふなど、苟くも詩の品評上に幽玄に遇ふことあらば、必ず理路闇処に於てすべし。[24]

つまり、その仲介的契機は〈悟〉である。〈幽玄〉は〈悟〉によってしか会得できず、「禅学」や「詩道」と同じように一定の美学的な標準をもって批評することが難しいものである。それ故、〈幽玄〉を実際の文芸批評に導入する場合、「この作品は幽玄であるか或は幽玄ではないか」と言うのではなく、「この作品を通じて幽玄の境に入ることを感じられたかどうか」と訊くべきである。この「幽玄の境」に到達できる人は、いわゆる「「シエニイ」を以て透徹の人となすのみ」である。「シエニイ（Genie）」という概念は、「十七世紀末に成立しており、常人とは質的に異なると言えるほどにかけ離れた創造力、及びそのような創造力の持ち主」[25]を指している。ドイツ留学帰りの鷗外は、西洋理論を強く感じさせる「シエニイ」を持ち出していたが、背後に彼が身近に感じていたのは、東洋伝統的な「詩禅一味」や「詩道一致」の学説である。さらに、〈幽玄〉は理性ではなく、一瞬一種の感性、すなわち〈悟〉や〈法〉によって捉えるものである、と鷗外が理解していることが窺える。また、彼が『滄浪詩話』の著者である宋の厳羽（生没年不詳）や「文は秦漢、詩は盛唐」

と標榜する明の復古派学者である李夢陽（一四七二〜一五二九）、明の梁橋（生没年不詳）の『氷川詩式』（一五四五年）[26]をわざわざ挙げたのは、なぜであろうか。自分の博学や主張の合理性と忍月の指摘の非合理性を論証するためであることは言うまでもないが、思わず鷗外の思想基盤をも示しているのではないか。

歴来の鷗外研究者は、森鷗外の思想基盤におけるハルトマンやゴットシャル（Rudolf von Gottschall, 1823-1909）の『詩学』の受容に注目しすぎており、昔から自在している東洋詩学からの影響を常に見逃している[27]。そもそも森鷗外は一八六二（文久二）年、石見国津和藩の藩医の家に生まれた人である。当時、津和藩はわずか四万三千石の小藩にすぎないが、開明な学風があり、哲学の導入者西周をはじめ、幾多の俊秀を育成した。鷗外の『自記材料』によれば、彼は六歳で村田久兵衛に『論語』、七歳米原佐に『孟子』を学び、八歳で「養老館」という藩士の子弟にむけて開設した藩校に入って四書五経を中心とする朱子学教育を受けた[28]。この頃から、彼はすでに内容の理解より暗唱という「素読」を通じて、多くの漢学知識を身につけた。「道とは儒教でも佛教でも西洋の哲學でも好けれど、西洋の哲學などは宜しき師なき故、儒でも佛でもちと深きところを心得たる人をたづねて聽度候。〔中略〕儒を聞きて儒を疑ひても好し。疑へばいつか其疑の解くることあり、それが道がわかるといふものに候。」[29]と、鷗外は母峰子宛への手紙（一八六七・明治三十四年月不詳・小倉より）に述べている。これは森鷗外が学問を追究する時にも執った基本姿勢であろう。また鷗外が大学を卒業した際、同級生の小池正直（一八五四〜一九一四）が書いた推薦状にもこのことが明記されている。

森氏為人敏而嗜學、博聞強記英才卓躒慷概悱憤、常以西医之陸梁為憂焉、曾語僕曰、夫西土遥渺、氣候風俗不同、服食器用相殊、其醫學一事亦安可盲信普頌乎哉、雖然彼設其科既久矣、經験已熟、我姑學之而為他日立我教之資本亦可乎、其志高遠而異乎世之醉洋者大率如此、故氏孜々勉本課之餘、優兼學和歌詩文皆有所至、又旁捜漢家方書無所遺、蓋皆欲供後日益世之用也。〔中略〕方今洋學生徒車載斗量不可勝數、鴃舌之音蟹行之文、雖誠能解之。至自國之学則憒々焉、矇々焉、且其心慨無所守、言苟出洋人之口、則不擇瓦玉薫蕕、皆遹奉之、不問利害緩急、盡濫施之、其弊有不可言者、獨森氏屹然立于其間而弗染于其弊矣。[30]

ここで鷗外は、「大抵禅道は惟だ妙悟にあり。詩道も亦た妙悟にあり。〔中略〕然れども悟浅深あり、分限あり。透徹の悟あり。但だ一知半解の悟を得るあり。漢魏は尚し。悟を仮らざるなり。謝霊運より盛唐諸公に至る、透徹の悟なり（大抵禅道、惟在妙悟。詩道、亦在妙悟。〔中略〕然悟有浅深、有分限、有透徹之悟、有但得一知半解之悟。漢魏尚矣、不仮悟也。謝霊運至盛唐諸公、透徹之悟也）」[31]という「妙悟説」や「盛唐諸人惟だ興味にあり、羚羊挂角、跡求むべきなし。故にその妙処は透徹玲瓏、湊泊すべからず。相中の色、水中の月、鏡中の象のごとく、言尽るありて意窮なし（盛唐諸人、惟有興味、羚羊挂角、無跡可求。故其妙処、透徹玲瓏、不可湊泊。如空中之音、相中之色、水中之月、鏡中之象、言有尽意無窮）」[32]という「興味説」から、最初の幽玄理解を得て、また比較的まとまった『氷川詩式』によって思想の内部に完全な詩歌理論を組み立てたのである。このことは、彼の文章から直接あるいは様々な発言からわかる。例えば、鷗外にしばしば使用された「理路闇処」という表現は、まさに厳羽の「羚羊挂角、跡求むべきなし（羚羊挂角、無跡可求）」から翻案されたものではないか。外山との画論論争あるいは「非日本食論将失其根拠」など医学に関する鷗外の諸論文などからも見られたように、彼は西欧留学経験を持つ和魂洋才であるが、決して全面欧化あるいは西洋至上主義者ではないのである。吉田精一は鷗外のことを、鷗外自身が「鼎軒先生」で使用した言葉を借りて、「西洋と東洋との両面に足をつけてふんばる「二本足」の学者であった」[33]と言っている。

〈幽玄〉と健全と不朽との関係について、鷗外は次のように述べている。

扨幽玄は何故に健全なるべきか。〔中略〕所謂健全は即是れ詩髄の健全、又詩想の健全なるべければ、其所在は自らこれを具象的意義の中に求めざること能はず。果して然らば幽玄裏には詩の健全存ずと謂ふも可ならむ。又幽玄は何故に不朽なるべきか。〔中略〕語中に皮を貫き核に至り、人類の微を発すといへるは、詩に個想を出すものに非ずば、能くなすべきにあらじ。されば古の大匠が其作をして能く星芒剣華の如く、千載湮滅せざらしめしは、自ら結象の美を得て歩を理路闇処に着けたるためならむ。〔34〕

すでに述べたように、鷗外の場合、〈幽玄〉は「小天地想」によって結象した最高の境地であると規定している。これは「癩病」や「髑髏」、「残菊」などの素材と一切関係せず、「詩想・詩髄」を形容する健全や不朽とも違っている。芸術の境地としての〈幽玄〉自身は、健全や不朽たるものであるため、〈幽玄〉の中に健全や不朽があるという従属関係も自然に存在しない、と鷗外は主張している。その一方で、この三者の関係について、忍月は「鷗外の幽玄論に答ふる書」(『国会』明治二十三年十二月三〜四日)に、鷗外と正反対の意見を出している。

健全の効は千種万種の想を唯一の象形に綜合統一して之を散乱せしめざるに在り。不朽の効は何れの地帯、何れの時代にも読まれて、永遠無窮に適応貫通するに在り。而して幽玄とは形而上(ユベルジンリヒ)とギヨツトリヒとを合わせたるものにして、其の妙は言外に存し、無形里に存す。〔中略〕幽玄亦た然り、之を分析する能はず、解剖する能はず、予は之を人々の黙会暗認に任せんのみ。〔35〕

忍月の場合(【図Ⅰ】参照)、作品の内面に「精神(想髄)」というものがあり、「精神」はさらに幽玄、健全、不朽という三つの要素に分けられる。この三つの要素の効用はそれぞれであるが、「一つの精神より出でで精神に帰し、無形より出でで無形に入る」ものである。それゆえ、「幽玄裏には健全あり、不朽裏に幽玄ありと謂ふも、亦た不可なかるべし」と忍月は持論を展開している。

以上、〈幽玄〉に関する論述を中心に、森鷗外と石橋忍月との論争を考察してきた。全体として、確かに長谷川泉(一九一八〜二〇〇四)が指摘したとおり、「美学的根拠の確かさ、論理の精緻さ、例証の豊かさなどにおいて忍月は到底鷗外の敵ではなかった」[36]。

例えば、〈幽玄〉の効用について、忍月は次の式

幽玄＝「（形而上＝ユベルジンリヒ）」＋「ギヨツトリヒ」

を結んだものの、解析は一切していなかった。それは鋭い鷗外に捕えられ、すぐに「此幽玄の式の当否は忍月が「メタフイジツク」と其神（ゴツト）の説と世に公にせられざる間は誰にも充分には分るべき理なし」[37]と揶揄された。また、〈幽玄〉と健全や不朽との関係について、忍月も持論の二律背反、すなわち効用が異なる三要素はどのような構造で互いの交錯・包含を実現するのかという命題を解決することができなかった。全体的に見れば、忍月と鷗外の批評は同じくドイツ文学を基礎とした演繹的批評に属している。しかし、批評の手法について、忍月は具体的な作品に即した技巧分析が多い一方で、鷗外に比べてやはり原理論の薄弱さがあり論理的な不足を露呈したと言えよう。幽玄論争が終わった翌年六月『柵草紙』第二一号から二四号までに連載された「レッシングが事を記す」によって、忍月は致命的な打撃を受け、内務省の官僚になったことをきっかけについに筆を投げた。忍月が文壇を去った経緯について、不知庵が次のように述べている。

忍月がドウシテ文壇のキャリアに中途で挫折したかと云ふと、第一の頓挫は同じ独逸畑からの傑物鷗外の出現であつた。同じ畑から同じ業物を挈げて起つたのだが、忍月のレッシング一点張なのと反対に、鷗外はレッシングは本よりゲエテ、シラーに加へて新鋭のハルトマンの切れ味まで示した七ツ道具の勁勇精悍なる武者振は忍月の敵で無かつた。〔中略〕鷗外の精錬槐麗なる修辞と比較して忍月の生硬蕪雑な未消化の文章が愈々目立つて来て次第に飽かれるやうになつた。[38]

かたや論争の勝利を収め、鷗外が提出した〈幽玄〉の解釈も【図Ⅱ】のように、辻褄が合うものであるとは言える

が、未解決あるいは不足なところもやはり露呈している。これは主に、推論の過程における「帰納的批判」の欠如によると考える。当時の文壇において、「没理想論争」にも見られたように、文学の批評方法をめぐって、坪内逍遥が提唱した「帰納的批評」と鷗外が打ち立てようとした「美学的批評」との間に激しい対立がある。しかし、「帰納的批評」であれ「美学的批評」であれ、両者とも間違いではない。むしろこの二つの方法は互いを補足したものであり、どちらも欠けてはならない。オーギュスタン・サント（Charles-Augustin Sainte-Beuve, 1804–1869）のような作者の伝記的人生ないし、イポリート・テーヌ（Hippolyte Adolphe Taine, 1828–1893）のような民族・環境・時代の三者の「相互関係の法則（loi des dépendances mutuelles）」に注目する「帰納的批評」は、作者の倫理的人格を明らかにすることができるが、作者の美的人格や作品の文芸性を明らかにすることは難しいであろう。その一方で、先行の「帰納的批評」がなければ、客観的・全面的な「美学的批評」もできない。〈幽玄〉についての鷗外の論述は、「帰納的批評」を飛ばして直接「美学的批評」を行っているため、やや根拠不足の感がある。また、彼が捉えた〈幽玄〉はただ存在論の次元にある〈幽玄〉の一側面だけであり、具体的な芸術的様式の一種としての〈幽玄〉は含めていなかったことも指摘しておかなければならない。

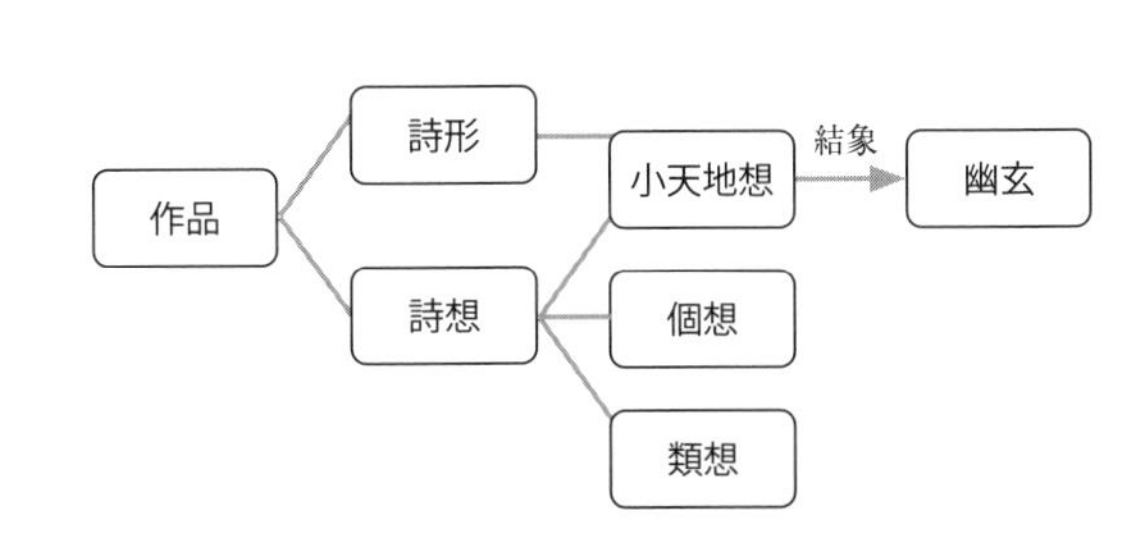

【図Ⅱ】森鷗外の批評理論構造（筆者作成）

二　美学と文芸批評の絡み合い

1　鷗外早期の文芸批評活動

鷗外が文芸理論家・批評家として文壇に初めて登場したのは、一八八九（明治二十二）年一月の「読売新聞」における「小説論」の発表であり、ドイツ留学を終えた翌年である。その後、日清戦争の外征任務まで、彼は「鷗外漁史」として、前述のドイツ土産三部作という小説を世に出したのみならず、文芸評論家としても、外山正一との「画論論争」（一八九〇年五〜六月）や坪内逍遥との「没理想論争」（一八九一年十月〜一八九二年六月）などの活発な論争を挑発し、精力的に幅広い文芸批評活動に身を投じた。その際に、一番鋭い論拠として活用されたのは、彼が「標準的な審美学」として掲げたハルトマンの美学理論である。

「小説論」は鷗外の文芸批評家・理論家としてのデビュー作である。題名の下に鷗外が「Cfr. Rudolph von Gottschall, Studien」と表示したように、この文章はゴットシャールというドイツ小説家の学説への祖述である。ゴットシャールは当時のドイツ文壇において、小説からドラマにわたって様々な分野で活躍していたジャーナリストであり、ドイツ・ライプツィヒのF. A. Brockhausという出版社に勤め、歴史的伝統を持つ文学雑誌『文芸倶楽部（*lätter für literarische Unterhaltung*）』の主筆でもあった。「小説論」の内容を具体的に言えば、ゴットシャールの『詩学（*Poetik: die Dichtkunst und ihre Technik, vom Standpunkte der Neuzeit*, 1881）』の理論を用いて、クロード・ベルナール（Claude Bernard, 1813-1878）の『実験医学序説（*Introduction à l'étude de la médecine expérimentale*., 1965）』の観点を受け継いだ自然主義文学の確立者であるフランス作家エミール・ゾラ（Émile Zola, 1840-1902）の実験小説論を批判したものである。長谷川泉によれば、「西欧の自然主義の方法やゾラの名は、すでに中江兆名訳『維氏美学』下冊（明治十七）によって移入されていた」[39]が、中江兆民訳『維氏美学』への低評価と同じように、ゾラや彼の自然主義大作『ルーゴン・マッカール』も「化學所の日記にあらざるときは、解剖局の週報ならむとおもはるる叙法を用ゐたり」[40]と森鷗外の不評を買った。この文章において、鷗外はゴットシャールの言説を借りて文学と科学を混同する自然主義文学観を退け、芸術制作の根源が「空想（Fantasy）」の働きにあるため、小説は「空想」に基づいて成立したものでなければならない。これに対して「自然」はただ「空想」を働かせる契機や材料にすぎないと論述している。「ゴットシャルという、なにやらいかめしい外国人名を持出し、いかにも権威ある説を紹介するかのような印象を与えている。ドイツ帰りの軍医、森林太郎が文学者として出発するための工夫をこらした論であった。とは言え、外形的にはものものしい装いをこらしているものの、実質的にはほとんど何も言っていないと言えるような論でもあった」[41]と、鷗外研究者の嘉部嘉隆は指摘しているが、鷗外が工夫をこらしたこの処女作は、自らの軍医の身分と重なる[42]ものであるからこそ、この中に示した文学が「空想」の上に立たなければならないという鷗外の基本的立場の表明、ないし他人への批評によって自らの観点を提出するという主な論述方法は、われわれの注目に値すると考える。

一八八九（明治二十二）年五月、鷗外は第二弾の文学論文「「文学ト自然」ヲ読ム」を発表した。「文学ト自然」というのは巌本善治（一八六三〜一九四二）が「女学雑誌」第一五九号に発表した文芸評論である。この文章において巌本は、「最大なる文學は自然の儘に自然をうつし得たるものなり」、「極美の美術は決して不徳と伴ふことを得ず」[43]と唱えたため、鷗外に鋭く反論された。まず、最初の引用に対して鷗外は、文学をおおまかに二つの大きなジャンルに分けてそれぞれの特徴を説明している。つまり、一つは「美術」の範囲に属して美の追求を本質とする「美文学」であり、もう一つは「美術」と関係がなくて独立した真を追求する「科学」である。いずれも巌本の言う「自然のままに自然を写し得たるもの」ではない。そして二つ目の引用に鷗外は、「希臘の大儒、殊にプラトオが學派よりいへば、美なる徳を極致にして美と善とを一に歸せしむることを得べし。されど今の學者はこれを取らず」[44]と、古代ギリシャの「善美一致説」を紹介し、真善美の異なるところを説いた。特に美という概念について、鷗外が「夫れ有意識の想は精神なり。無意識の想は自然なり。美は自然に眠りて精神に醒む。美の精神中に喚發する處を空想とす。空想の美を成すや、美は我軀を還せと呼ぶなり。これに軀を得せしむるは美術なり」[45]と述べて、美の働きにおける「空想」の重要性および「美」「空想」「美術」という三者の関係を強調し、「かるがゆえに美術には製造あり。美は製造せられたるために美術の美となりて、自然の美を脱す。これを點化（トランスズブスタンチアチオン）といふ」[46]と結論づけた。ここで、鷗外が「點化」を片仮名「トランスズブスタンチアチオン」と注記している。この「トランスズブスタンチアチオン（Transsubstantiation）」という言葉は、もともとカトリック教会におけるパンやワインを聖体や聖体血の代わりとしてイエスの犠牲を記念する礼拝の行為であるが、ここでの文脈から見れば、やはり「神仙が施術してものを変化させる」と表す中国道教的用語である「點化」のほうが森鷗外の原意に近い[47]。「小説論」に比べて、この文章はただ批判の矛先をゾラから「此味方を持ちながら自ら知らざるならむ」[48]というゾラに影響された巖本へ向けたのみであるが、論法上においては確実に鷗外の進歩を示した。このようにまず相手の観点を忠実に復唱し、自分が相手のことを理解したと示した後で、逐一相手の論理上の誤りを指摘しメスを入れるような論争方法を鷗外はここから活用し、多くの勝利を得た。さらに、のちに手を加えて定稿では、鷗外は自らこの文章の最後に「右の二篇は明治文學の批評の上にて善と美とを分ち、審美學の標準を以て批評の本據としたるそもそもなるべし」[49]という一言をわざわざ入れた。これはこの文章の重要性を示そうとしたと考えられる。

一八八九（明治二十二）年一〇月、鷗外は詩集『於母影』の出版で得た原稿料を資金として、日本初の文芸評論の専門雑誌『文学評論・柵草紙』を創刊した。創刊号の巻頭に、鷗外は情熱的で昂然たる「しがらみ草紙の本領を論ず」という宣言を掲げた。この中に、鷗外は自らが「此詩體は一定したる風格あるに非ざるを以て、無能の徒、亦能く顰に倣ひ、遂に瓦釜雷鳴の有様となりたり」や「本國、支那、西歐の種々の審美學的分子は、此間に飛散せること」[50]という状況に耐えられないため、「西歐文學者が審美學の基址の上に築き起したる詩學」を「準繩」[51]として、「審美的の眼を以て、天下の文章を評論し、その眞贋を較明し、工窳を披剥して、以て自然の力を助け、蕩清の功を速にせんと欲するなり」[52]と述べた。しかし、具体的な標準としての理論については、ここで一切説明していない。おそらくこの時の彼は、まだ適切な理論に出会っていなかったのであろう。

一八八九（明治二十二）年一一月、『柵草紙』第二号に掲載された鷗外の文章は「現代諸家の小説論を読む」である。これは「小説論」というより紙幅を割いた研究論文とも言え、この論文において鷗外は散文と韻文の区別、材料の取り扱い方、小説の類型、美と善の区別などの方面から、自らの小説論を公然と打ち出した。以下、内容を見てゆきたい。彼によれば、日本の伝統的な文学観を受け継いだ人たちが小説を詩の一種と見なしたのは間違っているという。散文と詩・韻文、それぞれ重んじるところが異なり、「日本語は語法よりして、語調よりして韻を要めぬ種類なりとす。日本の語には音調の束縛は非常に少なく、又た言葉自身も「エレメンタリ」にあらず」[53]という特徴があるため、韻文を使って小説を書くのが不便であることも事実であるものの、韻文をまったく放棄することはできない。韻文は抒情詩や戯曲に続けて存在すべきのみならず、「上詩」として小説に運用することも可能である。文学のジャンルを問わず、どんな「詩材」を選んでも、美の実現を追究すれば、必ず詩的な「空想」を備えなければならない。美を実現する過程において、決定的な役割を果たしたのは素材の側ではなく、詩人の側である。芸術の美は詩人が適切な素材を選んだ後、自らの「空想」の制動によって果たすものである。「空想」の態度によって、小説家は「空想の力を用ゐずして自然を模倣したる」「實際小説派」と「遂に舊型の模寫をなすに至る。其中道に非ざること、彼實際狄なる自然の模倣と何ぞ擇ばん」とする「抽象的理想家」[54]に分けられる。「實際小説派」と「抽象的理想家」、どちらにも短所と長所があり、両方を調和するのは最も良い方法である。小説の創作には、「心理的觀察」という方法の運用が極めて重要であるが、それは小説の目的ではない。さらに、小説には二つの種類があると述べる。一つは散文を使って細かく論述する『源氏物語』、『八犬傳』、『水滸傳』のようなもので「ロマアン（Roman）」であり、もう一つは『竹取物語』や『韓非國策』というような緊密な形を取って描写する形式「ノエルレ（Novelle）」である。パウル・ハイゼ（Paul Johann Ludwig von Heyse, 1830–1914）は前者を「複稗」、後者を「単稗」と呼ぶ。「現世の風潮」として、日本も西欧も「複稗の衰微」と「単稗の盛行」を迎えている。最後に、彼は再び「「文学ト自然」ヲ読ム」における善と美の区別を取り上げて、「小説は美を以て目的となし、これを達すると同時に偶然如是の勸化をなすのみ」[55]と、「女学記者」に反論しながら、より詳しく説明した。

そして、「現代諸家の小説論を読む」の続編と見られるのは、翌年正月『柵草紙』第四号に掲載された「明治二十二年批評家の詩眼」である。タイトルからもわかるように、自論を打ち出す前稿より、この文章のほうが軽快であり、主に一八八九（明治二十二）年の批評諸氏の小説論を論評したものである。まず鷗外が叱責したのは「小説を改良せんと云學者達」である。彼によれば、「この學者達の改良論は小説をして無味淡泊ならしめんとするものなり。其興味を索然たらしめんとするものなり。終に小説の衰微を來すべき傾向あるものなりと。この言をして是ならしめんか。この學者達は批評家の資格なくして其位を瀆すものなり」[56]という。次に、「國民之友と女學雜誌とは、余等の最も留神すべき所」であるとして、国民之友の忍月居士と女学雑誌の不知庵主人という二者への批評に焦点を置いた。彼らの詩に対する鷗外の見解は、主に「詩に内外の調和あるを説き、外の調和を格調と名づけ、内の調和を精神といふ。精神は即ち眞理の發揮にして、これに繼ぐに餘情を以てす。餘情とは状し難き景を叙して言外の意を含まするをいふ。此は格調といはずして風姿といひ、精神といはずして風情といひ、風情に繼ぐに感應を以てす。格調も風姿も詩の形なるべく、精神も風情も詩の想なるべし。二家皆な想髓を主として風格を客としたり」[57]というものである。忍月への批評の論拠は「忍月は精神の貴きを説けども、猶格調に眷々たり。彼はソクラテエスに附和して苦吟の詩人を棄つるに忍びず。カントが所謂趣味、ゴットシャルが所謂沈思を顧慮す。其の淵源を溯求すれば、フランツ、グリルパルチエルより出づる如し。グリルパルチエルが言いいはく。眞の詩興は全力全能を一物に湊集す。此物や此一刹那にはこれより以外の天地を呑めり且表ぜりと。（Grillparzer's sämmtliche Werke IX）是れ忍月が基く所なるべし」[58]とする。そして、この立場に基づいて、小説の定義、小説と戯曲との相関、小説の結構（局勢）、詩材、小説人物の主客関係、小説における人物と人事の権衡などに関する忍月の観点が鷗外によりまとめられている。

鷗外のこの一年間の評論活動における引用を見れば、「準縄」として依拠した西欧の「審美学」についての文献は、主にゴットシャールの『文学における死響と生問（*Literarische Todtenkläng und Lebensfragen2. Aufl. Berlin, 1885*）』と『詩学』である。そのほかに、中国伝統的な詩論、『小説神髄』およびパウル・ハイゼの『ドイツ短篇集・序文（*Deutscher Novellenschatz*, Bd. I. Einleitung.）』もしばしば挙げられている。これらが彼の知識源を成していたとわかる。特に「現代諸家の小説論を読む」を例として数えるならば、出典を示した引用には『小説神髄』から四カ所があり、文芸評論界の指導者である逍遥と将来論争するために、逍遥の代表作『小説神髄』を研究して積極的に準備していた鷗外の姿もここから読み取れる。ゴットシャールは当時、ドイツ文壇の最前線で活躍した人であり、言うまでもなく美と善の区別をはじめとする美学の基礎問題に近代的な認識を持った人物であったはずである。鷗外が彼の観点に基づいて文芸批評を行ったことは、まだ美学と完全に接触していなかった明治文壇に新しい風を注いだ。しかし、「現代諸家の小説論を読む」と「明治二十二年批評家の詩眼」にもしばしば見られたように、鷗外がゴットシャールに忠実に依拠しすぎた結果、理想主義と現実主義という単純な図式に落ちてやがて理論的には調和し難い局面を迎えた。また、ゴットシャールの美という概念に対する説明の曖昧さも同じく鷗外を制限したと言えよう。

ところが、この調和し難いということが、鷗外をハルトマンへ接近させたのである。一八九六（明治二十九）年に刊行した『月草』の「叙」において、鷗外は「ハルトマンの流行はその無意識論に止まつて居て、その審美學は餘り世間の注意を惹いたものではない、その審美學は本人の雜著の外には、これを實地の藝術的批評に應用して見たものも殆無い」と述べた上で、自らがそれを活用する理由は「此審美學からは、第十九世紀の文學美術を見ても、自然派の中の存活の價のある側は、その頗る進歩した具象理想主義で包容して居る」[59]と説明している。ハルトマンは、ドイツのベルリンに生まれた在野の哲学者であり、若い頃軍隊に入ったが、健康上の理由で軍隊を除隊し哲学の研究に没頭した。代表作は一八六九年に出版した体系的な『無意識の哲学』（*Philosophy of the Unconscious*. 1867）である。これによって学界に知られ、ドイツ哲学界に地位を築いた。鷗外によって『審美綱領』や『審美論』へ翻訳された『美の哲学』（*Philosophie des Schönen*. 1887）のほかに、『道徳意識の現象学』（一八七九年）、『発達段階における人間の宗教的意識』（一八八一年）、『カント以来のドイツ美学』（一八八六年）などの著書もある。世界や美に関する認識について、ハルトマンは主にシェリング（Friedrich Wilhelm Joseph von Schelling, 1775–1854）、ヘーゲル（Georg Wilhelm Friedrich Hegel, 1770–1831）、ショーペンハウアー（Arthur Schopenhauer, 1788–1860）の形而上学的観念論を受け継ぎ、世界の存在の根源が盲目的で非理性の意志であり、美は理念が感覚の「仮象」としてわれわれの経験に入る時、すなわち「具象」として再現する時に生まれるものであるとしている。彼によれば、芸術家にとって、芸術作品を生産する時の「具象化」は無意識的である。これはヘーゲルが説いた「理念の感性的な顕現」とすこし異なり、芸術の「表象」としての客観的な実存と主観的な官能との相互作用に存在しているものである。芸術には美というものが存在せず、美は人間の意識の根元にある自身の直感である。これはいわゆる「美的仮象（der ästhetische Schein）」というものである。竹内敏雄編『美学事典』の「ハルトマン」項目によれば、ハルトマンの『美の哲学』は「観念論自体が漸次解体にむかい、美の心理的現象を出発点とするあらたな美学が模索され」た十九世紀末に現れて、「心理学・生物學など近代的諸科学のより著しい影響をうけているが、他面あくまで観念論の立場を捨てることなく「具象的観念論」の体系を築こうとするものであり、「美学史におけるハルトマンの独創的な業績は、美的体験の心理的構造を精細に分析したその美的仮象論にあろう。こうして一九世紀の末にドイツ観念論の旗印をふたたび高く掲げるかにみえるハルトマンの美学において、そのもっとも生彩ある部分がすでに観念論をはなれ、むしろ心理学的分析へ接近することは、フィッシャー後期の傾向とあわせて興味深い。ドイツ観念論の美学が歴史上に描いた雄大な弧線はここにひとまず閉じ、新しい時代の実証的精神にその席を譲ることとなった」[60]という。

鷗外がハルトマンに初めて言及したのは「明治二十二年批評家の詩眼」が発表した直後の一八九〇（明治二十三）年四月である。矢野龍渓『浮城物語』に収録した鷗外の序文「報知異聞に題す」がその初出であり、「エヅアルド、ハルトマンの曰く。叙事と叙情と演劇との分子を融合したる「レエゼポエジー」は其何れの部分の最力あるかを問はず、悉く審美學上に存立の權を占むる者なりと。「レエゼポエジー」は讀體詩の義にして、ハルトマンは此語を用ゐて單複の稗史を総括し、以て「フオールトラアグス、ポエジー」の吟體詩に對せしなり」〔61〕という記述が該当する。この時期、鷗外は文芸評論家として「西欧審美学」を啓蒙しながら、鷗外漁史の名で小説の処女作『舞姫』を発表し、文壇でも頭角を表して意気軒昂と見えた一方、理想主義と現実主義の二元的な構図への克服に焦ってもいた。ハルトマンと出会った嬉しさは、のちの文章から読み取れる。例えば、一八九一（明治二十四）年『柵草紙』二四号に掲載された「逍遙子の新作十二番合評中既発四番合評、梅花詞集及梓神子」には鷗外が「われ嘗てゴットシャルが詩學に據り、理想實際の二派を分ちて、時の人の批評法を論ぜしことありしが、今はひと昔になりぬ。程經て心をハルトマンが哲學に傾け、其審美學の巻に至りて、得るところあるものの如し」〔62〕と記し、また一八九二（明治二十五）年『柵草紙』三〇号に掲載された「逍遙子と烏有先生と」には「平生少しく獨逸語を解するを以て、たまたまハルトマンが審美學を得てこれを讀み、その結象理想を立てて世の所謂實際派をおのが系中に収め得たるを喜べるあまりに、わが草紙を機關として山房論文を作るに至りぬ」〔63〕と述べたことがある。

では、なぜ鷗外がハルトマンを選んだのか。また鷗外がどのようにハルトマンを知ったのか。ハルトマンの哲学を教科書に増補したラファエル・ケーベルが、ハルトマンからの推薦を得て井上哲次郎を通して東京帝国大学に赴任したのは一八九三（明治二十六）年のことである。それ以前に、井上はすでにハルトマンを知っており、さらに直接会っていたことは確実である。「ラッソンの住所とハルトマンの住所は離れてをるが餘り遠くない。且つ又知合であることは云ふまでもなく余がハルトマンを知つてることもラッソンは周知のことである。それで適當な後任者をハルトマンに依頼したものと思へる。其後ハルトマンから余の所へ手紙が来た」〔64〕という井上晩年の追憶があるのみならず、留学中の一八八六（明治十九）年一二月と翌年一月発行した『東洋学芸雑誌』第六三〜六四号に掲載された「獨乙國留學井上哲次郎氏の來翰」の中にも「現今歐洲哲學家多しと雖も、生の最も推重するもの唯二人ある而已。獨のハルトマン、英のスペンセル二氏是れなり。ハルトマン氏の學セリング氏に本ずくと雖も、亦ヘーゲル、シヨッペンハウエル二氏に出入し、輓近進歩せる各科學の結果を綱羅蒐集して一種の新哲學を成し、其廣く社會に影響を及ぼす。〔中略〕生去る四月往てハルトマン氏を訪ひ、哲學上の事を論じ、一見舊の如し、これより屢々氏を訪ひ獨逸國中無二の知己を得たるの感を為すなり」や「ハルトマン氏曾て自ら生に博士コェーベル氏著す處の *Das Philosophische System Ed. von Hartmann's* と云へる書を貸與せり、此書氏の哲學の要領を記し、甚だ便利なるもなり、今其中及就きハルトマン氏の傳を抄譯する」[65]という井上の報告もある。その井上のドイツ留学は一八八四～一八九〇（明治十七～二十三）年であり、鷗外のドイツ留学は一八八四～一八八八（明治十七～二十一）年である。二人のドイツ留学期間はかなり重なっている。また鷗外の『独逸日記』にも二人の会見の記録[66]が残されている。鷗外は一八八七（明治二十）年四月から翌年七月までベルリンに滞在しており、その時、ベルリン大学にいた井上からドイツの哲学界やハルトマンについて何らかの情報を得たかもしれない。一九一一（明治四十四）年三～四月『三田文学』に掲載された鷗外の回想「妄想」には、自分がベルリンに滞在した時、留学生仲間の死によって悲しみの深淵に落ち、「これまで學んだ自然科學のあらゆる事實やあらゆる推理を繰り返して見て、どこかに慰藉になるやうな物はないかと捜す。併しこれも徒労であつた」[67]が、哲学、とりわけハルトマンの哲学に目を転じて救われたという話がある。

> 或るかういふ夜の事であつた。哲學の本を讀んで見ようと思ひ立つて、夜の明けるのを待ち兼ねて、Hartmann の無意識哲學を買ひに行つた。これが哲學といふものを覗いて見た初で、なぜハルトマンにしたかといふと、その頃十九世紀は鐵道とハルトマンの哲學とを齎したと云つた位、最新の大系統として賛否の聲が喧しかつたからである。自分に哲學の難有みを感ぜさせたのは錯迷の三期であった。ハルトマンは幸福を人生の目的だとすることの不可能なのを證する爲めに、錯迷の三期を立ててゐる。[68]

仮にハルトマンの『無意識哲学』を買ったという節は虚構のものである[69]としても、鷗外はハルトマンの「錯迷の三期」に魅了され、そして好奇心を持ってハルトマンを研究し、援用するようになったのは間違いがないだろう。のちに鷗外を「素人學者」として「哲學及び審美學の歴史的發達を知らざる人が、如何にして審美學者としてのハルトマンを知り得べきかを」[70]と皮肉した高山樗牛も、自著『近世美学』（一八九九年）において、「歴史を以て立脚地と爲し、而して加ふるに新科學の思想を以てし、巧に其の壮麗且つ整齊なる美學系統を構成したる」と、ハルトマンを「獨乙哲學の爲に萬丈の光焰を放ちたる」「純理哲學的美學の殿將」[71]と見なしている。

そして、鷗外がハルトマン美学を最初に援用したのは、同年五月『柵草紙』第八号に掲載された「外山正一の画論を駁す」と翌月の続編「外山正一氏の画論を再評して諸家の駁説に旁及す」である。ほかに関連記事として、「林忠正氏の演説」（『東京新報』明治二十三年五月二十三日）や「美術論場の争闘は未だ其勝負を決せざる乎」（『東京新報』明治二十三年六月五日）なども ある。「外山正一の画論」というのは、外山が一八九〇（明治二十三）年四月二十七日、明治美術会総会の席上で発表した「日本絵画ノ未来」と題した演説である。外山正一については、すでに前章「美学の制度化」において紹介した。彼は東京大学で「審美学」を最初に講じた学者であるのみならず、演劇改良運動への参加をはじめ教育や文化の領域で活躍していた権力者でもある。「其の講演速記が新聞に現はれたのに對して、例へば『報知新聞』に矢野龍渓氏の繪畫論、『東京新報』に九鬼隆一氏の美術論、其の他諸家の美術論が續出したのを以ても、此の講演が如何に美術家並びに學者間の視聴を集めたかを窺ふ」[72]と神代種亮（一八八三～一九三五）が述べたように、この時の外山は東京帝国大学文科大学学長（のち東帝大総長、文部大臣）として、かなりの影響力や指導力を持っていたことは間違いがない。この三時間に及んだ長い講演は、当時日本画壇における「一ハ外人ノ稱揚ニオダテラレテ今日宇内ノ活美術ハ特リ日本ニノミ存在スルナリト妄信スルノ族ナリ一ハ日本ハ尚ホ半開國ナリ西洋ハ文明國ナリ半開國ノ事物ハ其何タルヲ問ハズ渾テ文明國ノ事物ニハ及バザルノ理ナリ繪畫ノ如キト雖モ固ヨリ然カラザルハナシト只漠然タル憶斷ヲナシテテトリスマシ居ルノ輩ナリ」[73]という「二流派」への批判から始まった。外山によれば、これらの「今ノ繪畫ヲ談ズル者」はまさに批評の基準を持っていないため、「實に五里霧中ニ在り」と言わざるを得ない。そして彼は画題の選択についての今の画家の悩みや画題の変遷を分析した上で、日本の画壇が今の「感納的段階（レセプチブステイジ）（receptive stage）」から理想の「思想的段階（コンセプチブステイジ）(conceptive stage)」へ進んでもっと多くの「人事的思想畫」を描くべきである[74]、と呼びかけている。

外山の画論に対して、鷗外は一々細かく駁論した。鷗外によれば、第一に、外山が「東西兩派の争を擧げて、その並に誤れる」[75]ことを示した。絵画の優劣を論じる時、水彩画と水彩画、油絵と油絵を比較するという同じジャンルに属するものを比較すべきであり、「若し外山氏が擧げし如く、我西派の油畫家が我東派の水彩畫家と濃淡の別を争ふことあらば、是れその五里霧中にある」[76]。第二に、「外山氏が一千餘言を費して數へたる畫材の一斑をのみ上には寫したるなれど、宗教畫あり、歴史畫あり、動物畫あり、静物畫あり、風俗畫あり。何處の國の畫堂を尋ねても、これに過ぎたる繁富に遇ふことは、いとも難かるべし」[77]と、外山が説いた画題から見られた日本画壇の貧困さを否定し、さらに絵画の巧拙の評価は題材にあるのではなく「空想」と「技倆」にあるべきであり、画題の新しさは必ずしも絵画の魅力と関わるのではないと述べた。第三に、外山の用いた「思想」という言葉の曖昧を指摘し、それを「即ち個想のみ。個想とは類想に對していふ思想なり」[78]とした。第四に、外山の「龍を畫いて喝采を得む乎、之を畫くものも、之を看るものも、眞に龍ありと信ずるものならずんばあるべからざるなり。自ら信ぜざるものを畫いて喝采を得むとするは、愚の至といはざるべからず」[79]というような発言を根拠として、これは美術家の空想と宗教家の信仰、制作性と感納性を混同するものであると非難し、「審美的假感」と「宗教的實感」を区別した。第五に、外山が西洋の画題の変遷を辿って「時代の好尚」として得た「人事畫」を「風俗畫（高風俗畫＋民業、遊覽、人災等の圖）」と解釈し、外山の理論的根拠の不足と絵画史把握の不当を示した上、それを「錯雜なる思想を含有したるもの」としての「理想畫」と一緒に合わせて、外山の絵画分類を図式的に再編した[80]。さらに、「外山正一氏の画論を再評して諸家の駁説に旁及す」と再論し、外山の「思想」を自身の概念である「髄美」によって再解釈を試みた。これらの批評に、鷗外は「個想」「類想」「小天地想」というハルトマンの想髄説をしばしば引用し、「小天地（ミクロコスモス）」を普遍性が備える美の最高段階と位置づけたことがあるが、これらの概念に対するはっきりとした説明はなかった。ハルトマンの名前を持ち出したことも次のような「外山正一の画論を駁す」にある二カ所と、「美術論場の争闘は未だ其勝負を決せざる乎」の一カ所であり、特に重要なところであるとは言えない。

此階級のものの畫題に適應せず、殊に濃油色を用ゐる油畫に入るべからざることは、ハルトマン等も之を痛論したり。ハルトマン又曰く。ギヨオテの全集に密畫を入れたるものも、後の世に至りて或は出でむ。[81]

此「インスピラチオン」は、果して何物なるか。若ハルトマン等の意義を取るときは比較的に意識あらざる空想より一層深きものにて、絶對的に意識あらざる一動機なり。[82]

古よりプラトオ、アリストフアネス、アリストテレエス、プロチン、シャフツバリイ、ホオム、ヂドロオ、ヰンケルマン、レツシング、カント、シエルリング、ワイセ、ヘエゲル、ヘルバルト、シャスレル、ハルトマン等は已に許多の審美的論題を左扯右牽し、殆どこれをして芻狗たらしめむとしたり。[83]

おそらくこの時の鷗外はまだハルトマンの著作を直接読んだことはなく、その代わりにシュヴェーグラーの『哲学史要』[84]あるいはボレリウスの『現代独仏哲学瞥見』のような哲学史類の書物からハルトマンの主要思想を知ったのであろう。少なくともこの時点ですでにハルトマンを精読し、消化していたとは思えない。島村抱月が一八九七（明治三十）年二～三月『早稲田文学』第二七～三〇号に発表した「『月草』を読みて」において説いたように、「當時の外山氏や、矢野氏や、その論理的頭腦に於て、はた審美の知識に於て、殆ど鷗外氏の敵にあらざる」一方、「實感と美感との心理上の關係は、或はさるものかも未だ知るべからず。隨つて前段、實と信ぜよといへるにも、一半は此の意混じたりとも見ゆ。要するに此の點また未了の問題として數ふるに足る」[85]という段階であった。

ハルトマンの美学をしっかり消化した上で行った論争は、一八九一（明治二十四）年から始まった坪内逍遥との「没理想論争」である。「没理想論争」は近代日本文芸批評史における最大の論争として、現在まで多くの研究が蓄積されている[86]。「前哨戦」や「本論戦」に分けた緻密な研究もある[87]ため、ここでは論争の経過を省略して鷗外のハルトマン受容を中心にその大要だけを紹介する。島村抱月の言葉を借りて鷗外と逍遥をそれぞれ東西を代表する「評論の側に最も輝ける文星」[88]とするならば、この時の鷗外はすでに逍遥の傍にある幾つかの「遊星」を撃沈して、いよいよ本尊へ接近してきたのである。前に触れたように、鷗外は評論を始めたばかりの「現代諸家の小説論を読む」発表の頃からすでに逍遥について研究していたらしい。そこから矛先を逍遥に直接向けたのは、ハルトマンという鋭い論拠を得たからであろう。外山との論争にもハルトマンの名前が出てきたものの、鷗外は自ら依拠したのがハルトマンであると宣言するつもりはなかったのである。しかし、逍遥への最初の檄文である「逍遙子の新作十二番中既発四番合評、梅花詞集評及梓神子」で、鷗外はハルトマンを錦の御旗としてはっきり掲げている。ハルトマン受容の経過については、鷗外自身が「逍遥子の諸評語」において心境を次のように述べている。

> われ嘗てゴツトシャルが詩學に據り、理想實際の二派を分ちて、時の人の批評法を論ぜしことありしが、今はひと昔になりぬ。程經て心をハルトマンが哲學に傾け、其審美の巻に至りて、得るところあるものの如し。その頃料らずも外山正一氏の畫論を讀みて、我懐けるところに衝突せるを覚え、遂に技癢にえ禁へずして反駁の文を草しつ。かかればわれはハルトマンが審美の標準を以て、畫をあげつろひしことあれども、嘗て小説に及ばざりき。今やそを果すべき時は來ぬ。いで逍遥子が批評眼を覗くに、ハルトマンが鬉鬣をもてせばや。[89]

「山房論文」（鷗外自らにより編集され、一八九六年一二月春陽堂発行の単行本『月草』に収録）を貫いて、鷗外がハルトマンの名前を直接文面に載せたのは、合わせて九十二カ所ある。自分の立脚点はハルトマンであると明示した箇所は上記以外に、「わが山房論文を著すや、おもにハルトマンが審美學に據りて言を立つ」[90]というようなところなど多く散在している。

ではなぜ逍遥を批判することになったのか。鷗外は、これは主に批評方法における根本的な立場の不一致によるからであると説明している。つまり、「逍遥子は演繹評を嫌ひて、歸納評を取り、理想標準を抛たるとする人なり。然れども子も亦我を立てて人の著作を評する上は、絶て標準なきこと能はじ」[91]、「逍遥子が没理想論出で、その勢ほとほと我國の文學界を風靡せむとするを見て、われはハルトマンが現世紀の有理想論を鈔して世の文學者に示ししなり」[92]という。鷗外によれば、芸術制作の根源は「空想」にあり、「空想」があるからこそ、作品において美を実現することができる。また、美を実現した芸術の世界は、必ず現実の世界と区別しなければならない。その一方で、逍遥は写実を重んじて、小説から「空想」を排除しようと主張している。『小説神髄』の最大の歴史的功績は伝統的な勧善懲悪主義を文学から追放したことにあるが、同時に、西欧ロマン主義が重んじた「空想」も読本や小説における荒唐でファンタスティックな要素と逍遥は同一視し、新しい「小説」というカテゴリーから排除した、と言わなければならない。この互いの立場に基づけば、二人がそれぞれ唱える演繹批評と帰納批評の争いは避けられないことであろう。ここで鷗外は逍遥を批評することを通じて、ハルトマンの批評美学を再編した。まず逍遥の「固有」「折衷」「人間」という小説三派に対して、鷗外が「類想」「個想」「小天地想」というハルトマンの哲学上の用語例を持ってそれぞれに対置した。しかし、これには違いもあると鷗外が説明している。逍遥の場合、「固有」「折衷」「人間」とは優劣をつけない小説の三つの様式である一方、ハルトマンの場合、それは美の階級のことである。鷗外によれば、ハルトマンは彼の審美学の本質によってこれらを美の階級とし、彼の審美学の根幹は以下のことであるという。

彼は抽象的理想派の審美學を排して、結象的理想派の審美學を興さむとす。彼が眼にては、唯官能上に快きばかりなる無意識形美より、美術の奥義、幽玄の境界なる小天地想までは、抽象的より、結象的に向ひて進む街道にて、類想と個想〔小天地想〕とは、彼幽玄の都に近き一里塚の名に過ぎず。〔中略〕ハルトマンは類想を卑みて個想を貴みたり。〔中略〕個想は絶對結象の想にあらざるゆえに分想なれども、又小天地の完想として見らるべし。ハルトマンは眞の個想を、おのづから小天地想たるべきものと看做したり。〔中略〕小天地想ならざる個想は、即是れいまだ至らざる個想ならむのみ。〔93〕

そして、『早稲田文学』の創刊号に掲出された逍遥の「帰納的批評」の具体的な実践としての「シエークスピヤ脚本評注」に対して、鷗外はこれをゾラの自然主義と等価する「没理想」の羅列的分析や作業にすぎないと批判し、「烏有先生」という談理家の思想を対比させる形で、審美学的な基準に基づいた「演繹的批評」の重要性を改めて強調した。ところが、お互いに論争の中心となっている文学のあるべき姿としての「理想」あるいは「没理想」について、実は二人の間には理解のギャップ、あるいは鷗外の意識的・無意識的な誤解があったと思われる。逍遥自身は最初、壮大なシェイクスピアの作品に対して自らの無力感を感じつつ、また敬意を払い、評することを避けて、まず忠実に記述に従い解釈し、「没理想」という言葉を使った。しかし、鷗外はこの言葉をドイツ観念論によって「理念」と理解し、芸術を「理想」の具体的顕現とする自らの立場から逍遥を批評している。鷗外の「理想」に関する定義は、次の一文から窺える。

逍遙子のいはく。プラトオの理想は鷗外の理想にはあらざるかといへり。われ答へて云く。あらず。天地の間には常住するものあり、生滅するものあり。この常住のもの、時間の覊絆を離れたものならでは、古今の哲學者は敢て理想と名づけざりき。プラトオとハルトマンとは理想を以て時間を離れたる、意識なき思想なりとす。されどプラトオは其理想を體として現世を象とし、彼を實在として此を幻影とせしに、ハルトマンは其理想を非實在として現世に體象あらしむ。われは現世の象後には體ありて實在すとおもふがゆえに、わが理想はプラトオが理想に殊なり。〔94〕

つまり、自らの「理想」はプラトンと異なるハルトマンの定義を取っている。それは「非実在」のものであるが、現世に表象している。その一方で、逍遥は「没理想の語義を論ず」でこの言葉を次にもう一度説明しようとしたが、うまくできたとは言えなかった。

漠々たる大造化は古今の万理想を容れて（没却して）餘あり、若し理想といふ語をもて今人が思議し得たる極致の名とせば、造化を名づけて没理想といふも、不可ならん。（中略）造化は（今人の智の及ぶ限にていへば）無邊また無底なり、此の無底無邊のもの、これを名づけて何と呼ばん。大なる心と名づけんか、神在すといふにひとしからん。然れども我れ頑愚未だ神在すと信ずるとを得ず。これを名づけて大理想といはんか、我れ不學、未だ其の大理想とは如何なるものなるかを證することを得ず、此に於て右に角あり、左に角あり、假に名づけて没理想といふ。[95]

逍遥の小説三派という芸術様式の設定からの論争は、ここに至って、すでに「理想」という術語の理解をめぐる論争になり、結局、行き詰まったのである。結果として、逍遥は自らが説いた「理想家」と「写実家」とが必ずしも対置したものではない、と一歩を譲ってこの論争を先に閉じたが、鷗外もおそらく逍遥が芸術美の最高段階として名づけた「造化」はしょせん自らの「小天地主義」に近いことであろうと気づいたのである。

2　鷗外の美学三期と標準的美学

森鷗外の文学評論について、先行研究には磯貝英夫（一九二三〜二〇一六）と小堀桂一郎の分析がある。二人とも三つの時期に分けているが、その中で磯貝は、第一期を「ゴットシャールの『詩学』などを下敷きとして、主に、文学価値の自律性の主張に力を注いだ」一八八九（明治二十二）年一月の「小説論」から一八九〇（明治二十三）年四月の「舞姫論争」にいたる期間とし、第二期を「ハルトマンの馬にのって、文学・美術・演劇の各方面の諸議論をなで切りにした」一八九〇（明治二十三）年五月「外山正一氏の画論を駁す」から一八九四（明治二十七）年八月の日清戦争による『柵草紙』廃刊にいたる期間とし、第三期を新しい特徴として「作品時評に力を傾けた」と同時に諸美学の訳述・紹介の仕事を続けた一八九六（明治二十九）年一月に『めさまし草』創刊以降の時期としている[96]。

　これに倣って鷗外の美学上の業績をあえて区分するならば、次のように整理することもできる。第一期は、鷗外が留学を終えて文芸批評活動を展開した一八八九（明治二十二）年一月から外山の画論を批判した一八九〇（明治二十三）年五月にいたる期間である。この時期、鷗外は文芸批評に依拠される美学的理論を探索しており、まだ標準としての美学を確立していなかった。外山との「画論論争」は一応ハルトマンの運用と見られるが、ハルトマンを十分消化していたとは言えないし、鷗外本人からもハルトマンを標準的美学として確立しようという意志が明確化していなかった。第一期における鷗外の活動はすでに前節に詳しく論じたため、ふたたび贅言しない。

　第二期は、一八九〇（明治二十三）年五月から一八九九（明治三十二）年九月、高山樗牛との論争にいたる期間である。この時期に、鷗外はハルトマンを美学の標準として確立しようと、逍遥をはじめ様々な人と積極的に論戦して努めていた。一八九六（明治二十九）年一二月春陽堂から刊行した『月草』の「叙」に、鷗外は一九世紀の文学芸術の大勢を大まかに分析した後、次のように述べている。

> 判斷を下すには標準がいる。標準を立てれば最早少なくとも一種の藝術観が生ずる。その藝術観はかやう物が好いと感納の側からいふと共に、かやうな物を作つて貰ひたいと制作の側へも注文をするやうになる。さて斯う成り立つた藝術観といふものに、自然の景色などの美、自然美に對する自然観をも加へて、學問的に組み立てる段になると、即ち標準的審美學になる。たとひ今までの標準的審美學が用に堪へぬやうになつたといつても、すぐにそれに懲りて、もう審美學はいらぬと斷ずるのは、固より太早計である。又審美學のおのづからにして標準的なるべきを忘れて、これを叙述的にして仕舞はうといふのも、矢張り無理な考に相違ない。〔中略〕己は嘗て我國

の藝術的批評に手を下した時、此種の審美問題の再完備として居るハルトマンの審美學を選んで根據とした。〔中略〕さて己が批判の根據としてハルトマンの標準的審美學を取つてから、審美學といふ一科學の我國に於ける價値と、ハルトマンといふ一學者の我國に於ける勢力とに多少の影響を及ぼしたことは、反對者でも認めぬ譯には行かぬ。〔中略〕大學はじめ處々の學校で、或は審美學の講義に今までにない重みを置くやうになり、或は始めて審美學の講座を置くことになり、今では專門の審美學者といふ人々さへ出て来たのは、少なくともその動因の一つとして己が明治二十二年から二十七年まで、二三同志の友達と一しょに出した柵草紙の中の、極めて穉い論文に促されたものだといつても過言ではあるまい。これと同時に、或は直接に或は間接に、ハルトマンの哲學に目を注ぐ人が出て來て、今まで我國では殆全く經驗派に押し潰されて居た形而上派の哲學さへ、ここかしこで講究せられるやうになつた。[97]

この一節には鷗外の標準的美学の志向のみならず、日本におけるハルトマンの移植やその後の影響をもよく示している。まさに鷗外が述べたとおりである。日本におけるハルトマンをはじめとするドイツの哲学は、井上哲次郎と鷗外の二人の合力によって移植されたものであると見ても差し支えない。ハルトマンと交渉して弟子のような存在であったケーベルの来日を取りつけたのは井上であるが、表舞台に出て文芸批評の場でそれを実際に援用したのは鷗外である。もとより、鷗外が「第十九世紀は鐵道とハルトマンとを生んだ」[98]とハルトマンを特に高く評価したことには、文科大学の椅子を獲得するために、ハルトマンを「無二の知己」として顕示し、井上哲次郎の関心を引く意図もあったことは否定できない[99]。にもかかわらず、「他の問題提出者を待ちて始めて發すると共に、其の問題は間々著者みづからの問題となる」[100]という論法で「問題説明者」としていろんな論争に高らかに凱歌をあげた鷗外によって、ハルトマンの名が当時の人々に広く知られたのも事実である。鷗外は美学講師として、一八九二(明治二十五)年慶応義塾、一八九六(明治二十九)年東京美術学校へ赴任した。心理学的美学の先駆者である大西祝の紹介によって一八九二(明治二十五）年から一八九六（明治二十九）年に留学するまで早稲田で美学を講じた大塚保治もハルトマンを講義し、しかも留学の直前である一八九五（明治二十八）年七月に刊行した『六合雑誌』第一七五号に発表した「審美的批評の標準」という論文には鷗外からの影響が窺える[101]。

この時期に、ハルトマンないしドイツ観念論の美学をわかりやすく説明することを「没理想論争」の終結として要求した逍遥の注文に応じて、鷗外は一八九三（明治二十六）年五月『柵草紙』第四四号で「批評は哲學的なるものに候。談理に候。〔中略〕先ごろより哲學上の根據ある現今の審美論を紹介いたし居候。これは申すまでもなく、ハルトマンが審美論に候。〔中略〕柵草紙は、ハルトマンが審美眼を、評論の標準といたし候ひぬ」[102]と応答し、西欧美学理論の翻訳に着手した。まず始めたのはハルトマン選集第四巻の『美の哲学』（Ausgewählte Werke. Band IV. *Aesthetik. Zweiter systematischer Theil: Philosophie des Schönen. Leipzig,* Verlag von Wihelm Friedrich. 1887）の翻訳である。これは一八九二（明治二十五）年一〇月『柵草紙』第三七号から翌年の第四五号まで五回に分けて断続的に連載され、原書の第一巻第一章「美の假象とその諸要因」（Erstes Buch: Der Begriff des Schönen. I. Der ästhetische Schein und seine Ingredienzen）の前半の忠実な翻訳に該当する。この鷗外の成果について、当時「俳句は文學の一部なり。文學は美術の一部なり、故に美の標準は文學の標準なり。文學の標準は俳句の標準なり。即ち繪畫も彫刻も演劇も詩歌小説も皆同一の標準を以て論評し得べし」[103]と主張し、美学に強い関心を示しつつ俳句にも共通な標準を建てようとして『俳諧大要』（一八九五年）を著した正岡子規は、一八九九（明治三十二）年の「随問随答」にて次のように記している。

問　詩（俳句なども含む）を學ぶには審美學を修め度先づ如何なる書に依るべきや著者書名御知らせ被下度。

答　審美學を讀んだとて詩が上手に作れる者に非ず。〔中略〕審美學の書物見たしと思ひ丸善などをあさりしに審美の書めきたるは一冊も無し。わざわざ外國にある人のもとに頼みやりて、何か審美學の書物をといひしに、ハルトマンの審美學をおこしくれたり。嬉しさに其本を携へて獨逸語を知る友人の許へ行き、初めより一字讀みてもらひしが、さて字義ばかりは分りても、分からぬは全體の意義なり、二三夜通ひて二三枚讀みしが少しも分からぬ呆れはてて終に其儘に打ち棄て置きたり。然るに其後のしがらみ草紙にハルトマンの審美學の譯を載するの廣告あり。此時もいたく喜びて、急ぎ買ひ讀みしに、再び失望し了りぬ。しがらみ草紙の譯は原書を一字一字譯したる者故、譯の正確なると同時に、原書にて分らぬ一章一節の大意は譯文にても一様に分らぬなり。吾はしがらみ草紙を抛ちし以後再び審美書を手にせざりき〔中略〕若し我に審美學の必要あらば、他人の審美學を骨折りて讀まんまでもなし、我自ら自己流の審美學を創設するの容易なるに如っかずとさへ思ひなりぬ。[104]

ハルトマンの審美学や鷗外の訳文を入手した時の興奮から、懸命に理解しようとしてもなかなか理解できず失望していた子規の心境の変化はここで読み取れる。子規は「西洋人の唱へ出した美とか美學とか云ふものの爲めに我々は大に迷惑します」[105]と東京美術学校で「文芸の哲学的基礎」について講演した夏目漱石と同様に、美学に失望した。おそらく当時のハルトマンや『柵草紙』の読者においては、子規の観点は象徴的なものと言えるであろう。ハルトマンをより詳しく知りたい人々は多くいたが、『柵草紙』における鷗外の訳文は難解で役に立つものではなかった。

鷗外は未完の『美の哲学』の続編として『審美綱領』を単行本の形で春陽堂から刊行した（一八九九年、大村西崖と共編訳）が、これは『審美論』のような忠実な一字一句の抄訳ではなく、全訳の困難さを意識してからの必要な軌道修正として、原著の百分の一にも及ばない紙幅で大綱を編述したものである。『審美綱領』「凡例」での「四、編者は原著の既成の審美學系統中相待上最完全なるものなることを信ず。世或は此系統を以て多く踏襲に出づとなすものありと雖、其立證は遍述者の認めて薄弱となる所なり。五、編者は別に審美史綱を著して、希臘諸家よりしてハルトマンに至るまでの審美論の沿革を明にせんと欲し、其稿半ば成りたり。他日讀者二書を併せ讀まば、彼のハルトマン踏襲説の非を知り易かるべし」[106]という内容はとりわけ興味深い。編訳者の鷗外と西崖はなぜここで弁明しているのか。また「彼のハルトマン踏襲説」とはどういうことか。

逍遥との「没理想論争」に続いて鷗外の好敵手として存在していたのは、一八九三(明治二十六)年九月東京帝国大学文科大学哲学科に入学し、一八九五(明治二十八)年七月から雑誌『太陽』の文芸欄の記者となった高山樗牛である。二人の対立は、樗牛が一八九六(明治二十九)年二月の『太陽』に発表した「以て非なる観念小説」で小説を「観念小説」「無想小説」「没想小説」に分類して以来、すでに始まっていたが、具体的な作品批評から美学に関する知識の勝負へと変わるに伴って、一八九九(明治三十二)年前後には白熱戦に入った。鷗外が「凡例」に気になって書いた「彼」とはすなわち樗牛のことであり、ハルトマンに至るまでの美学史の著作を間もなく出版すると宣言したのも樗牛の批判があったからである。なお、この「凡例」に言及された「審美史鋼」(Max Schasler : *Kritische Geschichte der Aesthetik. Grundlegung für die Aesthetik als Philosophie des Schönen und der Kunst.* Abtheilung I. Von Plato bis zum 19. Jahrhundert. Berlin. Nicolaische Verlagsbuchhandlung. 1872)は結局公刊することができず、未定稿のまま『鷗外全集』に収録されている。『審美綱領』が公刊するまで、樗牛の批判は主に二点に集中している。第一は、鷗外が実は美学史をよく知らないこと。第二は、鷗外が結局ハルトマンを正しく理解していないことである。以下、樗牛の記述を掲出する。

吾等の鷗外の審美學に篤きを耳にせるや久し。而しも氏がハルトマンの祖述の外に、斯學の歴史に關する意見を窺ふを得たるは、實は今回を以て始めとなす。〔中略〕其人未だシェリングが哲學を了解せざるなり。〔中略〕獨逸の美學史に精通する一學者の言として、あれは意外の非難を聞くものかな。〔中略〕吾等は是により審美學者なる鷗外がハルトマン以外に於ける歴史的知識の一斑を窺ふを得たり。[107]

吾等が鷗外の美學に精しきを信ぜむと欲するは、其のハルトマンに精しきことを信ずるが為に外ならず。もし鷗外にしてハルトマンに精しからざることの明ならむには、次に來るべき結論は果たして何事なるべきぞ。〔中略〕鷗外が唯一の論據は、ハルトマンの序文にあり。而してあはれ彼は序文をだに正解することをなさざりき。〔中略〕

是れハルトマンを誤解し、却て吾等と共にハルトマンを難ずるものに非ずや。贔屓の引仆しと云ふべきなり。鷗外は又、吾等がチムメルマンの美學史を紹介せしを難ずるに、全然ハルトマンの語を以てせり。ハルトマンの説は、吾等ハルトマンの筆によりて已に是を了知せり、何ぞ更に鷗外を待たむや。[108]

標準的事物に個物理想現はれずとする鷗外は、果たしてハルトマンが美學中の具象段階論を了解せりと謂ふを得べきか。[109]

其の文學專門の諸雜誌に表はれたる論文等によりて是を察する時は、彼等の所説はマーシャル、サリー、ナイト、ボサンケト等の著書、若しくは一二『素人學者』のハルトマンの講義に憑據するもの多きが如く、直に獨佛の原書を叩いて甚深の研究を爲したるもの稀なるが如し。今の人は動もすればハルトマンを呼ぶ。然れども吾等は疑ふ、哲學及び審美學の歴史的發達を知らざる人が、如何にして審美學者としてのハルトマンを知り得べきかを。〔中略〕吾輩は是の如き歴史的知識なくして、如何にして眞にハルトマンが美學上の意義と價値とを知り得べきかを訝るなり。其の單に最近の系統なるの故を以て、一も二もなく是を尊崇依信するが如きは、是れむしろ小児の見のみ。[110]

一八九九年の『審美綱領』出版の刊行後、樗牛は同年八月『太陽』第五巻一七号や『帝国文学』第五巻八号に詳細な「『審美綱領』を評す」を発表した。樗牛がまず読者に注意を喚起したのは「原書は八百二十七頁もある可なりの大巻なるを、斯ばかりの小冊子に縮めたる事」[111]である。問題提起をした後、さらに「本書の文章」「訳語」「簡単主義の得失と捃摭の適否」「総評」という四つに分けて、具体的な内容に即して精密な批評を展開した。「本書の文章」について、鷗外と西崖の訳文を「和漢洋の巧みな折哀體にして、文字の精核、意義の周匝、併せ得たるに庶幾し、是れ本書の一長所として注意すべし」と称賛した一方、「全體の意義甚だ了解し難きもの多し」と言い、それを編訳による「簡單主

【表Ｉ】『審美綱領』の訳語に対する高山樗牛の批判

注：今日の状況を対照するために、樗牛の表そのものを掲出したほか、ロベルトシンチンゲルほか編『独和広辞典』（三修社、一九八六年）によって「現代訳」の一列を増補する。次頁の表Ⅱも同じ。

高山樗牛作成対照表			筆者増補
従來の慣用譯語	本書の従來の用語例に依らざる譯語［鷗外・西崖］	原語（獨逸語）	＊現代訳
概念	詮義	Begriff	概念
主觀	能變	Subject	主観
客觀	所變	Objekt	客観
元子	極微	Atom	原子
幾何學	重術	Geometrik	幾何学
究竟見	志學	Teleologie	目的論
寫實主義	實際主義	Realismus	現実主義、写実主義、リアリズム
實在論	實相論	Realismus	実在論、（スコラ派で）実念論
壮美	嵩高	Das Erhabene	崇高
機智	諧謔	Witz	機智、頓才、頓知、機知あふれた話、ジョーク、警句、しゃれ
幸福論	民福論	Eudämomismus	幸福説、幸福主義
美學	審美學	Aesthetik	美学
凡理論	順理主義	Panlogismus	汎論理主義
現實	現行	Aktualität	時の話題、時事問題、時事性
精神（精霊）	自性	Geist	精神、霊、知、理知、神髄など
多元論	複元論	Pluralismus	多元論

義の弊」としている[112]。この点はまた「簡単主義の得失と捃摭の適否」の節に具体的な例を挙げて「含糊糢稜、臆斷の送迎に忙はしく、領悟の實甚だ乏しきを覺。〔中略〕予は寧ろ、編者がハルトマン氏の美學を如何ばかり咀嚼し得たるかを怪まむと欲する也」[113]と厳しく非難した。そして当時にとって極めて重要な「訳語」の方面について、樗牛は『審美綱領』が従来の慣用訳語に従わないものを抄出して次のような対照表[114]を作成し、「予は本書の編者が何故に従来の用語例に背きて、故らに新譯語を樹てしかを知らむことを望む。森、大村二氏は、まさかに本邦に通ぜざる人にも非ざるべきに」と根本的な疑問を投げた[115]。

【表Ｉ】を見ればすぐわかるように、

【表Ⅱ】『審美綱領』の訳語に対する高山樗牛の案

高山樗牛作成対照表			筆者増補
原語（獨逸語）	本書の用ひたる新譯語［鷗外・西厓］	予の用語中、本書のに異なりて是れに優れりと思惟するもの［樗牛］	＊現代訳
Anschauumg, anschauen	観相	観照（大西祝氏亦是の譯語を用ひたり）	直観、観照
Succession	相繼	繼起	連続、継承
das mathematische Gefällige	數宜	量美	数学的快
Das dynamische Gefällige	動宜	力美	力学的快
Symmetrie	對向	齊對	対称（性）
das Zweckmässige	合志美	合的美	合目的
Das Imposante	威嚴	強迫	堂々
Depression	抑壓	敗亡	不況、憂鬱
das Rührende	感動	可憐	感動
Passion	絶對慾	煩惱	情熱、激情、受難
Willkür	肆然	肆意	恣意、任意など
das Intriguante	權謀	脚色	陰謀、術策
sympathetisch	同應	——	精神感応、共感
das Idyllische	閒逸	——	牧歌、田園詩
Naivität	愨態	——	純眞、無邪気、素朴
Ironie	陽賛	——	イロニー、皮肉
Konflikt	葛藤	——	争い、不和、紛争など
Immanente Losung d. Könfikts	葛藤の世間解	——	
Transcendente L.d. Konflikts	葛藤の出世間解	——	
Humor	友情滑稽	——	ユーモア、おかしみ、上機嫌

鷗外と西崖が新しく考案した訳語はほぼ従来の慣用用語に取って代わることができなかったのは事実であるが、「崇高」、「様式」[116]という訳語はそのまま今日まで使われているのは特筆すべきであろう。また従来の訳語がなかった原語についてはどうか。樗牛は【表Ⅱ】のように、原語と鷗外・西崖の訳語を対照させて、自らの訳語をも記載した。

上記の樗牛の選択から見れば、やはり哲学や美学の専用用語の範囲を超えた強引な批判もあると言わなければならない。樗牛は哲学の訳語に対する関心は早く、一八九五（明治二十八）年四月から数回にわたって『太陽』で翻訳ないし訳語の問題について議論している。一八九六（明治二十九）年四月『太陽』に掲載された「想と理想、造語と鷗外漁史」という文章では、逍遥を擁護して鷗外の「理想」という訳語を批判したこともある。さらに同月掲載された「訳語一定の必要」において、当時の訳語の状況を「往年、井上博士に哲學字彙ありと雖も、凡ての學者其例を用ひざるを見れば、全く十分の満足を與ふるものに非ざるが如し。數年前より大學の教授諸氏も亦定期に相會して譯語の一定を圖らるると雖も、其の結果の哲學雜誌附録として顯はれたるもの、今日尚ほ十の一に至らず、未だ以て學問社會の需要を満すに足らざるなり。譯語の妥當なるものを制作するは、東西學者の共に甚だ難しとするところ、一私人の造語よりは、大學教授諸氏の合議を經由せるものを標準語となすべきは、無論のことなるべし。さり乍ら諸氏の事業は、恐くは今後數十年の後に非ざれば完成を期し難からむ。されば吾が學問社會は、哲學雜誌を中心として、成るべく完全なる譯語を普く用ひむことに盡力せざるべからず、是れ刻下の急務なり」[117]と述べている。この立場から、樗牛は大学哲学科の教授ではない医学部出身の「素人学者」鷗外の訳語を主観的に軽視するようになったのではないだろうか。今日の定訳から見れば、樗牛自らの用語は鷗外・西崖のものより優れているとはまったく言えない。両者を比べれば、樗牛の訳語よりむしろ鷗外・西崖のほうが自然であろう。しかしそれでも、また若き樗牛はこれらに基づいて「総評」に鷗外・西崖の訳業をまったく価値のないものとして徹底的に否定し、さらに「ハルトマン氏の美學は、美の種類を論ぜる所に長所あれども、其の假象論と具象理想説とには偏見甚だ多し。且つ歴史上より見るも、氏の創見として見るべきもの甚だ少し。概して氏の美學よりも美學史のかた優れり。〔中略〕然れども理想派の外にキルヒマン氏の如き實在派の美學者あることを知らざるべからず」[118]と、原著者のハルトマンまでもを批判した。

このことは鷗外をひどく怒らせた。鷗外はこの批判を学術的倫理から外れた「悪意」の「中傷」と見なし、一八九九（明治三十二）年九月一〜二日と一〇日の『読売新聞』に「審美綱領の批評に對する森鷗外の書翰」と「審美綱領の批評に對する森鷗外の第二書」を発表して手厳しく反論し、また同月一日の『時事新報』に西崖への書簡を公開する形で、ハルトマンを批判するならばドイツ語あるいは英語で書いてハルトマン本人に読ませるように工夫しろと要求した[119]。

この反論における「目下美學と審美學と孰れが世間に慣用せられ居り候か少くも五分々々位には非ざるや」[120]という鷗外の説明から、彼は「審美学」など自らの学名にかなり執着があったとは言えよう。また一八九八(明治三十三)年二月二六日の『二六新報』に「千八」の署名で発表した箴言集「心頭語」において鷗外は再びこの問題について、次のように自らの立場を語った。

術語の定まらんは願はしきことなり。されど彼東京帝國大學諸家の用ゐるところの語を以て一字易ふべからざるものとなるが如きは、われ輙く首肯すること能はず。今人ありて文章の最も晦澁なるものは何ぞと問はば、われは哲學雜誌と答ふることを猶豫せざるならん。哲學上の語の如きは、舊譯の人意に滿たざるもの極めて多し。若し漢語にして詮義相符するものあらば、その出處の内典たると外典たるとを問はずして取り用ゐんこそ好けれ。要は博く采りて精しく選むにあり。[121]

この鷗外と樗牛との論争は結局、勝負なしの形で終了したが、象徴的な意味があると考える。この論争に樗牛は「人を射むと欲せば先づ其馬を射よ」[122]という戦略を持って、美学の専門家という面目からハルトマンへ正式に宣戦布告した。またこの論争とほぼ同時に、彼は自らが編述した『近世美学』(博文館、明治三十二年九月)をも世に送り出した。『近世美学』は「美学史一斑」と「近世美学」という二編からなるが、その下編「近世美学」において、樗牛はキルヒマン(Julius Hermann von Kirchmann, 1802-1884)を「獨乙に於ける感情美学(Gefühlsaesthetik)の代表者」として筆頭において、「理想派の美學は、観念論の發達に伴うて獨乙美學史の正統なりと雖も、其説は純理哲學上の世界觀と密接するが故に、觀美的意識其物の説明としては適切ならざるもの多し。是の歴史上の偏見を離れ、實驗の根據に立ちて美の説明を企てたるもの、獨乙に於てはキルヒマン最も注意すべしとなす」[123]と、注目している。またハルトマンの美学を祖述した後、スペンサーの進化論的美学、グラント・アレン(Charles Grant Blairfindie Allen, 1848-1899)の生理的美学、マーシャル(Henry

Rutgers Marshall, 1852-1927）の快楽的美学をそれぞれ紹介した。全書の最終章に該当する「現時の美學者中最も注意すべき一人」であるマーシャルの節で、樗牛は次のようにマーシャルの快楽的美学の述評を借りて自らの主張を持ち出した。

快樂若し果して汝の標準ならば、汝は吾人が當に樂むべき、即ち當然なる快樂の何物なるかを訓へざるべからずと。是れ近時にありて、ハルトマン等の説ける所なり。這般の駁撃は、美的標準の唯一絶對なるべきを主張する所の美學には、是の上もなく痛切なるべしと雖も、初より是の如き絶對の標準を認めざる吾人にとりては、何等の痛痒をも感ずることなし。吾人の信ずる所によれば、苟も美學に於て快樂説を執ることを公言せむ程のものは、良しや哲學上如何の位地にある人も、心理上より必ず絶對論を棄てざるべからず。[124]

その一方で、鷗外本人も「己は果してハルトマン一點張であらうか。ハルトマンの審美學に騎りまはつて、馬を射られると落ちるであらうか」[125]ということを立証するために、ハルトマン以外の新たな美学を紹介し始め、次の段階に進んだ。

まず鷗外によって翻訳されたのは、「芸術と道義の関係」「芸術と自然との関係」「第二自然としての芸術」「様式」「自然主義」「審美学の現況」という六編からなるフォルケルト（Johannes Volkelt, 1848-1930）の演説集『美学上の時事問題（*Ästhetische Zeitfragen*. Vorträge. München, C. H. Beck'sche Verlagsbuchhandlung, 1895）』である。鷗外はこの大要を「審美新説」という題目で訳出し、一八九八（明治三十一）年二月から十回にわたって『めさまし草』で掲載した後、一八九九（明治三十二）年二月に春陽堂から単行本として刊行した。鷗外は『審美新説』の「凡例」で『審美綱領』の難解さに対して、「審美新説は此に殊なり。Volkelt の書は數次の演説より成る。故に其義を取りて約説するものも、亦難解の虞なし」と説明しており、おそらくこれを『審美綱領』やハルトマンの補足として始めたと思われる。しかし、この本、とりわけ「審美学の現況」の一節は、鷗外がハルトマンのそれを標準的美学として確立しようという意図に反したものである。鷗外の最も基本的な美学的立場は言うまでもなく、美という概念を真や善との混同から独立させ、自律性を与えて芸術そのものの価値を認めるところにある。この立場に基づいて、彼は早期の文芸活動においてゾラに代表する自然主義を意識的に排斥し、ロマン主義に傾倒していった[126]。この鷗外美学の根本的特色を神田孝夫の言葉を借りるならば、すなわち「美から一切の価値内容を排除する」「抽象的形式主義」[127]である。その一方で、フォルケルトについては「審美學は全く心理上基址を得て立つものなり」と言い、その手段は「審美上諸問題」を総括する「審美學の形而上門」を除く以外に「總て心理上分析に頼む」としている[128]。さらに、鷗外は最も評価するハルトマンについて、次のように評価している。

> 審美學の心理上科目たるは余の新提に非ず。獨逸國内早くKoestlin, Fechner, Siebeck, Lipps等ありて審美上心理を應用したり。Hartmannの如きは重きを形而上の經営に置きて、往々間架過巧に陥ると雖、亦能く心理を應用して許多の暗處を照し許多の塞處を通じたり。[129]

ここで特に説明しなければならないのは、これには鷗外の脚色が入っているということである。小堀桂一郎は原典を開いて、フォルケルトがハルトマンを評価したところを、次のように忠実に訳した。

> ハルトマンの美学は何といってもあまりに甚しく形而上学的前提の中に組込まれており、かつ形而上学的精密器械化の弊を受けすぎているのだが、その彼に於てすらも、多くの重要な問題が提起され、かつ解明に向けて推進されたのは格別心理学的判断と考究とによってだったのである。[130]

両者を対照すればそのニュアンスの食い違いがよく読み取れるだろう。さらに、『めさまし草』に掲載された時の文末「附言」を読めば、鷗外の弁明を一層強く感じられる。

本書中審美學の現況は同世の學者或は首鼠兩端の弊ありとなすと雖、是れ説者が公平を期する餘、知らず識らず此嫌あるに至れるものにして、讀者は必ずや過を見て仁を知る感あるならん。審美學の現況は此學近時の進歩を論じてKoestlin, Vischer, Fechner, Siebeck, Hartmann等を擧げたり。説者は形而上學を以て急務に非ずとなし、又Hartmannの搆架過巧を取らざるものなり。而るに猶そのHartmannの創見多きを推すや此の如し。世上或はHartmann創見少しとなすものあり。遂にその何の謂なるを知らず。[131]

自らのハルトマン説を論拠づけるため、フォルケルトの翻訳を着手したのに、結果は当初の構想を外れたのは気の毒である。しかし、このフォルケルトのハルトマン評は鷗外に衝撃を与え、鷗外のハルトマン熱を少しずつ冷ましたことは間違いがないだろう。したがって、この時期の楞牛との論争を一つの里程標として、鷗外美学の第二期と第三期の分水嶺と見なせるのである。

第三期は一八九九（明治三十二）年九月から一九〇二（明治三十五）年三月の東京転勤までの時期であり、いわゆる「小倉左遷」の時代である。この時期、鷗外はリイプマンの『審美極致論』の翻訳に際し、徐々にハルトマンを批評の基準とすることに疑問を抱き、ついにカール・グロース（Karl Groos, 1861-1946）『審美假象論』の翻訳を中断すると共に美学研究を断念した。

『審美極致論』は、「我等の批評上根本観は形而上審美學の諸立案を輕信することを容さず」[132]とした新カント学派の先駆者リイプマン（Otto Liebmann, 1840-1912）の『実相分析（*Zur Analysis der Wirklichkeit. Eine Erörterung der Grundprobleme der Philosophie.* 3Aulfage. Straßburg, Verlag von Karl J. Trübner, 1900）』を底本としたものであるが、鷗外はその第三部の

第一〜二章で同題の文二十一篇を一九〇一（明治三十四）年二月から『めさまし草』第四九巻から六回にわたって抄訳し、そして翌年二月に春陽堂から単行本を刊行した。鷗外はぞれぞれの章に「注評」として自らの観点を入れて、ハルトマンおよび『審美綱領』を参照することを要求した。しかし原著者のリイプマン本人は「形而上審美家中特に留意に價する者をSchelling及Schopenhauerの二家と爲す」[133]として、形而上学的美学の系譜においてもハルトマンには言及していなかった。

もう一つの翻訳は一九〇一（明治三十四）年一二月『めさまし草』第五五〜五六巻、同年六月『藝文』第一巻に掲載されたカール・グロースの『美学入門（*Einleitung in die Aesthetik*. Gießen, J.Richer'sche Buchhandlung, 1892）』である。鷗外は心理学的美学の立場から日常的な用例を取り扱ってわかりやすく解説するこの入門書の第一部を「審美假象論」の題目ですべて訳出する予定であったが、『めさまし草』や『藝文』の廃刊で、第八章までで未完のままに美学の訳業を中断した。

もし『審美新説』にハルトマンを美学的標準とした自説の論拠にしようとする鷗外の翻訳動機を見いだせるとするならば、『審美極致論』や『審美假象論』は『審美新説』のような誤選には当たらない。むしろ鷗外はこれらの翻訳を通じて心理学的美学に基づいて展開した美学論をしっかり理解したかったのであろう。樗牛によれば、ハルトマン美学の「創見としては、美的樂受論に多くの重みを置くことを欲せず、寧ろ氏が獨乙美學史上の獨得の位置は、舊來理想派の假象説の中に心理派（もしくは感情派）の思想を調和したる邊りに存せりとするの意見を有するものなり」[134]である一方、最大なる欠陥は「思惟する所」[135]にあり、すなわち「道理を主とするものであつて、美意識の重もなる内容である所の感情」[136]や「美意識上の直接經驗」[137]を度外視するということである。鷗外はこの樗牛の物言いにおおいに怒り「斯道の大家は高山林次郎氏一人なる」[138]と揶揄した一方、やはり樗牛が指摘した自らの不足への補完を目指して努力してきたのである。しかし、国際的な時勢に対して、鷗外が実際に感じたのは一種の無力感にほかならない。この心情について鷗外はのちに「妄想」でよく語っている。

自分は美學の上で、矢張一時の權威者としてハルトマンに脱帽したに過ぎないのである。ずつと後になつてから、ハルトマンの世界觀を離れて、彼の美學の存立してゐられる、立派な證據が提供せられた。ハルトマン以後に出た美學者の本をどれでも開けて見るが好い。きつと美の Modification と云ふものを説いてゐる。あれはハルトマンが刱はじめたのでハルトマンの前には無かつた。それを誰も彼も説いてゐて、ハルトマンのハの字も言はずにゐる。默殺してゐるのである。〔139〕

ここで、鷗外はハルトマンを黙殺する行為に憤りを示しつつ、ハルトマンをただ「一時の権威者」としており、ハルトマンの権威喪失の事実を暗黙のうちに認めざるを得なかったことがわかる。

またこの時期に、後進の台頭も鷗外に強く意識されただろう。事実上、美学の第一人者となっていた鷗外を「素人学者」として白眼視した樗牛は言うまでもなく〔140〕、「哲學の一科、文科大學に設けられてより、年を經ること既に十数に及べども、審美學を専ら攻むる學士とては、過去にありては僅に大塚保治君一人あるのみ。このたび君は文部省の命よりて、該學専攻の爲め歐洲留學を命ぜられ、〔中略〕君はまさしく我國の美術に審美的解釋を與ふるの責任あるものなり、東西美術に對して比較研究を爲すの責任あるものなり」〔141〕と、樗牛が青眼視して多大な期待を寄せた大塚保治も、一九〇〇（明治三十三）年にドイツから帰国してようやく帝大文科大学美学講座の初代教授を担当するようになったのである。

大塚は留学する以前、早稲田でハルトマンの美学を講じ、ただ鷗外の学徒の一人にすぎなかったとは言えるものの、帰国して間もなく哲学会で発表した「美学の性質及其研究法」（『哲学雑誌』明治三十四年六月）から見れば、彼はすでに文芸創作や批評における形而上学的美学の影響を退け、美学を新傾向によって「心理學的」「社會學的」「哲學的」という三つの種類に分けて美学研究方法の改善を説き始めた。さらに、ハルトマンの美学を「科學と哲學との範囲混同の幣」

を犯した代表例として、哲学的美学を次のように批判した。

バウムガルテンからカント、ヘーゲルをへて近くはハルトマンに至るまで獨逸美學の一般の傾向は大抵哲學的研究に傾いて居る、〔中略〕哲學的美學の第一の欠點は形式上にある、〔中略〕哲學者は心理學的或は社會學的に研究解釋しなければならない所に哲學的の説明を入れ換へて居る、兩方の範囲を混同して居る、廣く材料を集め事實を研究して一般の法則を見付けなければならぬ場合に俄に哲學上の成見を持つて來て間に合せの解釋をして居る、さう云ふ例はハルトマンの美學などには澤山あります、審美的意識を説明するに認識論の説を引いて來たり、又美術上の製作或は賞玩の次第を解釋するに宇宙の本躰を持つて來るといふやうな事は全く科學と哲學との範囲混同の幣であらうと思ふ、其次に又哲學的美學者の説は内容上にも卽ち其本領として居る美術の本躰とか目的とか云ふやうな根本的觀念を議論する場合にも大躰に欠點があると思ふ、此欠點は二通りあつて一方から言ふと哲學的美學者の美術論は餘り廣過ぎる、漠然し過ぎる所がある。[142]

大塚のこの批判は鷗外を特定したものではなく、形而上学的美学全体に対する発言であるが、図らずも筆者が幽玄論争における鷗外の論述を通じて得た結論と一致している。やはり抽象的で細部分析の力不足は鷗外や彼が依拠した形而上学的美学の欠点であろう。また、一九〇一(明治三十四)年哲学会の例会に講演した「規範学とは何ぞや」(『哲学雑誌』明治三十四年一二月)には、大塚は「規範」を場合によって四つの種類に分けて説明し、科学的研究より美学の「規範」を見いだすことを不可能と消極視し、これよりむしろ事実に基づいて実験的研究に入るかあるいは純正哲学を専らにするかという学問を修める方法を採用したほうがよいと唱えている。

「規範學に對する私の考の半面即ち消極的の一面を述べ終わりました」[143]という大塚に対して、鷗外は一九〇〇(明治三十三)年一〇月二一日の「心頭語」にはまだ積極的な探求姿勢を示したが[144]、一九〇一(明治三十四)年の『審美假象論』

以後、ほぼ文芸批評界から離れ、美学についても再び発言しなかった。この時の鷗外はすでに文芸批評に飽きたのであろうか。あるいは文科大学美学教授になれなかったため、失望したのであろうか。一九〇一（明治三十四）年一〇月二五日大村西崖宛（二七三）の手紙にはまだ「大學大塚文學士ノ講説ニ就テハ先日白川鯉洋（九州日報主筆）ノ話ニ目下文科大學ニテ聽衆多キ講説ナリト申事ニ候併シドンナ説カハ不承候」[145]というように対抗の意識を記し、多少やきもちを焼いていたが、小倉から東京への復帰・栄転（三五年第一師団軍医部長、四十年陸軍軍医総監・陸軍省医務局長）や結婚するなどにつれて美学上の勝負心は雲散霧消したようである。

ハルトマンの美学を文芸批評の標準として掲げ、文芸批評界で一気に名声を高めた鷗外は、結局、一九一九（大正八）年六月娘婿山田珠樹（一八九三～一九四三）宛への手紙に次のように自らの心の声を打ち明けている。

> 彼大學院入科目ノ事結局ハ松本大塚桑木三家ノイズレカニ世話ニナラレ候（中略）大塚氏ハ面識ナシ美學中美術史方面に傾キタルモノ即チnormatifナル純粋哲學側ニ遠キモノカ之ニ對シテハ大イニ説アリテ盡シ難シト雖美術又文藝ニタヅサハル程ナラバ大ナル畫家ニナルトカ大ナル作者ニナルトカガ宜シク批評家ハツマラヌ様ニ存候（中略）桑木氏ハ人物ヲ識レリ日本人トシテハ思索ノ力優秀ナリシカシ認識論ハ是亦我邦ニテ大ニ發展スベキ科目ラシクハ見エズト相考候カクハ云フモノノ右ノイヅレカニ従遊スルコトニハ周圍ノ状況ヨリ已ムヲ得ザル事トシテ反對ハ不仕候之トハ違ヒ小生ノ理想トスル所ヲ言ヘバ日本人トシテ一學科ニ手ヲ下シ洋人ノ能ハザル所ニ足ヲ展ブルヲ快事トスルニ在リ高楠ノ下ニ梵文ヲ極ムルナドハ或ハ面白カラムシカシ語學的基址ヲ築クコトアマリニ勞多カルベシ之ニ反シテ支那學ナラバ勇ヲ鼓シテ發足セバ目的地に到達セムコト不可能ニアラザルベシ。[146]

三　近代幽玄論の地平

1　日本人美意識論の展開

美学界における森鷗外の引退と大塚保治の東京大学教授就任の契機に代表されるように、「西欧美学の移植」におけるバトンはこの時から文芸批評家より美学研究者に渡り、美学研究者はその立場を強めていった。また同時に、日本における美学の移植を支配する主要な思潮も、形而上学的観念論から心理学的・社会学的経験主義へ大きく移行した。言うまでもなく、この大波に先立ち、日本において心理学的美学を唱えた先駆者として存在していたのは、「東洋の學壇に、たとひ新系統の純正哲学な建立するまでに到らなかつたとしても、心理學か美學かには独自の新説を創唱し得た人であらうと内々期待してゐた」[147]と坪内逍遥が多大な希望と遺憾を寄せた大西祝である。彼は「和歌に宗教なし」（『六合雑誌』明治二十年四月）などでいち早く日本伝統芸術への関心を示し、そして美学研究の中心を審美的感官において「滑稽の本性」（『六合雑誌』明治二十四年三月）や「悲哀の快感」（『国民之友』明治二十四年三月）という西欧の美的範疇を分析する論文で「をかし」や「あはれ」に触れたが、やはりこれらのものはただ西欧心理学的美学の基礎的紹介や美的感情の原理的分析に止まり、日本美意識の特質を明らかにするあるいは東西の美的文化を比較することを目的としたものではなかった。

その一方で、大塚保治もある意味でこの方向を継承して発展させた人である。彼は大西祝の推薦で早稲田において美学を講じた時、すでに「ハルトマンの美学とヴントの心理学概論とを参照して組織をたて」[148]、留学に際しても「東西美術に對して比較研究を爲すの責任あるものなり」[149]という比較研究の責務を負い、さらにフォルケルトやテオドール・リップス（Theodor Lipps. 1851-1914）の研究によって晩年には日本美術や日本人美意識の問題に関心や興味をも示した[150]。しかし、大西祝や大塚保治を含め、これら講壇美学という領域に活躍した第一世代の日本人美学研究者らは、優れた外国語能力と広い学術的視野を持っていたにもかかわらず、自らの美学的体系の組み立てに成功したとは言えない。換言すれば、美学という新しい西洋学をまだ十分に消化しないうちに、それを伝統的な日本学あるいは日本文化と連結することを要求するのは彼らにとって、むしろ無理な注文に近い。恩師からのバトンを受けて「学」としての美学を進化させるのは次世代の美学研究者の使命となった。

大西祝が切り開いた早稲田美学を受け継いだ島村抱月は、一九〇二（明治三十五）年ドイツ留学へ出発し、ベルリン大学で最先端のフォルケルトやテオドール・リップスの感情移入説を学んだ。そして一九〇五（明治三十八）年に帰国後、早稲田大学で美学や文芸史を講じ、主客融合の「新自然主義」を提唱して本格的な感情移入美学を紹介し始めた。その成果は一九一一（明治四十四）年早稲田「文学科講義録」として出版された『サンタヤーナ　マーシャル　リップス美学綱要』である。やや時代を下って、東京帝国大学文科大学出身で京都帝国大学と東北帝国大学へそれぞれ赴任して最初の美学講座を開いた深田康算と阿部次郎も、同じく感情移入説の移植者として知られている。深田はドイツでリップスの指導を直接受けた人であり、一九一〇（明治四十三）年一〇月の西欧留学を終え帰国後、直ちに「感情移入美学に就て」（『芸文』一九一一年三月）を発表した。以後「感情の心理と美学」（『心理研究』一九一二年九月）、「リップス教授の美学」（『心理研究』一九一三年七～九月）、「感情移入美学に対する一つの批判」（『芸文』一九一三年八、九、十二月）、「感情移入説非難概括」（『哲学研究』大正五年七月）などを発表し、感情移入美学を紹介し続けた。一方の阿部は一九二三（大正十二）年五月西欧に留学し、その翌年一〇月東北帝国大学の担当教授に就任したのであるが、留学以前にすでに『岩波哲学叢書』の一環として、一九一七（大正五）年七月リップスの *Die ethischen Grundfragen* (1899) を抄訳した『倫理学の根本問題』、一九一八（大正六）年四月リップスの美学を祖述した『美学』[151]を出しており、「リップスはまさしく自分の哲学上の〈師〉である」[152]というようにリップスの人格や思想に魅力されていた。当時の感情移入美学の流行は一九五〇（昭和二十五）年勁草書房から再刊された『美学』の「序言」で阿部が書いたようなものであった。「私は今、この書を書いたときほど熱心な、感情移入美學の信奉者ではなくなつてゐる。〔中略〕感情移入美學は二十世紀の初頭に一世を風靡した美學である。それはその當時に影響して多くの追随者を持つとともに、又時代の學界に妥當するために、なほ多くの戰を戰はなくてはならぬ位置に立つてゐた」[153]。

ハルトマンのドイツ観念論より、リップスの感情移入説が代表する心理学的・社会学的美学は作品の分析においてはるかに繊細さを増した[154]。とは言え、真に西欧の美学を用いて日本ないし東洋の芸術へ丁寧な考察を加えたのは、現象学の研究方法を受容した後のことである。例えば、和辻哲郎(一八八九~一九六〇)は、一九二二(大正十)年に「もののあはれについて」という論文を発表して、マーレイ(Gilbert Murray, 1866-1957)などの哲学方法論を用いて日本の文学的理念「もののあはれ」を分析し、九鬼周造(一八八八~一九四一)も一九三〇(昭和五)年『いきの構造』という大作を世に送り、現象学の研究方法を用いて江戸時代の美意識〈いき〉について独特な構造的考察を行った。

そして次の大塚の指摘に従って研究を進展させたのは大西克礼である。

> 東洋にも美學の萌芽と見るべきものはあつたが、その學術化されたものが出なかつた。(中略)一般に學問の発達の初めに經驗の事實を意識的學術的に整頓せず、唯實用上の必要に促されて知らず識らず物についての考を纏める時期があるが、美意識についても最初は學術的な整理を經ず、單に一般的な綜合を見るに止まる。併しそれは學術の基礎となるもので、常識的意見(common opinion)とも謂ふべきものであるが、これに専門的學究が整理を加へ、統一を與へ、論理的關係をつけるに至つて美學を生ずる、それ故美學の成立にはまづ一般に美意識の存在を要し、これに對する荒削りの整理を經て、終に學術的論理的の整理を加へることを要するのである。[155]

大西克礼は和辻哲郎や九鬼周造と比較して世間一般にはその名を知られていないが、それは生涯を通して研究生活を送り、社会的活動などに全く興味を持たなかったからである[156]。しかし、講壇美学の系譜において、「東大美学講座の創設者たる故大塚先生の後を承けて前後約三十年にわたり一意専心講義と指導の任にあたられ幾多の輝かしい業績をあげられ（中略）しかも御退官後十年先生は全く俗縁を絶ってひたすら研鑽に努められ、つひに日本人の立場から従来の西洋美学を擴充し超脱して獨自の美学体系を完成せられました」[157]といわれる大西は、「日本人の手による従来殆んど唯一の高水準の美学概論、美的体験のところは卓抜である」[158]と今道友信に評された『美学』を出版し、近代のみならず現代にいたるまで他に類を見ない功績を残した人物と言っても過言ではない[159]。

2　大西克礼の幽玄論

大西克礼は一九一〇（明治四十三）年、東京帝国大学に入り大塚保治のもとで美学を学び、一九二一（大正十）年同大学で講師となって「近世美学史」の講義を開講した。一九二七（昭和二）年助教授となってドイツに留学し、その後退職した大塚保治に代わって一九二九（昭和四）年に「美学・美術史」第一講座の主任となった。ドイツに留学するまでに、彼はすでに『美学原論』（岩波書店、一九一七年）、『現代美学の問題』（岩波書店、一九二七年）という二つの著作を出版し、当時の美学に存在した問題及び発展動向について理論的に分析・紹介した。ドイツへ留学後、彼はカントの美学を専門に研究し、一九三〇（昭和五）年には「カント『判断力批判』の研究」をテーマに、博士学位を取得した。小田部胤久によれば、彼の研究者としての生涯は一九三七（昭和十二）年を境に、二つの段階に大きく分けられる。前半生では、彼は主にドイツ美学の理論を翻訳・紹介・研究し、深田康算が完成に至らなかった『判断力批判』を続訳したのみならず、『カント「判断力批判」の研究』（岩波書店、一九三一年）、『美意識論史』（角川書店、一九三三年）、『現象学派の美学』（岩波書店、一九三七年）などの著作をも出版した。後半生では、大幅に転向し、日本古典文学あるいは東洋芸術文化を研究対象として取り組み始め、『幽玄とあはれ』（岩波書店、一九三九年）、『風雅論「さび」の研究』（岩波書店、一九四〇年）、『万葉集の自然感情』（岩波書店、一九四三年）、『自然感情の類型』（要書房、一九四八年）、『美学』（弘文堂、遺稿上巻一九五九年・下巻一九六〇年）、『古典的と浪漫的』（弘文堂、遺稿一九六〇年）、『浪漫主義の美学』（弘文堂、遺稿一九六一年）、『浪漫主義の美学と芸術観』（弘文堂、遺稿一九六八年）、『東洋的芸術精神』（弘文堂、遺稿一九八八年）などを著したという[160]。しかし、『幽玄とあはれ』の「序言」における大西の次の言葉から見れば、彼の生涯は小田部の「二段階論」より、三つの段階に分けたほうが適切であろう。

私の本来の学的関心は、これ等の日本的なる美的諸概念を、新に美的範疇論の理論的聯関の中に組み入れ、更に又この美的範疇論を、美学全体の体系的聯関の中に展開することにあった。しかしながら私は、近来これ等の諸概念に関して、多くの研究や考察が現れているに拘らず、私のこの目的のためには、実際に於いて、なお多くの準備が必要であることを感じた。かくて私は本書に於いて「幽玄」や「あはれ」の問題を考察するにあたり、終始美学の立場を離れないように心がけたつもりではあるけれども、実際の仕事としては、先ずこれ等の諸問題を、言わばその素材的方面からして、美学的考察の俎上に上すべく準備することに、かなり力を注がなければならなかったのである。[161]

つまり、一九三七（昭和十二）年以前は美学体系を構築するための原理論的な準備期であり、それ以降から一九四九（昭和二十四）年定年退官までは「素材的方面」の準備期である。そして、退官後は体系の創設期である。遺稿ではあるが、一九五九〜一九六〇（昭和三十四〜三十五）年出版した『美学』という二冊本は、大西が最終的には「美学範疇論」を骨組みとして独自な美学体系を完成したものと見ることができる。この美学的体系において、彼は直感と感動と、生産と受容と、芸術美と自然美との二元的対立を解消し、さらに【図Ⅲ】のように、日本古典美の概念〈悲壮〉〈幽玄〉〈婉美〉〈あはれ〉〈滑稽〉〈さび〉を派生範疇として、基本的範疇でありながら普遍範疇でもある「美」「崇高」「ユーモア」の下に置き、東西の美的範疇の融合を試みた。

特に〈幽玄〉に対する彼の美学的な解釈は、西洋学としての美学と日本学としての国文学との間に存在した人為的な領域の壁を破り、当時の文献考証を主要な研究手段とした幽玄解釈学に新たな研究視点を与えたという点において

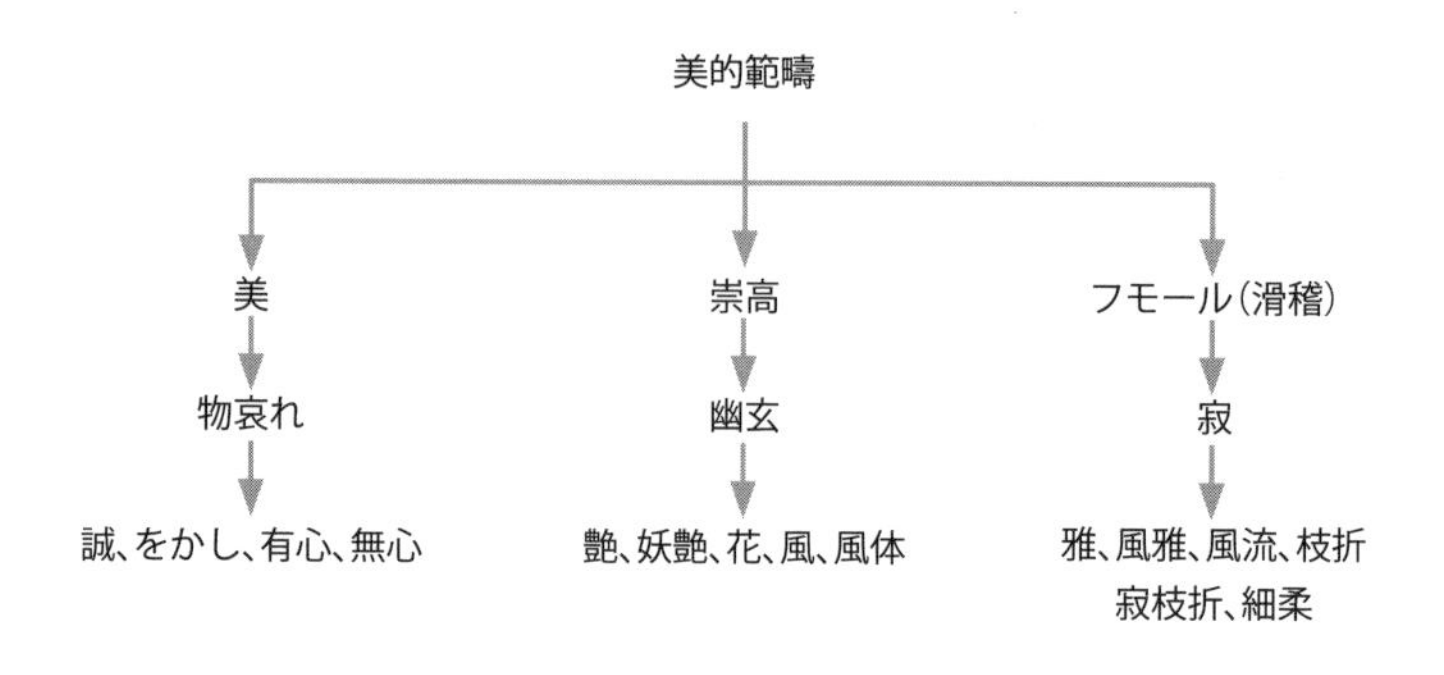

【図Ⅲ】大西克礼の美的範疇論構造（筆者作成）

大きな意義があると考えられる。具体的に言えば、彼の幽玄論は、まず論文「幽玄論」の形で『思想』（一九三五年五～六月号）に載せられ、そして修正を経て「あはれ」についての考察と一緒に単行本『幽玄とあはれ』（一九三六年）に収録された。この本において、彼はまず美意識の作用としての「直観」と「感動」との関係から、和歌の特徴を「単に詩として抒情詩と叙景詩の両方を包括するのみならず、我が民族的美意識——或はもっと広く言って我が民族精神の或る特性と連関して、この抒情的及び叙景的の両要素を極めて緊密に融合統一する」[162]ものとして捉えている。そして、美的体験の内容から、そこに融合統一される二つの要素を「芸術感的契機」および「自然感的契機」と名づけ、東西の芸術構造を次の図式にまとめた。

西洋：芸術美的形成＋（自然美的形式＋素材）＝芸術品
東洋：芸術的形成＋{（芸術美的形成＋自然美的形成）＋素材}＝芸術品[163]

大西の考えるところでは、東洋の芸術における「自然感的美的契機」は西洋に比べてかなり豊富であり、さらに特別な質的意味の相違も含んでいる。西洋でいう「自然美」（自然物を対象とするところの美的体験）は東洋において、気象風土等の関係で西洋に比べ、より早期に著しく発展したため、「芸術美」の下位に置くことができない。東洋人は「自然美」の中に一種の芸術的体験に代わるものを発見したため、東洋においては芸術品が作られるより前に「芸術美」が存在していたのである。東洋人にとって、自然美と芸術美はまさしく不可分のものであり、場合によっては一体化することもある。「芸術の形成」というものは芸能あるいは芸道などの概念と同じように、芸術上の実践だけではなく、道徳上または宗教上の実践でもある。東洋の芸術は、人間の精神を究極的な本質の高さに引き上げると同時に、また自然本体と一体化する傾向もある。

こういう東洋の芸術的精神の特質を明らかにした後、彼は〈幽玄〉を「様式的概念」(一種の規範的価値的意味を含んだ記述的意味としての〈幽玄体〉)と「価値的概念」(芸術の最高価値段階を表示する場合)に分けて歴史的解明を試みた。彼によれば、〈幽玄〉という概念は藤原俊成により美学上の最高の開花をなしていた。俊成は〈幽玄〉という美的概念によって和歌界で指導者の地位を確立し、〈幽玄〉という概念は十二世紀日本の和歌論における最高の美的理想になっていった。俊成が世を去った後、〈幽玄〉の影響力はしばらくの間影を潜めたものの、十四~十五世紀になって、和歌論における正徹(一三八一~一四五九)、心敬(一四〇六~一四七五)および能楽論における世阿弥(一三六三~一四四三)、禅竹(一四〇五~一四七一)の提唱によって、再び至高の地位を得たという。このように〈幽玄〉の歴史を明らかにした上で、大西は次の七つの特徴を「幽玄」の定義とした。

A　何等かの形で隠されまたは蔽はれている。
B　当然一種の仄暗さ、朦朧さ、薄明という意味が出て来る。
C　静寂という意味も含まれる。
D　深遠。単に時間的空間的な距離に関するものではなく、特殊なる精神的意味である。
E　一種の充実相である。
F　一種の神秘性または超自然性を指す。
G　非合理的とか不可説的とか微妙とか言う如き性質に関する意味である。[164]

大西によると、この中で美的範疇としての〈幽玄〉概念における最も中心的な意味は美的意味における「深さ（ティーフェ）」である。この「深さ」は心理学的美学の立場から説いた「美の主体としての心の深さ」ではなく、「主観と客観を打って一丸とした「美」そのものの「深さ」」[165]であり、「美」の基本範疇としての「崇高」に現れた「幽暗性（Dunkelheit）」に通じるものである。このように、美的範疇論を用いて〈幽玄〉を詳細に研究した大西の研究姿勢は評価すべきであるが、東洋と西洋の芸術的精神を明確に区別した後に、再度、原点に戻り、最終的には次のように〈幽玄〉を「崇高」の派生形態として捉えたことは受け入れがたい。

問題にしている幽玄の美と云うようなものは、結局この「崇高」の基本的美的範疇から主として派生し来る、美の特殊形態として解釈するのが最も適当であるように考えられる。[166]

〈幽玄〉には、西洋の「崇高」のような「長高」（高大）、「拉鬼」（強健、有力、緊張）という要素が含まれると認める一方、そこには相違点の存在も認めなければならない。大西の美的範疇論の問題点はまさにここにある。彼は「本来『自然感情』を一種特別の方向に発展せしめ、又その地盤の上に独自の芸術を生長せしめた東洋人の美意識の特性を美学的に説明することは、甚だ困難となるか、又は不充分となることを免れぬであろう」[167]と言い、日本の美的概念の考察あるいは日本人としての原体験を通じて、美的体験における直観と感動の一体化を意識し、日本の美的概念の非還元性や非演繹性を感じながら、必死に先験主義や演繹主義より構築された類型的な美的範疇論に取り込もうとした。これはなぜであろうか。おそらく〈日本美学〉のエスニックな性格を正視する上で〈日本美学〉を創始することではなく、「美学にとっては、それ故に「日本的」と云ふ特色そのものは全く問題にならない。「日本的」とか「西洋的」とか云うことは、それ自身歴史的な問題に過ぎないからである。「日本美学」などと云うことは、便宜上の仮の言葉としては兎も角、理論的には意味をなさないと言わなければならぬ」[168]というように「美学＝普遍科学＝西欧近代美学」の立場に基づいて、日本人として美学という普遍的な学問を補完しようと大西は考えていたからであろう[169]。ところが、美は果たして普遍的なものであるのか。美学には果たして標準的なものがあるのか。それはわれわれに残された思索すべき課題である。

3　久松潜一の幽玄論

美的範疇より体系的な美学論を築いた大西克礼の業績について、後任の竹内敏雄は次のように評価している。

心理学的美学の時代に学修せられた大塚先生は、カント的先験論には比較的疎遠であり、〔中略〕新カント学派の隆盛期に美学への第一歩をふみだされた〔中略〕大西先生は、従来西洋の美意識そのものの傾向にしたがって芸術美を主眼としてきた近世美学の一面性を是正拡充し、自然美に重きをおく東洋的美意識にも適応しうべき、一層包括的な美学体系の創建をこころみられたのであった。かくして先生が日本人の立場から西洋流の美学を改造し、特に美的範疇論については「あはれ」や「幽玄」や「さび」のような日本特有の美的概念をも包容する体系を構成されたことは、この国に輸入された美学の発展史に一転機をもたらした事蹟として注目されるべきであろう。実は、先生がその体系を完成されるまえにも、日本的美の諸概念に美学的処理をほどこそうとする試みがあった、おなじ大塚先生門下でも故加藤成之氏が「いき」を卒業論文の題目にとりあげられたり、のち故九鬼周造氏がこの概念を主題とする著述でそのみごとな構造分析をしめされたりしたし、私もつとに「さび」の美学的考察や世阿弥の「幽玄」に対する現象学的見地からの解釈をこころみ、その後渡辺護君が「あはれ」について長大な卒業論文をかいたりした。なお、「東洋美学」（金原省吾著）とか「日本美学」（山際靖著）と銘うったものもあらわれた。しかし精厳な体系的構成をもって東洋的ないし日本的見地から西洋美学を補完したことは、大西先生の功に帰せられなければならぬ。[170]

ここで、竹内は大西が日本特有の美的概念を取り上げる以前から、すでに学界にはこれらの概念に関する研究があったと述べた。そのとおりである。当時の日本において、人々は異文化に遭遇することによって、自国文化に対する関心を日々強め、また、大陸進出政策に伴って国際的孤立という局面も生じていた。こういった戦時体制の進展によってますます高揚した国家主義やナショナリズムにも影響を受け、研究者らは自発的にあるいは課題を与えられた形でこれらの概念を日本的なるものあるいは日本的精神を反映するものとして強調し、しばしば取り上げ始めた[171]。特に〈幽玄〉の概念は大西のような美学者に美学研究の対象として研究されると同時に、国文学あるいは文芸学での研究もあった。それらは従来の幽玄論の通説を成したものであり、美学を普遍的な科学と信じて哲学的演繹批評を展開した大西克礼さえも否定できない。

まず基礎的・実証的研究を行い、〈幽玄〉を日本文学史に取り入れて教科書的な地位を与えたのは久松潜一である。久松は芳賀矢一（一八六七〜一九二七）[172]や松浦一（一八八一〜一九六六）[173]などの影響を受けて国文学の研究を始め、卒業論文は「契沖の文献学」（一九一九年）であった。そして日本で近代以前に存在していなかった文芸批評（あるいは和歌論、能楽論などに散在している非理論的、非体系的な実践的体験としての文芸批評思想）を近代的学問方法によって体系的に整理し、『日本文学評論史』という先駆的な名著を出版した。「私がこの研究に進む機縁となつたのはかつて大正七年の頃契沖研究の一節として契沖の文学批評を考察するために、日本文学批評に対して貧しい一顧を与へた」[174]と言うように、卒業論文「契沖の文献学」以来、久松の学問的スタイルは、注釈学や文献学による実証的な研究の重視という点において終始一貫していた。例えば、一九二五（大正十四）年に刊行された講義録『万葉集の新研究』で久松は、万葉集の研究史を一章として設け、その研究史を大きく古典的研究・註釈的研究・言語的事実に分けて紹介し分析した。また「古事記研究史」「源氏物語批評史」などをまとめた『日本文学研究史』を『久松潜一著作集』第一一巻として出版している。

「国文学」の研究方法について、久松は近世国学に属した注釈学とドイツ近代的な文献学を融合し、国文学研究における文献学的方法論を創出しようとした。彼によれば、国文学は日本文献学・日本言語学・日本文芸学という三つの部門あるいは「学問の研究史いはば学史」「国文学の理論もしくは方法体系」「日本文学の歴史いはば日本文学史」という三つの方面に分けられる[175]。文学はまず文献として存在するため、日本文学研究の中心を文芸性の究明においても、その作業の前には、基礎としての文献学的研究を尊重して行われなければならない[176]。文献学の研究方法には、書誌学的研究・本文批評的研究・註釈的研究としての基礎的研究、および文学批評的研究・語学的研究・文化的研究としての本質的研究がある。これによって、「古典を精密に研究するとともに、さういふ古典を文献として古代文化を明らかにしようとするのである」[177]。

また、久松の主要な業績となっていた「文学史」や「評論史」の領域[178]において、彼に歴史的区分として特に重視され運用されたのは〈幽玄〉などの概念である。一九二六（大正十二）年一〇月『観想』に発表され、のちに「日本精神と日本文学史」へ改題して一九二八（昭和二）年刊行した『上代日本文学の研究』の序論として収録された「国文学を流れる三の精神」には、久松は〈まこと〉〈あはれ〉〈幽玄〉を上代文学・中古文学・中世文学の代表的な精神または主要な思潮としてそれぞれ位置づけ、日本文学の歴史がすなわち「古典主義・浪漫主義的傾向から、象徴主義となり、更に理想主義・功利主義にも展開」[179]した過程であるとした。これは彼以降の文学史研究の原型となる論文である。彼から見れば、「日本文学の本質が日本文学精神であるとする時、文学史の中心も日本文学精神史となるのである」[180]。「文学の精神による区分」をさらに細かく分けるならば、「素材史的区分や思潮史的区分、精神史的区分といふやうな種々の方面にわけられる」[181]。これはすなわち〈幽玄〉などによる史的区分を行うことである。文学史の方法として、列伝的あるいは解題的研究の価値と必要は認めるが、「個と個との関係的或は発達的関係を究める」「思潮を中心とした文学史」は「前よりは遥かに進んだ文学史の立場」として彼に尊重・提唱された[182]。その一方で、「文学評論史は文学史から独立して存在する」[183]ものであり、批評が創作と同じように重要な「創造的活動」に属しているため、「文学史とは独立の資料と態度の上に築きあげるべきである」[184]。文学評論史の扱い方としては、「書誌的」

「列伝的」「文学評論を全体として観察せず各形態論にわけて観察する」「文学評論の本質もしくは精神を文化史的背景のもとに扱ふのであつて、各形態相互の関係の上にたち文化史全体の影響を顧慮しながら考察する」という四つの方法がある。そして第四の方法は「すべての評論家を網羅しすべての評論書を集めるためには不都合もあるが、評論史の精神をとらへるためには必要なる方法である」ため、この「第四の扱方の上にたつて各形態を通じて文学評論の理念を明らかにすることにつとめたい」と自らのアプローチを示した[185]。

このように久松の根本的立脚点を明らかにしたうえで、さらに彼の膨大な業績[186]から〈幽玄〉に関する考察を抽出して全体的に見てみよう。久松著作集所収の、〈幽玄〉を単独な章節として設けた主要な論考は以下の通りである。

『久松潜一著作集一　国文学――方法と対象』
　第三篇「日本文学概説」
　　第一章「日本文学の精神」
　　　四「幽玄と「さび」」（一八一～一八六頁）
『久松潜一著作集二』（『日本文学の風土と思潮』）
　第一篇「日本文学――風土と構成」
　　第四章「日本文学精神の構造」
　第二篇「日本文学の思潮」
　　第二章「諸相」
　　　三「幽玄」（二一五～二三二頁）
『久松潜一著作集三　日本文学評論史　古代・中世篇』
第二篇「中世に於ける文学評論の理念とその進展」

第一章「中世に於ける文学評論の理念」
一「歴史的批評と幽玄の文学論」（二〇三〜二三一頁）
3「幽玄美を中心とする諸見解」（二二〇〜二二八頁）
第二章「中世に於ける文学評論の進展」
三「美の妖艶化と平淡化」
5「幽玄の妖艶化」（三七六〜三八〇頁）
6「幽玄の平淡化」（三八一〜三八三頁）
四「歌論と能楽論との関係」
5「幽玄」（四〇五〜四〇八頁）
五「禅竹の能楽論と歌論との展開」
1「花・かかり・幽玄」（四一八〜四二三頁）
補篇　四「世阿弥の芸術論　補遺 ―― 幽玄と妙花風」
『久松潜一著作集四　日本文学評論史　近世・近代篇』
第二章「文学評論に於ける種々の傾向」
三「文学の要素論」
2「幽玄論」（三七一〜三七四頁）
『久松潜一著作集五　日本文学評論史　総論・歌論・形態論篇』
第一篇「総論」
第二章「日本文学思潮及評論の展開」
三「中世の文学思潮」

1「幽玄・有心の文学思潮」（六七～七三頁）

第四章「日本評論史に於ける美論」

二「幽玄の意味とその変遷」（一六五～一七〇頁）

三「幽玄論と道」（一七一～一八七頁）

第二篇「歌論史の考察」

第二章「中世の歌論」

一「鎌倉時代の歌論――幽玄有心の歌論」（二六一～二八〇頁）

第五章「歌論書解説及附説」

三「幽玄・有心の諸見解」（三七四～三七七頁）

『久松潜一著作集六　日本文学評論史　詩歌論篇』

序説一「日本美の類型について」（一一～一七頁）

『久松潜一著作集九　『上代日本文学の研究』

序説「日本文学の精神」

第一章「日本精神と日本文学史」

第二章「国文学を流れる三つの精神」

四「幽玄」（三四～三九頁）

『久松潜一著作集一〇　日本文学評論史　理念・表現篇』

第一篇「理念・表現論」

第三章「中世文学理念」

一「中世文学美の類型と性格」

（二）幽玄・有心・無心（一〇九～一一一頁）

第二篇「形態論二」

第二章「物語小説論」

三「中世の物語批評」

（二）「幽玄と物語批評」（二九四～二九六頁）

重なる部分がかなりあるが、久松体系における〈幽玄〉の重要さもここから窺えるだろう。このように久松体系を支えた幽玄論を拾って再編すれば、次のようなものになる。つまり、日本文学は日本人の作家によって作られ、日本の独特な歴史や風土に基づいて生まれたものであり、歴史や風土を離れて文学を取り扱うことができない[187]。日本人には日本人特有な物の見方や考え方があり、それはより「直観的であり、総合的である」[188]。「日本的の立場から日本人の文学を見る時、西欧のそれとは異なつた見方がそこに存在」し、〈幽玄〉などの「言葉の中には日本人のみの体験した、またもつて居る思潮を含んでゐるとも言はれる」[189]。類型美の概念として、〈幽玄〉は中世文学の特徴を反映した山岳文学の象徴であり、季節美として現れた「秋の季節美」でもある[190]。山岳文学と水辺文学は日本の風土の類型によって分けられる二種類であり、「水辺文学は流動的な点があるのに対して、山岳文学は雄大にして孤高な美の文学であり、宗教的な性格をも有してゐる。日本文学に於て上代文学や中古文学や中世文学は全体として山の文学の性質があるのに対して、近世文学や近代文学は水辺文学としての性質を有してゐる」[191]。しかし、中世文学は〈幽玄美〉のみ備えているのではなく、「軍記物語・説話文学・狂言等に見られる非幽玄」もある。中世に〈幽玄美〉が多く創作されたのは、「平家の興亡盛衰」や「応仁の乱」という歴史的社会的影響を受けて「文化創造者としては、隠者、広く言つて仏教者」が多く出たからである[192]。それらは消極的であり、無常観を常に追求した。この〈幽玄美〉を「更に細かく幽玄と有心と無心とに分けてみることが出来る。この中、有心は幽玄美の系列であるが、無心は非幽玄の美であるとも言へる」[193]。〈幽玄美〉〈有心美〉〈無心美〉の共通点は、これらはすべて「餘情美」「複合美」「思想美」ということである。「餘情美」は気分象徴あるいは情調象徴の意味であり、「思想美」は「無常の中に永遠なものを求める」という仏教思想に由来したものである[194]。また「複合美」というのは「普通に美的範疇でいふ優美、壮美、滑稽といふ美を基本にしてゐるが、それを複合して生ずる美である」[195]。この日本の美における複合性の発見は、久松がのちに「日本古代文学における美の類型」や「日本文学美と川端文学」などでしばしば提起し、大西克礼の美的範疇論と意識的に区別するところでもある[196]。彼によれば、作品の価値批評には「美的批評」と「歴史的批評」とを同時に備える必要があり、一方のみでの批評は「この作品の価値を明らかにすることが出来ないのである」[197]。〈幽玄〉などの日本的概念は西洋の美的範疇としての「美」と「崇高」のような対峙的な関係を持つものではなく、日本の歴史的・風土的環境に生まれたものとして意味的複合性と歴史的重層性を有している。

〈幽玄〉を例にして、大西よりいっそう歴史的要素を重視する久松の立場から言えば、つまり、〈あはれ〉〈をかし〉〈長高し〉は大西が説いた「一次的な美の類型」として説明することができるが、〈幽玄〉や〈さび〉はより高次な、もしくは複合された美的類型である[198]。「中古に於て自覚され理念化された基本的な美の類型」〈まこと〉〈もののあはれ〉が「次第に複合され渾融化されて第二次のより複雑な美の類型」として現れたのはすなわち〈幽玄〉である[199]。「「まこと」が童心と素樸との芸術を生み出し、「もののあはれ」が心と形との融合調和した芸術を生み出し、更に幽玄が、すべての大きな自然や人生を型の中に入れて、その間から結晶した白光として表さうとする」[200]。また換言すれば、「もののあはれ」は「まこと」の上に建設された日本文学の重要な精神であつたが、それが浪漫主義から古典主義的になつた時、この内容形式の調和の上にたつて、更に一歩進めて餘情、情調を尊重して、象徴主義的となつたのが、中世の幽玄の精神であり、その発展としての「さび」の精神である。この幽玄は「もののあはれ」と異なつて、東洋精神から入つて、それが日本化されたと私は考へる。或は、東洋的な精神と「もののあはれ」の精神が融合したとも見られる。その融合の程度によつて幽玄そのものの内容にも変遷が起つた」[201]。「この幽玄は近世に於て芭蕉の「さび」

の精神ともなつてゐる。〔中略〕幽玄と「さび」とを比較すると、「さび」は幽玄論の変遷の最後の到達点として、より完成して居り、それだけ精密になつてゐる」[202]。〈幽玄美〉の構造から言えば、それは「中古に於て「あはれ」の固定化の反動として力強くとりあげられた「長高し」が更に「あはれ」の美と融合し複合することによつて生じたと見られる」[203]。

また「幽玄の意味変遷」について、久松は文学の二要素「形式」と「内容」を挙げ、〈幽玄〉は内容と形式との調和によって情調的・象徴的な性質が生ずると言い、その象徴内容の変遷に伴って静寂美、妖艶美などそれぞれ異なる表象が表れてくる。藤原俊成が重んじたのは静寂美、定家・正徹・世阿弥が重んじたのは艶麗美や妖艶美、心敬・禅竹が重んじたのは平淡美である。特に世阿弥の〈花〉と〈幽玄〉の関係について、久松は次のように上手く説明している。

幽玄はこの変化を超越した花である。それは不変の花であり、美の絶対的境地であるが、それをものまねと花との境地の上に、実と虚との間から見いだしてくるのである。この人生の永遠性を型の中から見いだしてくるのが謡曲や演能の精神であり、またそれは中世文学を流れてゐる精神である。此の精神は宗教的神秘的精神とも結びついてゐる。表面に現われない美しさであり、大きなものを小さくしてその中に統一された美である。一見小さくして、しかもその中に限りない大きな深い美しさがみたされてゐる。それが幽玄の精神であると思ふ。[204]

以上のように、それぞれの美的概念をそれぞれ孤立したものではなく、歴史的連関性や複合性が備える時代思潮・精神として、日本の文学史あるいは文学評論史に位置づけ、さらにその中に象徴された文学的風土や日本美の自律性を明らかにしようとしたことは、久松の〈幽玄論〉の最大の特徴であろう。しかし、美学的知識の貧困や用例・根拠の不足によって、やはり久松の〈幽玄論〉もその限界を露呈した。また、日本の美的概念の特殊性を歴史に見いだした久松が、西欧近代的な古典主義・浪漫主義・写実主義などの言葉に性急に対置させたことや、大西のような美の普遍性を唱え西欧の美的範疇を上位とする体系的な美的範疇論を否定し得なかったことも、時代の刻印を強く示したと言えよう。この系譜に従って、久松の〈幽玄論〉を進化させたのは文芸学の樹立により大きな名声を博し、久松にも高く評価された岡崎義恵である。

4　岡崎義恵の幽玄論

岡崎義恵は久松潜一と同じく国文学科の出身であるが、国文学を「基礎理論を持つことが不十分で、主観的な観賞批評で間にあわせたり、方法論の不確実な文学史と称するもので、お茶を濁したりするようなことになつてしまつた」[205]ものとして、その解体を積極的に求めている。一九三四（昭和九）年雑誌『文学』一〇月号の「日本文芸学特輯」で発表した「日本文芸学の樹立について」は、彼の国文学解体作業の第一弾であり、いわゆる一九三〇年代の「文芸学論争」に火をつけたものである。それ以前にも、石山徹郎（一八八八～一九四五）、風巻景次郎（一九〇二～一九六〇）、高木市之助（一八八八～一九七四）など「日本文芸学」という言葉を使ったり論じたりした学者がすでに存在し、それ以後も岡崎の説を強く批判したりその日本文芸学の発生の必然性を説いたりした学者は多く存在した[206]。それにもかかわらず、多くの人にとって岡崎は日本文芸学の旗手であり、長い間「日本文芸学＝岡崎文芸学」であったということは否定できない。

岡崎文芸学の最大の特徴を一言で言えば、すなわち美学と親しいことである。「かつて私の学生時代には、美学は必須の学科の一つで、私は大塚教授の美学講義から、この研究方針を決定する動機を与えられた」[207]と、岡崎が追想したとおり、彼の文芸学は日本の「文芸（＝文学）」を「単なる歴史的現象や、単なる言語表現体としてではなく、一つの芸術として見ようとする」[208]ものである[209]。さらに、その芸術の根源を美的体験に置き、文芸学の対象である文芸を「一般の自然現象などとは違つた、文化的、精神的現象」としての「文芸作品の制作・鑑賞の一切を含めた」芸術体験[210]と見なした。したがって、彼の文芸学は「他と切り離れた孤立的な学ではなく、芸術学体系の一部門として存在」[211]し、基礎原理として想定されるのも必然的に美学とならなければならない。この立場を、彼は次のようなさまざまな場面で強調している。

文芸学の成立根拠が史学ではなく、価値の学、すなわち哲学であるということは疑いがない。[212]
真の文芸学の方法は、どうしても美学的立場を要求するようになる。[213]
私はむしろ美学の基礎の上に立つ芸術学として、文芸学を考えるのである。文芸とはリテラツールではないといつてもよい。むしろディヒツングである。正確に言えば言語芸術である。言語（文）芸術（芸）学として、文芸学を考えているのである。[214]

しかし、従来の芸術学とは「歴史を超越した、普遍的な芸術性の問題を取扱」うものであり、「文芸の歴史的変遷を触れず、国民文芸というようなものも、歴史的現象として、立ち入ってその内容を説くことがない」[215]。その一方で、各国の文芸現象を取り扱う文芸史（＝文学史）研究は美術史・音楽史・演劇史と同じように違う学問領域に置かれていた。この研究領域の分岐に対して、岡崎は「日本文芸学」に、言語学・文献学・史学などの相互の自立性を尊重しながら、文芸理論と文芸史と、哲学と史学との結合を追求し、「具体的な対象の持つ文芸的価値を、普遍的な美的価値にまで還元すること」[216]を文芸学の目的として要求している。そして、美的価値と個々の現象を連結する架橋可能な概念として、「類型」を経て「様式」に辿り着いた[217]。彼によれば、「文芸形象は文芸作品の中にあるが、その作品の中に印せられた、文芸作家の美的意欲の実現の方式が様式なのである。美的意欲とは人間の文化意志の中で、情調と形象との象徴的合一による、一つの調和ある世界を創造しようとする意志である。それを実現するためには、一定の美的規範に従わなければならない。その規範に則る方法が様式であって、作品はこの方式による製作の結果であり、具体化でもある。それで作品の中にこの方式の行われた跡を発見することが、この作品を文芸として取扱う方法である。

その発見は全く直観と感情移入とによって、美意識として行われることもあるが、それは文芸の観賞であって、この観賞を学理的に究明するのが文芸学の研究なのである」[218]。要するに、様式の発見と探求は、彼の文芸学の中心にある課題となっている。

そして、岡崎の文芸学の体系には特殊文芸学としての日本文芸学が存在し、その中心的な役割は「文芸様式としての日本的なものの発見」[219]ということにある。日本文芸の様式を分析した際、彼は主に「優美」と「崇高」を「美」の二大基本的様相とした西欧近代の美的範疇論に依拠し、両者の弁証法的統一によって日本美の系列を構成している[220]。この系列では、「崇高」の美が時代の中心となる場合は第一系列であり、「優美」が中心となる場合は第二系列である[221]。日本の文芸には「優美」の要素が圧倒的に多かったが、〈幽玄〉は「優美の中で崇高に近いもの」[222]に属し、平安朝から残された「特殊の詩的感興」として中世には忠岑・基俊・俊成・正徹・世阿弥・禅竹などの発展を経て和歌の本体や芸道の主潮ともなっていた[223]。

岡崎の幽玄論に該当する考察は「有心と幽玄——歌論史の一考察」という論文において行われた。これは「あはれの考察」と共に単行本『日本文芸学』の「美学的基礎」の項目の下に置かれ、歌論の最高潮や成熟点としての俊成の〈幽玄〉概念と定家の〈有心〉概念を互いに関係づけて歴史的・基礎的研究として展開したものである。この論文は「私は尚基礎的な調査や材料の不足に苦しみながらも、ともかくも眞の歌論史の建設に一礎石を置かうとする試みとして、この有心、幽玄の問題に探求の手を入れようと思ふのである。勿論これは多くの礎石の只一つの石であり、又その据え方に誤を犯さないとは限らないが、完成の日は他日を期して、今は力の及ぶ限りの小さな努力に満足したいと思ふのである」[224]と、岡崎本人が宣告したように〈有心〉の〈心〉という概念から着手し、手近な用例を解釈した。この幽玄論は、今日から見ればすでに信頼性を失ってしまっているかもしれないが、ここでは彼の結論の部分だけ掲出してみてみよう。

俊成が高雅典麗な古今時代の古風を慕ひ、これをば時には「幽玄」の語で現はし、又近代的な寂びて細き餘情の深さをも愛して、これをも「幽玄」の語の中に含ませ、漢詩の教養から來た幽遠な暗示的の美をも亦「幽玄」の語によつて示した事が、一應は了解出來ると思ふ。[225]

〔中略〕日本の歌論は獨自の作歌體驗から出發したものではあるが、それが思想的形態を獲得する為に早くから支那論と結合した。それは本來日本的精神と近い位置にある儒教的な詩論であつた。思邪無き人間の性情に基き、禮に参ずる時の精神と等しく、まめなる心より出でてやさしき姿に至る事が、歌の本質であつた。この思想は終始變ることなく持續されたけれども、中頃から印度的・支那的なる他の思想潮流が注ぎこまれるやうになつた。それは道教的・佛教的なる幽玄系統の思想である。勿論これも歌の道の推移に伴つて、その闌けゆくと共に自然に生ずるものではあつたであらうが、やはりこれが思想形態を採る為には、「幽玄」といふ如き外來語と握手する必要があつたのである。この幽玄は優美で現實的な心情と違つて、崇高で超脱的な精神である。此兩潮流が歌道に輻輳して相抱合した。本來の優美な心は、次第に崇高化されて行くと共に、本來崇高な幽玄の境は、甚しく日本化され、やさしいものになつて行つた。やさしき心の幽玄化と幽玄の精神の優美化とは平安朝を通じて行はれたが、其結論的位置を占める俊成父子は、これを各自別様の形相であらはした。俊成は幽玄の語を表に立てながら、實はその質を甚しく優美化して示し、定家はやさしき心を表に立てながら、其質を幽玄化して示してゐるのである。[226]

岡崎はここで、〈幽玄〉を「優美で現實的な心情と違つて、崇高で超脱的な精神」としており、その前に引いた「優美の中で崇高に近いもの」[227]という論述に一致しない。この論文のほかに、単行本『美の伝統』(弘文堂、一九四〇年)にも「幽玄雑考」という小論が収録されているが、「菅家遺誡」における「幽玄微妙之境」という用例や、『正徹物語』における「南殿の花」という譬喩、「幽玄調」の分析や中国の「神韻説」との比較の可能性を言及しただけであり、論理性や方法論はまったく見えない。岡崎は〈幽玄〉よりむしろ〈あわれ〉の方を専門的に、そして独特に研究していたようである。「著作集」第五巻は『源氏物語の美』という『源氏物語』あるいは〈あわれ〉の論集となっており、「美をきはめるもの」の中に見える植田寿蔵の美的範疇説、「美学概説」の中にある渡辺吉治（一八九四～一九三〇）の説を紹介する上で、美的範疇論を用いて『源氏物語』の美を分析し、〈あわれ〉を『源氏物語』の美の中心に置いて図式化を試みた[228]。しかし、この考察における彼の目的と方法論は、やはり「私は西洋美学で十分に研究の進んでいる普遍的な美の様態を取上げて、それがこの物語の中にどのように現れているかということを考えて見たい」[229]ということになっている。残念な結果でもあるが、この普遍的美的概念を日本文芸に当てはめようという誤った考えは、幸いにも岡崎の思想展開に伴ってようやく次のようにはっきりと意識されたと言えよう。

私は日本的美の諸相を此處でなるべく精細に跡づけようとしたのであるが、その際私の採つた態度は、これをその歴史的な姿のままで具體的に把捉することであつたから、引例や考證が少し煩はしいと感ずる人もあるであらう。けれども私は形式主義美學を以て、手早く日本的美を範疇化しようとすることを避け、まづあるがままの日本的傳統を明らかにすることから始めようとしたのである。その爲には一語の解釋、一つの用例を手厚く取扱ふ方法を選んだ。これは文獻的學とさへ思はれる程であらう。又その爲に美としての形式の考察に深入りする暇がなく、未だ精神史的な基礎作業の中を彷徨してゐるらしくも思はれるであらう。「あはれ」「幽玄」「有心」などについては、嘗て「日本文藝學」の中で、やや細かな考察を施したが、それも中途で筆を止めてあり、又「あはれ」を主位に立てた體系的考察は「日本文藝の様式」の中で試みた事はあるが、これも極めて大略の見通しに過ぎないものであつた。〔中略〕私の目的はかやうにして、徹底的に、又全面的に、日本的美の諸形態をひねり出した後、その諸形態を統一して日本の美の傳統といふものを揺ぎなき姿において捉へ、その後これを世界における美の在り方の中に置かうとすることにある。嘗ては私も西洋美學から學んだ優美、崇高、悲壮、フモールなどといふ美的範疇を直ちに日本へ當てはめようとあせつた事もある。併し今は寧ろ「あはれ」や「をかし」や「さび」や「幽玄」や「とほしろし」などといふ日本的なものの進出によつて、普遍的な美の體系が新しい體制を採るやうにと希はざるを得なくなつた。若し「美」といふ語が、これらの日本的なものを指し示すのに不適當ならば美といふ語を止めてもよいのであるが、私はやはりこれを美的傳統として取扱ふことは不當でないと信じてゐる。[230]

彼の手によってそれを成し遂げられたかどうかを問わず、『美の伝統』の「序」に見られた「日本文芸学」の樹立者としての岡崎の思想上の変化および方法上の探求はわれわれに多大な示唆を与えただろう。

おわりに

久松潜一や岡崎義恵の幽玄論は、すでに古色蒼然なるものかもしれない。しかし、これらは研究史の古典として、少なくとも方法論においては現代でも一顧に値すると言えるだろう。手法として、久松は文献学の専門で体系的考察の厳密性を示し、岡崎は美学に長じてより強い方法論的論理性を示した。しかも、二人とも大西克礼が比較的詳しく論じた美的範疇論を参照し、〈日本美学〉を意識的に立てようという意志を持っている。例えば、それぞれ次のように、久松は〈幽玄〉などの美意識の考察を「日本美學の建設の礎石」とし、岡崎も文芸学によって日本美学を確立しようとした。

【久松】文學精神や美の意識に關する語を集めて考察することが必要である。「もののあはれ」や「幽玄」等の語はさうした複雑な日本の文學意識や美意識を一切含んで居るのであつて、時代の推移による美意識の變遷に從つて是等の語の精細な吟味を行ふことが日本人の文學意識や美意識を把握する一の入口となるのであり、從つて日本美學の建設の礎石となるべきである。[231]

【岡崎】然らば日本文藝學は美學の應用を試みるに過ぎず、一科の學をなさないでは無いかといふ非難に對しては、然り、而して然らずと答へるであらう。慥かに日本文藝學は根本的な點で美學の應用としての意味を持つ、併し又美學の出發點としての意味をも持つ。日本文藝の研究は既に研究された美學の成果を説明の基礎として用ゐると共に、日本文藝の研究から新しい美學的成果への道を拓く事もある。かくして美學の一部をなす如くであるが、それは美學本部の直接に關與しない具體的現象の方面を、研究の本部とするものであるから、特殊美學の特殊部門として、獨立し得る可能性があるのである。〔中略〕只基礎學として美學を選ぶが故にそれとの聯關の仕方が拙劣であれば、即ち基礎薄弱な、ぐらぐらしたものしか出來上らないに相違ない。然るに日本における美學の現状はどうかといふと、有力な美學者は殊ど全部獨逸美學の祖述者であつて、日本的なるものと隔絶してゐる。如何に獨逸美學が進歩してゐるとしても、日本文藝学の基礎をこれに求めるといふ事には疑ひなきを得ない。此處に我々は日本美學の樹立を想望する可能性がある。然かも今日の美學者が依然として日本の美の研究に立脚する事が出來ないとすれば我々は自ら揣らず敢てこの任を分擔するの行動に出でざるを得ない。この私の言によつて、日本の美學者が奮然として日本的方向に眼を轉じられるなら、私の本懐はこれに過ぎない。けれども不幸にして私は現在では、やはり自ら美學的領域に踏みこまざるを得ない状態にあるのである。〔232〕

国文学あるいは文芸学の学問領域から〈日本美学〉を築きあげようとしたこのような発想およびそのアプローチは興味深い。大西であれ岡崎であれ、どちらも歴史的・実証的考察をもって日本の美の独自性を意識した後、普遍的な美学体系に取り入れることの困難さを感じながら、必死にそれを構築しようとした。言うまでもなく時代的な制約を受けたからであるが、同時に安易な西洋との折衷主義は到底不可能である、ということも示していたのかもしれない。さらに、松岡ひとみが批判したように、これら幽玄論の通説となったものには「資料の中の語を利用して、もとの資料の意味から遊離した理論を立てる」〔233〕箇所も必ずしも少なくない。

ところで、これらの幽玄論をもっと俯瞰的に見るならば、大きく分けて二つの美学的方法の潮流に従うものとして見ることが可能である。森鷗外の幽玄論はドイツ観念論の形而上学的思弁美学に基づいた「演繹的批評」であり、プラトンのイデア説の流れを汲んで美の最高原理からすべての美的現象を統一的に分析する「上からの美学」と言える。その一方で、「没理想論争」で鷗外と論争した坪内逍遥は英仏流の心理学的・社会学的美学に基づいた「帰納的批評」であり、アリストテレスの芸術模倣説から発展して個々の経験的事実の分析を尊重し、これによって統一的・普遍的な法則を導き出そうとした「下からの美学」と言えよう[234]。大西は、この二つの批評を調和しようとした新カント学派からの発展であり、解釈的現象学を吸収して主にヘルマン・コーヘン（Hermann Cohen, 1842-191）の美的範疇論を参照して自らの体系的美学を打ち立てた。岡崎ははっきりとは自らの立脚点[235]を説明していないが、おそらく大西の美的範疇論を参照したところは少なくなかったであろう。以降の幽玄研究はこれらに従って深化してきたものである。「帰納的批評」を受け継いだ国文学領域の成果として、谷山茂（一九一〇〜一九九四）の『幽玄の研究』（教育図書、一九四三年）や能勢朝次（一八九四〜一九五五）の『幽玄論』（河出書房、一九四四年）、赤羽学の『幽玄美の探求』（清水弘文堂、一九八八年）が挙げられる。これらの研究は主に古典資料における〈幽玄〉の用例を発掘・精査し、丁寧に注釈を付すことを主な方法とした。「演繹的批評」を重んじて美学から研究したものには、植田寿蔵の『日本の美の精神』（弘文堂書房、一九四四年）や草薙正夫（一九〇〇〜一九九七）の『幽玄美の美学』（塙新書、一九七三年）や竹内敏雄の「世阿弥に於ける「幽玄」の美的意義」（『思想一五五』一九三五年）などもある。これらは主に〈幽玄〉を一種の美意識あるいは美的体験として、それぞれの美学的立場から分析・演繹したものである。例えば、草薙正夫は植田寿蔵のもとで「感情移入説」を学んだり、現代の実存哲学を修得した人であるため、彼の幽玄論は実存哲学によって〈幽玄美〉の問題を分析して比較する傾向が強かった。

　以上のような実際の年代を問わず、単一な専門領域からアプローチをしているものを筆者は「近代的な幽玄研究」と呼んでいる。かたや、複数の領域から総合的に研究するものは「現代的な幽玄研究」である。幽玄論争以来、大部分の幽玄研究は狭い国文学の分野に閉じられた「近代的な幽玄研究」である同時に、そこには、一種の機運もしくは新しい研究の動向が潜んでいると考えることができる。それは本書「はじめに」において言及した国際日本学的視野と総合科学的研究方法の並行的運用のことである。もとより〈幽玄〉は日本芸術論のキーワードの一つとして、今まで研究者がたくさんの業績を積み重ねてきている。しかし「不易流行」なものとして今日においても引き続き研究するに値し、さらに国文学・美学・文芸学という複数な学問領域を横断して国際的視野を持って再出発しなければならない。特に〈日本美学〉の構築にとって、それは必須でもある。まさに鷗外のいう「玄可析乎哉。可析非玄也。雖然非析則人莫知玄之不可析矣。美術の幽玄も亦析すべきものにあらねど、これを析して、以てその析すべからざるを知らしむるは審美家の務なるべし」[236]ということではないだろうか。

注

1 塚本哲三編『風俗文選・和漢文操・鶉衣』有朋堂書店、一九二七年、一四九頁。
2 梅原猛「自序」『梅原猛著作集』第二〇巻、一九八二年、九頁。
3 同右、一〇頁。
4 つまり、古典作品の文献学的なアプローチによるジャパンノロジーと現地調査や統計を用いる社会科学的手法による地域研究としてのジャパニーズ・スタディーズを統合したジャンルである。詳しい成立経緯については、ジョセフ・キブルツ「《Japanese studies》『日本学とは何か――ヨーロッパから見た日本研究、日本から見た日本研究』(法政大学国際日本学研究センター、二〇〇七年、七～一〇頁)を参照されたい。
5 猪木武徳等編『新・日本学誕生 国際日本文化研究センターの二五年』角川学芸出版、二〇一二年、一三頁。
6 折口信夫の言葉。その詳細は折口信夫「日本学及び五山文学」『折口信夫全集』第一二巻、中央公論社、一九六六年、一九五～二〇四頁に参照されたい。
7 生和秀敏「広島大学における教養的教育のあゆみ」『広島大学史紀要』第四号、広島大学五十年史編集室、二〇〇二年、五四頁。また、この理念を早いうちに意識し、実践して開花したものには、一九七四(昭和四十九)年広島大学総合科学部の創設もあるだろう。広島大学総合科学部の創設事情とその理念については、紀要同号に掲載されている小池聖一氏の「「紛争」から「改革」へ――教養部の改組・総合科学部の創設」が詳しい。

8　長谷川泉『近代日本文学の位相・上』桜楓社、一九七四年、二〇四頁。

9　稲垣達郎『舞姫・うたかたの記他三篇・解説』岩波書店、一九八一年、一七五頁。

10　森林太郎『鷗外全集』第二二巻、岩波書店、一九七三年、九二頁。

11　内田魯庵『紙魚繁昌記』理想社、一九三二年、一二五〜一二六頁。

12　嘉部嘉隆氏は上記の論文の中に、「幽玄論争」に関する先行研究を一々紹介した。そこからも「幽玄論争」についての専門研究が少なく、多くのもの（久松潜一「石橋忍月と文学評論」『国語と国文学』第二六巻第一号、一九四九年。臼井吉見「『舞姫』論争」『文学界』第八巻第二号、一九五四年。磯貝英夫「啓蒙批評時代の鴎外（中）――その思考特性」『文学』第四〇巻第一二号、一九七二年。磯貝英夫『森鴎外――明治二十年代を中心』明治書院、一九七九年）は、森鷗外の文芸論あるいはほかの論争分析時についでに言及した形で触れたという現実を捉える。その理由は多岐にわたるが、その一つは「幽玄論争」に関する鷗外の文章の収録状況によるのではないかと考える。つまり、坪内逍遥との論争を鷗外の得意の作や「最大の論争」として、それに関する一連の文章は鷗外自身の意図的整理によって、有名な「柵草紙の山房論文」として各バージョンの「鷗外集」に収録され、今日にも広く読まれているのに対し、「幽玄論争」に関わるものは忍月との論争の一環として岩波書店の『鷗外全集』第二二巻（全三八巻一九七一〜一九七五年）や田中実編『作家の随想一森鷗外』（日本図書センター、一九九六年）にしか収録されず、筑摩書房の『鷗外全集』（全一四巻、一九九五〜一九九六年）などには収録されていないのである。

13　「幽玄論争」はもとより、「幽玄論論争」（関良一）、「『うたかたの記』をめぐる論争」（長谷川泉）、「うたかたの記論争」（磯貝英夫）などの呼び方もある。嘉部嘉隆氏は「森鴎外文芸評論の研究（五）――「幽玄論争」の論理と方法（一）」（『樟蔭国文学』第一九号、大阪樟蔭女子大学、一九八二年、八〇頁）に詳しく挙げたことがある。

14　井上哲次郎「明治哲学界の回顧」『岩波講座哲学』第二〇回、岩波書店、一九三二年、七〜八頁。

15　これについて、次の吉田精一の話は興味深いので、長いが掲出しよう。「明治維新は革命ではなく移動であったとしても、その移動は激変に近く、思想文化の理想、標準は前時代と一変した趣がある。日本が封建体制から近代国家に更生するための、必然的な条件は西洋を学ぶことにあった。これは明治時代を通じてほぼ変わらない。文芸の近代化の一基本は他の文化と同じく西欧化であった。だから文化の指導者はつとめて西洋の文物制度を移入し、模倣し、適用することを任務とした。そうすることが日本文学を新しくし、未耕の原野を開拓するゆえんでもあった。評論家の急務は西欧近代の哲学・美学を咀嚼して文学論の原理をうち立て、あるいはその代表作家を標準に、プラクティカルな作家・作品批評を実践することにあった。翻訳が創作と同様に、時には創作以上に重視されたのも、そのためである。西洋のすぐれた創作評論もしくは美学を読みかつ理解することが、直接間接に、評論の能力をみがくことにもなった。明治時代ほど、美学を専攻した評論家の多く出た時期は以後になかった。これはまずそれまでなかった文芸評論の標準をつくり、価値判断の基盤を整理する必要があったからであろう。森鷗外・高山樗牛・島村抱月・生田長江らはみな外国語に長じた美学の秀才である（注――昭和時代のすぐれた評論家は大学の美学科に籍をおいても、美学プロパーの道で業績をあげるほどの学問を身につけなかった）。彼らは新旧の西洋文芸と文芸理論の移入に熱心で、青年客気の情熱と野望をもって、日本文芸の流れを変えることを意図し、いずれも多少の成功をおさめた。少なくとも明治期にあっては、評論家のこの意味の学識が、彼らの権威を増長し、実作家を畏服させたことは疑いない」（吉田精一『近代文芸評論史　明治篇』至文堂、一九七五年、一八頁）。

16　福田清人編『明治文学全集二三　山田美妙・石橋忍月・高瀬文淵集』筑摩書房、一九七一年、二七四～二七六頁。なお、忍月の評論集について、石橋貞吉（山本健吉）編『石橋忍月評論集』（岩波文庫、一九三九年）、「石橋忍月評論集拾遺」（『批評』第四巻五～六号、一九四二年）もある。忍月の先行研究については、谷沢永一「石橋忍月の文学意識」（『明治期の文芸評論』八木書店、一九七一年、八一～一〇〇頁）が挙げられる。その中には、忍月関連の資料や研究が詳しく案内されている。

17　「文章が末技である否や」について二人も議論したが、結局、二人とも有理な論拠を挙げずに平行線のように終わってしまったため、本稿ではその部分の内容を省略とする。

18　森『鷗外全集』第二二巻（前掲注10）、二八七頁。

19　同右、二八九頁。

20　同右、二八九～二九〇頁。

21　在間進編『アクセス独和辞典』（第三版、三修社、二〇一〇年、一〇七三頁）によれば、Mysterium は「（一）神秘、不可思議（二）〔複数で〕秘儀、密儀（三）〔複数で〕神秘劇」の意味である。

22　『六名家詩鈔　六巻』東京大学総合図書館「鷗外文庫書入本画像データベース」https://iiif.dl.itc.u-tokyo.ac.jp/repo/s/ogai/document/1656706f-1b35-47e0-a8a4-46c38d41f87c#?c=0&m=0&s=0&cv=0&xywh=-878%2C-171%2C5707%2C3404（最終閲覧日二〇二一年五月三〇日）。

23　坂井健「観念としての「理想（想）」――鷗外「審美論」における訳語の問題を中心に」（『日本語と日本文学』第一六号、筑波大学国語国文学会編、一九九二年）によれば、〈イデー〉という概念は、主観的意識内容としての観念と超越的存在としての理念との二つの意味があり、ハルトマンは『美の哲学』にははっきり〈ideal〉と〈idee〉を使って区別しているが、鷗外はそれを全部「理想（想）」と混同したという。

24 森『鷗外全集』第二二巻（前掲注10）、二九一頁。

25 佐々木健一編『美学辞典』東京大学出版会、一九九五年、八九頁。

26 ここで挙げた東洋詩学の著作の中で、鷗外が親しみ熟読したと思えるものは、有名な厳羽と李夢陽の詩論というより、むしろ比較的あまり有名ではない『氷川詩式』である。『氷川詩式』というのは、明の嘉靖二四（一五四五）年に完成され、古人の著作を援引した上で、詩の作法を主に論じたものであり、十巻の内容を六門（定体・句法・貞韻・審声・研幾・綜賾）に分けて構成されている。張潡という人物が書かれた「氷川詩式序」によれば、この本は、「而詩有式、則始於沈約、成於皎然、著于滄浪。若集大成、則始于今公済甫云（詩について、様式という区分は、沈約から始まり、皎然になって成熟となり、『滄浪』に著述された。しかし集大成というのは、即ち今の梁橋でなければならない）」（原文は『和刻本漢籍随筆集』第一七集、汲古書院、一九七七年、二二八頁から引用し、日本語の訳文は筆者による）というように、詩歌の様式を論じた集大成のものであるという。さらに、康欣「梁橋『氷川詩式』詩学思想探究」（河北師範大学修士学位論文、二〇一四年、一頁）によれば、『氷川詩式』は明末清初に日本へ伝わっており、当時の日本人が中国の詩学を理解する重要な教材となっていた。また、筆者の調査によれば、日本には万治三（一六六〇）年五月成書した京都小嶋彌平次・玉村次左衛門刊本（大七冊）があり、現在には『和刻本漢籍随筆集』第一七集（汲古書院、一九七七年）に収録されている。

27 鷗外の手紙や日記には、このような証拠が多出する。なお、陳生保「森鷗外と中国文化――その漢詩から見て」（『日本研究』第十七号、一九九八年、一八七～二二九頁）によれば、鷗外は生涯を通じて合わせて二百二十四首、千五百八十五行の漢詩を残し、『鷗外全集』にも漢文四十九篇と漢文で書かれた日記五部が収められている。そこからも鷗外の東洋詩学の涵養の一端を窺える。

28 森林太郎『鷗外全集』第三五巻、岩波書店、一九七五年、四～五頁。

29 福田編『明治文学全集二三　山田美妙・石橋忍月・高瀬文淵集』（前掲注16）、二七七頁。

30 山田弘倫『軍医森鷗外』文松堂、一九四三年、三～四頁。

31 市野沢寅雄『滄浪詩話』明徳出版社、一九七六年、二二頁。

32 同右、三六頁。

33 吉田『近代文芸評論史　明治篇』（前掲注15）、二六二頁。

34 森『鷗外全集』第二二巻（前掲注10）、二九一頁。

35 福田編『明治文学全集二三　山田美妙・石橋忍月・高瀬文淵集』（前掲注16）、二七七頁。

36 長谷川泉『近代文学論争事典』至文堂、一九六二年、四五頁。

37　森『鷗外全集』第二二巻（前掲注10）、二八七頁。

38　内田『紙魚繁昌記』（前掲注11）、一二六頁。

39　長谷川泉『作家伝叢書二森鷗外』明治書院、一九六五年、六六頁。

40　森『鷗外全集』第二二巻（前掲注10）、一頁。

41　嘉部嘉隆「石橋忍月と鷗外」『森鷗外の断層撮影像』至文堂、一九八四年、一二三二〜一二三三頁。

42　小堀桂一郎（『森鷗外――文業解題（創作篇）』岩波書店、一九八二年、三二四頁）によれば、この論文はのちに「「醫にして小説を論ず」と改題して『柵草紙』の第二十八號に再録され、更に明治二十九年評論集、『月草』に「醫學の説より出でたる小説論」と改めて収録された」ことがある。

43　森『鷗外全集』第二二巻（前掲注10）、九頁。

44　同右、一二頁。

45　同右、三頁。

46　同右、一四頁。

47　清水茂は「「エリス」像への一視角――「点化（トランスズブスタンチアチオン）」の問題に関連して」（日本近代文学会編『日本近代文学』第一三集、三省堂、一九七〇年、一七頁）において、『舞姫』における「石炭」の表現を「点化（トランスズブスタンチアチオン）」の具体的な運用として、次のように分析している。「「石炭」は、自然の「石炭」であって、しかもたんなる『石炭』ではない。それは、冷たく黒ずんだ、豊太郎の内面に凝固する「一点の翳」、しかし火を点ずれば炎々と燃えるかも知れぬものの徴表ともなっている。すなわち、「「文学ト自然」ヲ読ム」でいうところの、「美」の「自然」に「殊ナル」「製造」、すなわち「点化（トランスズブスタンチアチオン）」」を実現している一句といえよう。もっとも、この「点化（トランスズブスタンチアチオン）」transsubstantiation の概念そのものがじつは問題である。鷗外の立論文脈のながれの中では、むしろ、語の構成に即して、スブスタンツすなわち実体、現実的なもののかなたへ超脱すること、芸術的な美としてイデア化すること、といった意味合いにとってよさそうにみえ、そのように把握することで、とりあえず「点化」といった訳語――漢語としての原拠も問題になるが――をこころみているのではあるまいかと推察できる。しかし、小堀桂一郎の大著『若き日の森鷗外』の実証的研究によれば、この「点化（トランスズブスタンチアチオン）」という、「化体」とか「権限」とでも訳すべき、元来宗教的な原義を含んだドイツ語は鷗外の立論が依拠したゴットシャルの「詩学」第一篇第一章では「内面にうけた啓示に変容させること」という文脈のすぐの延長上にあって、「分析不可能な」、「質的変化」と訳すべき語としてあらわれてくる。とすると、内面的なイデアが先にあってこれが外形化し、実体化するので、実体、外形が先にあってこれを内面的精神美にむかって超えるところに芸術的なイデアが「製造」されるというのではないようだ。このあたりに、鷗外とゴットシャルの結びつき方における、ちょうど二葉亭とベリンスキーの結びつき方のばあいと相似形の、やはり鷗外なりの、語の宗教的神秘性から脱れた、したがって形而上学的要素の弱められた把握のしかたがみられるのではないかとおもう」。

48 森『鷗外全集』第二二巻(前掲注10)、一二三頁。
49 同右、一四頁。
50 同右、二七頁。
51 同右、二八頁。
52 同右、二九頁。
53 同右、六六頁。
54 同右、七一~七二頁。
55 同右、七七頁。
56 同右、九〇頁。
57 同右、九一頁。
58 同右、九二頁。
59 同右、二九八~二九九頁。
60 ハルトマンの履歴については、井上哲次郎が『東洋学芸雑誌』六四号(一八八七年一月、一八六~一九〇頁)にケーベル執筆のハルトマンの伝記を抄訳したことがある。ハルトマンの思想について、竹内敏雄編『美学事典 増補版』(弘文堂、一九七四年、五二~六五頁)には「ドイツ観念論の美学」の系譜においてシェリング、ゾルガー、シュライエルマッヘル、ヘーゲルを辿った後、「ハルトマン」(前田執筆)の項目を設けて説明した。引用は『美学事典 増補版』(六三・六五頁)による。
61 森『鷗外全集』第二二巻(前掲注10)、一五六~一五七頁。
62 森林太郎『鷗外全集』第二三巻、岩波書店、一九七三年、五頁。
63 同右、三二頁。
64 井上哲次郎「ラファエル・フォン・ケーベル氏を追懐す」『哲学雑誌』第四三八号、一九二三年、六一頁。これ以外に、井上は「余と明治文学及び文学者――新体詩抄・鷗外・フロレンツ・樗牛其他」(『国語と国文学・夏季特輯 明治大正文学を語る』第一一巻第八号、一九三四年、四九頁)においても、「ハルトマンは何處の大學にも關係は無かつたけれども、ベルリン市外に於いて幾多の著述を発行し、名聲隆々であつた。自分はさういふ人々と接觸する機會を得た」と回想している。

65　井上哲次郎「獨乙國留學井上哲次郎氏の來翰」『東洋学芸雑誌』六三号、一八八六年一二月、一三五頁。同、六四号、一八八七年一月、一八六頁。

66　鷗外の『獨逸日記』（森林太郎『鷗外全集』第三五巻、岩波書店、一九七五年、一七九頁）には二人の会見について以下の記録がある。なお、「巽軒」は井上哲次郎の号である。「明治二十年十月二十八日井上巽軒に遭ふ。巽軒今伯林東洋語學校の教官たり。ランゲ Lange と倶に日本語を授く。余に贈るに寫影一葉を以てす」。「明治二十年十一月二日　夜高橋繁、井上哲二郎と酒家「クレッテ」に會す」（一七九頁）。「明治二十年十一月九日　井上巽軒の佛教耶蘇教と孰れか優れると云ふ論を聞く。大意謂ふ。佛の如来には人性なし。耶蘇の神に優れり。佛の大乗は因果を説く。而して重きを後身に歸せず。其小乗との差此に在り。耶蘇の未來説に優れり。佛は覺者なり。耶蘇の神子と稱するに優れり云々。余問ひて曰く。今哲學には定論と認むる者なきに似たり何如。曰く凡そ萬有學に根する者は皆今日の哲學なり。其他フエヒネル Fechner の心理 Psychologie, カント Kant の道徳 Ethik 皆定論なり」（一八〇頁）。「明治二十年十二月三日　夜巽軒と會す。巽軒獨逸の詩人フロオレンツ Florenz を伴ひ來る（後略）」（一八五頁）。井上は「余と明治文学及び文学者」（前掲注64『国語と国文学・夏季特輯　明治大正文学を語る』第一一巻第八号、五〇頁）にも二人の会見を次のように回想している。「其の時森鷗外が屢自分の下宿屋に來て一所に會食をしたものである。それで鷗外と知合となり、而して段々親しくなつたのである。鷗外は誠に愛すべき人で、ニコニコ笑つて餘り饒舌らない人であつた」。井上のこの話は決して大げさではない。この時、二人の親しい交友関係は賀古鶴所宛（四八・明治二十五年二月二十八日・千駄木町二十一より）への鷗外の手紙にも窺える。次はその一節である。「今日午後五時よりは井上哲君小石川新宅へ招かれ居申候我家あまり遠くなりぬれば又々仲町わたりに土えうに會すべきところを定めおきては奈何」（森林太郎『鷗外全集』第三六巻、岩波書店、一九七五年、二四頁）。またベルリン滞在期には、鷗外は美学を勉強するために来独した津和野の旧藩主の後継である亀井茲明などとも美学や哲学について話し合った。「龜井子を訪ふ。楠秀太郎と相識る。龜井子は瘦癯、顔色蒼然、人をして寒心せしむ。家人寄する所の寢衣を出して余に授く。余問ひて曰く。既に良師を得たまふや否。曰未だし。曰之を得るに意ありや。曰未だ思ひ到らず。曰航西なされしは何故なるか。曰美學 Aesthetik を修むるなり。曰僕の識る所ミユルレル Mueller といふ者あり。獨乙語の師と為すに宜し。君意あらば此人をして君を訪はしめんと。辭して歸る」（前掲注28、森『鷗外全集』第三五巻、一六三頁）。「明治二十年十二月十八日　仙賀と哲學を談ず」（同、一八五頁）。

67　森林太郎『鷗外全集』第八巻、岩波書店、一九七二年、二〇三頁。

68　同右。

69　神田孝夫（「森鷗外とハルトマン——『無意識哲学』を中心に」『島田謹二教授還暦記念論文集　比較文学比較文化』弘文堂、一九六一年、五八七～六〇八頁）の調査によれば、東大図書館所蔵の鷗外文庫中の『無意識哲学』が一八八九年刊であるため、「妄想」への疑問を投じた。またその時の鷗外は直接ハルトマンの著作を読んでおらず、シュヴェーグラーの『哲学史概要』（Albert Schwegler, *Geschichte der Philosophie im Umriß. Ein Leitfaden zur Uebersicht,* 第十四版）とボレリウスの『現代独仏哲学管見』（J.J. Borelius, Bicke auf den gegenwärtigen Standpunkt der Philosophie in Deutschland und Frankreich,1886）によってハルトマンを知ったのである。

70 高山樗牛「現今我邦に於ける審美學に就いて」姉崎正治・笹川種郎編『改訂註釋　樗牛全集』第一巻、日本図書センター、一九八〇年、一八一～一八二頁。

71 森林太郎『鷗外全集』第五巻、岩波書店、一九七二年、四九〇～四九一頁。

72 吉野作造編『明治文化全集』第二〇巻、日本評論社、一九二八年、一二頁。

73 土方定一編『明治文学全集七九　明治芸術・文学論集』筑摩書房、一九七五年、一四九頁。

74 同右、一六〇・一六四頁。

75 森『鷗外全集』第二二巻（前掲注10）、一七六頁。

76 同右、一七六～一六七頁。

77 同右、一七九頁。

78 同右。

79 同右、一八四頁。

80 同右、二〇五頁。

81 同右、一八六頁。

82 同右、一八九頁。

83 同右、二〇九～二一〇頁。

84 鷗外が入手したのはこの原著 Albert Schwegler : *Geschichte der Philosophie im Umriss* の第十四版（一八八七年）。この版は前版より、「ショーペンハウアー」と「ハルトマン」の二章がケーベルより新しく増補された。鷗外手沢本は東京大学総合図書館蔵鷗外文庫「鷗外文庫書入本画像データベース」よりご覧いただける（https://iiif.dl.itc.u-tokyo.ac.jp/repo/s/ogai/page/home〔最終閲覧日二〇二一年五月三〇日〕）。なお、日本の流通版として、谷川徹三・松村和人訳『西洋哲学史』（岩波文庫、一九三九年）がある。

85 「鷗外全集月報」（前掲注62、『鷗外全集』第二三巻に附録）岩波書店、一九七三年、一三頁。

86　谷沢永一は「没理想論争研究文献誌」（前掲注16『明治期の文芸評論』二七七〜二九六頁）において、昭和三十五年までの先行研究をまとめた。また近年には坂井健が『没理想論争とその影響』（思文閣出版、二〇一六年）という単著も出している。

87　磯貝英夫は「鷗外の文学評論――没理想論争を中心に」（稲垣達郎編『森鷗外必携』学灯社、一九六八年、七一頁）において、鷗外と逍遥の応酬を「前哨戦」と「本論戦」に分けて文献リストを挙げている。「前哨戦」として挙げられたのは逍遥「小説三派」（「読売新聞」明治二十三年十二月七日）、「梅花詩集を読みて」（同紙明治二十四年三月二日）、「梓神子」（同紙明治二十四年五月十五日〜六月十七日）、鷗外「逍遙子の新作十二番中既発四番合評、梅花詞集評及梓神子」（『しがらみ草紙』第二四号、明治二十四年九月二十五日）であり、「本論戦」として挙げられたのは、逍遥「シェークスピア脚本評註――『マクベス評釈』の緒言」（「早稲田文学」創刊号、明治二十四年十月二十日）、「我れにあらずして汝にあり」（同誌第三号、明治二十四年十一月十五日）、「烏有先生に謝す」（同誌第七号、明治二十五年一月十五日）、「没理想の語義を弁ず」（同誌第八号、明治二十五年一月三十日）、「烏有先生に答ふ其一・其二」、「小羊子が白日夢」（同誌第九号、明治二十五年二月十五日）、「烏有先生に答ふ其三」、「其意は違へり」（同誌第十号、明治二十五年二月二十九日）、「『早稲田文学』が谷『時文評論』村の縁起」（同誌第十二〜十四号、明治二十五年三月〜四月）、「没理想の由来」（同誌第十三号、明治二十五年四月十五日）、鷗外「早稲田文学の没理想――附記、其言を取らず」（『しがらみ草紙』第二十七号、明治二十四年十二月）、「エミル・ゾラが没理想」（同誌第二十八号、明治二十五年一月）、「早稲田文学の没却理想」、「逍遙氏と烏有先生と」（同誌第三十号、明治二十五年三月）、「早稲田文学の後没理想」（同誌第三十三号、明治二十五年六月）である。

88　「鷗外全集月報」（前掲注85）、一二頁。

89　森『鷗外全集』第二三巻（前掲注62）、五〜六頁。

90　森「逍遥子と烏有先生と」『鷗外全集』第二三巻（前掲注62）、三二頁。

91　森「逍遥子の諸評語」『鷗外全集』第二三巻（前掲注62）、四頁。

92　森「逍遥子と烏有先生と」（前掲注90）、三二頁。

93　森「逍遥子の諸評語」（前掲注15）、六〜七頁。

94　森「早稲田文学の後没思想」『鷗外全集』第二三巻（前掲注62）、六六頁。

95　坪内逍遥『文学その折々』春陽堂、一八九六年、一二四頁。

96　磯貝「鷗外の文学評論」（前掲注87）、六九〜七〇頁。小堀桂一郎『若き日の森鴎外』東京大学出版会、一九六九年、第三七六頁。

97　森『鷗外全集』第二三巻（前掲注62）、二九七〜二九九頁。

98　同右、二九八頁。

99 井上哲次郎は「余と明治文学及び文学者」（前掲注64、五〇頁）に、次のように回想している。「鷗外は自分が歸朝後には、よく自分の宅に訪問に來たことがある。〔中略〕鷗外は帝大の文科大學に於いて美學擔任の教授になり度いといふ熱心な希望があつて、屢自分に對して其の意向を洩らしたのである。自分も出來るならと思うて、斡旋の勞を取つたけれども、元來醫學の出身であつて、學歴上文科大學に縁がないので、到頭それは不成功に終つた」。鷗外が文科大学の美学教授になろうという話はこの井上の回想以外に、一九〇二年母峰子宛（二九八・推定明治三十五年一月末・小倉より）への手紙にも窺える。その一節は次である。「大學の事はしひて□めもせず又きらひもせず天然にまかせ可申候大學のためには私を高くためには私を高く買ふよりは若き人を引上ぐるが得用に候私まゐれば月給ハいくらでも好し然し成るべくは官等丈勅任高等官等に丈ハ買てもらひたしと存候」（前掲注66、森『鷗外全集』第三六巻、一三三頁）。さらに、明治三十三年四月二十一日発行の『醫学時報』第三〇七号に公開した鷗外の手紙「三〇五號の噴飯録記事に關し森博士より左の請求ありたり形の如く掲ぐ」（一三六・明治三十三年四月九日・醫学時報社宛）によって、このことは当時にかなり話題性も持つ「噂」であるとわかる。以下である。「貴社雜誌第三百五號に下官儀貶謫を快からずとし本年三月上京の際文科大學の椅子を要求して得ず又慶應義塾大學部の招聘に逢ひて後者をば謝絶せり云々記載相成候處下官の第十二師團軍醫部長たるは望外の榮轉にして貶謫と稱すべからず本年三月上京の際は文部省及東京帝國大學の職員に對し面談若くは文書の往復をなしたること一も無之且彼慶應義塾大學部教職の如きは昔日下官在京中長上の許可を得て從事せし所にして轉職の際其位置を友人大村西崖氏に讓りたる義に有之今更大學部より招聘を受くべき樣無之候右徹頭徹尾無根の記事に有之候間本文掲載御取消相成候樣致度此段致請求候也」（前掲、森『鷗外全集』第三六巻、七二頁）。

100 「鷗外全集月報」（前掲注85）、一三頁。

101 「この期間に、森鴎外のハルトマン美学がいかに支配的であったかを物語っている」例として、土方定一は大塚保治以外に、「島村抱月の、ことに留学前（三五年前）の論文に引用されるハルトマン、また正岡子規が読めもしないハルトマン美学の原本を贈られて狂喜したということ（全集のうち書簡集参照）、また内閣印刷局に於いて誉田肇がハルトマン美学を講義していた（石井柏亭自伝『明暗』八七、八八頁参照）」という例証も挙げている（土方定一『近代日本文学評論史』法政大学出版局、一九七三年、六五頁）。

102 森『鷗外全集』第二三巻（前掲注62）、二〇七・二一二頁。

103 正岡子規『子規全集』第四巻、講談社、一九七五年、三四二頁。

104 正岡子規『子規全集』第五巻、講談社、一九七六年、三〇九〜三一〇頁。

105 夏目金之助『漱石全集』第一一集、岩波書店、一九六六年、五六頁。

106 森林太郎『鷗外全集』第二一巻、岩波書店、一九七三年、二一三頁。

107 高山樗牛「鷗外に答ふ」『改訂註釋　樗牛全集』第一巻（前掲注70）、一六八・一七〇・一七二・一七四頁。

108 高山樗牛「鷗外とハルトマン」、同右、一七五・一七七・一七八頁。

109 高山樗牛「鷗外の所謂る抽象理想主義」、同右、一八〇頁。

110 高山樗牛「現今我邦に於ける審美學に就いて」、同右、一八一～一八二頁。

111 『改訂註釋　樗牛全集』第一巻（前掲注70）、一八三頁。

112 同右、一八五～一八六頁。

113 同右、二〇一～二〇二頁。

114 同右、一九一～一九二頁。

115 同右、一九三頁。

116 「様式」という概念・訳語の創案について、樗牛はここで取り上げていないが、岡崎義恵（『岡崎義恵著作集一　日本文芸学新論』宝文館、一九六一年、四四頁）がこれを鷗外の創見と見なし、次のように高く評価している。「中国古典から用例を出しているものを見ないので、あるいは明治以後、訳語として使い出されたものかと思われる。私の知る限りで古い用例といえば、鷗外の「審美新説」（明治三十三年三月刊）に Stil の訳語として用いられており、フォルケルトの美学説が、かなり詳しく説かれている。これはフォルケルトの著書の抄訳であるから、格の正しいドイツ美学の用法に拠っている。それから、これと前後して出た「審美綱領」（明治三十二年六月刊）にも、「美の階級」の「様式及装飾」の項に、「準志は時に従ひ処に従ひて同じからず、某の時代の合志美、某の国の合志美を指して、某の様式 Style と云ふ。」の語があり、〔中略〕鷗外のこの訳語は創案に成るものか、全蹤があるのか、まだ明らかにしていないが、ともかくドイツ美学上の Stil の意味を正しく伝えたものである」。

117 姉崎正治・笹川種郎編『改訂註釋　樗牛全集』第二巻、日本図書センター、一九八〇年、一一四頁。

118 『改訂註釋　樗牛全集』第一巻（前掲注70）、二〇六頁。

119 西崖宛（九二・明治三十二年八月二十二日）への手紙の詳細は以下である。「〔前略〕元來高山君にして眞にハルトマンを難駁せんとならばハルトマンも見るやう獨文か英文に書き少くとも大學紀要位に公するが至當に候小生など平生醫學上の問題にて歐洲人を相手に取り論じ候時は其相手に早く見する工夫をいたし申候現存哲學者に對する難駁も同じ事ならんと存じ候高山君は『哲學雜誌』『帝國文學』などに色々書かれ候由に候へどもそれではハルトマンが見ず見ざれば自ら辯ずるに由なく氣の毒なる事と存じ候〔中略〕高山君は審美網領を誰の爲に書くか分からずと申され候へども該書は今日までの處にて初版販了せりとの事なれば書きたるが無用ならざりしは明なることにてこれに反して誰の爲に書くか分からぬものは高山君の難駄に可有之候高山君はたしか杜詩の射人先射馬といふ句を轉用せられしことありと覺え候ハルトマンにして若し小生に愛讀せらし爲め高山君の難駄を辱くすとせば氣の毒なること一層と存じ候〔後略〕」（前掲注66、森『鷗外全集』第三六巻、四四～四五頁）。また洋行を決めた山口秀高宛（三一八・明治三十五年二月二十八日）への手紙にも、次のように鬱憤を晴らしている。「實は如何あらん近日大學より出る學士の如きは高談放論すと雖も獨逸語の自由に話せる者は少き如し」（同、一五二頁）。

120 森『鷗外全集』第二一巻（前掲注106）、三五三頁。

121 森林太郎『鷗外全集』第二五巻、岩波書店、一九七三年、一四二頁。

122 高山樗牛「帝国文學一記者の不注意」『改訂註釋　樗牛全集』第二巻（前掲注117）、二〇六頁。

123 姉崎正治・笹川種郎編『改訂註釋　樗牛全集』第五巻、日本図書センター、一九八〇年、四七三頁。

124 同右、六四五頁。

125 森『鷗外全集』第二三巻（前掲注62）、三〇〇頁。

126 鷗外が自然主義に対する態度について、吉田精一は「自然主義、あるいはもっと広い意味の写実主義については、鷗外は文壇出発の当初から好意的ではなかった。日露戦争後の自然主義の跳梁に対して、彼が白眼視し、別の道を歩もうとしていた事実は、明治四十二年文壇復帰後の、彼の文壇活動によって明らかである。その派の作品についても多く親しもうとしなかったことについては、森於菟の「父親としての森鷗外」に記述がある。鷗外自身が、直接に自然主義にふれた文章としては、「ヰタ・セクスアリス」（明四二・七）、「ル・ハルナス・アンビユラン」（明四三・一二）、「沈黙の塔」（明四三・一二）、「青年」（明四三・三～四四・八）、「不思議な鏡」（明四五・一）などをあげ得よう」（前掲注15、吉田『近代文芸評論史　明治篇』三三九頁）と述べている。

127 神田孝夫「美学者としての鷗外」『国文学解釈と鑑賞』第二八〇号、一九五九年、一九頁。

128 森『鷗外全集』第二一巻（前掲注106）、一三五頁。

129 同右、一三六頁。

130 小堀桂一郎『森鷗外――文業解題』岩波書店、一九八二年、四〇八頁。

131 森『鷗外全集』第二一巻（前掲注106）、五〇五頁。

132 同右、四二五頁。

133 同右。

134 『改訂註釋　樗牛全集』第五巻（前掲注123）、五九四頁。

135 同右、六〇九頁。

136 『改訂註釋　樗牛全集』第一巻（前掲注70）、二三四頁。

137 同右、二三五頁。

138 森『鷗外全集』第二一巻（前掲注106）、三五五頁。

139 森『鷗外全集』第八巻（前掲注67）、二一三～二一四頁。

140 樗牛との正面衝突が終わった後にも、鷗外は終始樗牛の存在が気になった。これは次の母峰子宛への手紙によってわかる（前掲注66、森『鷗外全集』第三六巻所収）。「（一四八・推定明治三十三年七月・小倉より）高山巌谷獨逸行は仰の通博文館の勢力もあり又高山は井上哲次郎にとり入りしものに有之候」（七七頁）。「（二〇一・推定明治三十四年五月六日・小倉より）高山林次郎は洋行をとり消し文科大學の國文學の教師（講師）になり候國文學とは隨分縁の無き話にて今の文科は井上哲二郎に氣に入ればどうもなる事と相見え候」（一〇二頁）。「（二一七・明治三十四年六月二十日・小倉より）高山林次郎又又太陽の批評を受持候つまらぬ長文を出し居候」（一一〇頁）。「（二三六・明治三十四年七月二十八日・小倉より）東京日々新聞に朝比奈知泉の文いて「鷗外、坪内、福知より後には一も文章らしきものなし」といふ趣意にて社説出候太陽の高山も公平らしく「坪内、森」と並べて文章を賞讃いたし候何といふ氣まぐれぞや」（一一八頁）。

141 『改訂註釋　樗牛全集』第二巻（前掲注117）、二四二～二四四頁。

142 土方編『明治文学全集七九　明治芸術・文学論集』（前掲注73）、三〇三頁。

143 大塚保治「規範学とは何ぞや」『哲学雑誌』七巻六四号、一九〇一年一二月、一〇一〇頁。

144 この一節をここに抄出しよう。「クラウゼヰツの兵書に講評を論じて以爲らく。講評は戰の理論を以て標準とせざるべからず。而れども完全なる戰の理論は未だ有らず。故に講評は其の理論に拘泥することなく、又漫りに一切の理論を排することなく、既出の理論は仔細に參照し、進みて未發の理論を求むるに至るべし。試みに講評の語に代ふるに藝術上批評をもてし、戰の理論の語に代ふるに審美學説をもてせよ。審美學の批評の標準たらざるべからざること、完全なる審美學の未だ有らざること、某審美説に拘泥すると一切の審美説を排するとの並びに非なること、批評の宜しく審美學上研究の境に進むべきこと等、一々此に備はりて、毫髪の遺憾なし。藝術界の論客にしてこの明瞭なる識見あらば、審美學は今に至りて、猶自家の存在權の爲めに争ふことを須ゐざるべく、所謂叙述審美派の妄意に標準學たる審美説を攘斥する弊を見るに至らざるべく、藝術上批評をして非科學的傾向を生ぜしむることなかるべし。何故に戰争を論ずるものは通達して、藝術を論ずるものは壅蔽せるぞ、他なし。彼は眞面目にして此は忽慢なればなり。社會趣味の破壊は、その害毒の潛みて顯れざること、彼敗軍の伏屍流血の一見して震慄すべきと同日にして語るべからざればなり。歎ぜざるべけんや」（前掲注121、森『鷗外全集』第二五巻、一八五頁）。

145　森『鷗外全集』第三六巻（前掲注66）、一三六頁。

146　同右、五三九頁。

147　坪内逍遥「大西祝」『逍遥選集』第一二巻、第一書房、一九七七年、四四二頁。

148　上野直昭「大塚保治博士の思想」『美学』第一巻第四号、一九五一年、六七頁。また上野の追憶に、次のことが記されている。「先生の美学は勿論西洋流のもので、始めは日本の美術は問題にならなかつた様であります。当時の大学の総長浜尾さんは時々御目にかかると「大塚は日本の美術を研究せにやいかん」と私に申された事がよくありました。二度はたしかにきいた覚えがあります。これは大塚先生自身も自覚して居られたのでせうが、美学の立場が充分に整理せず、これを築くために準備が要るので中々それ迄手が廻らず、又京都奈良方面へ見学に行かれた事も無かつた様であります。尤も晩年には随分熱心に日本美術の方へ入つて行かれ、又大正の中期以後から昭和の始めにかけて古美術の展覧や賣立が沢山あつたので、それには随分熱心に行かれたやうです。而して日本美術について意見を述べられたこともあります」（六六頁）。

149　高山「大塚文学士を送る」『改訂註釋　樗牛全集』第二巻（前掲注117）、二四四頁。

150　村田良策（「大塚博士の晩年」『美学』第二巻第四号、一九五二年、三五頁）の追憶には次のことが記されている。「バラック建研究室時代に最も楽しい思ひ出がある。〔中略〕今記憶に残つてゐる事はリップス美学とフォルケルト美学の比較を二回に亘つて精密に批判された事で、〔中略〕移入する我と移入される我とは論理的に異次元のものとして区別されねばならないといふ論旨で、先生も又さういふ事を強調された。フォルケルトについては黒板に図解までしてフォルケルト美学の論旨を説明された。組織上の欠点等いろいろの学者から指摘される点は先生も認められるが他面これだけ具体的体験を例証し生かすといふことは長年この学に注いだ関心の成果であつて論理性に無理があり妥協が見られるにせよ我々が充分に読みこなすべきものであるとされた。特に私の記憶に残つたことは、日本人の美意識研究に於てフォルケルトのいふ対象感情の面からするよりも彼のいはゆる状態感情の方から考へてみる方が一層意味が深く、情趣的感情移入の方から日本人の美意識を考へる方が一層意味が深く、情趣的感情移入の方から日本人の美意識を考へる方が正しい様に思ふといはれたことである」。

151　『美学』の「凡例」（小宮豊隆ほか編『阿部次郎全集』第三巻、角川書店、一九六一年、一三五頁）には阿部は次のように書いている。「自分はリップスの感情移入説の立場に據つて本書を書いた。特にその *Aesthetik (Kultur der Gegenwart)* の四書は本書の基礎となつてゐるものである。しかし自分が本書において目的としたところは、リップスの美學説の紹介ではなくて、リップスの根本観念に従つて、自ら美學の諸問題を考察することであつた」。

Grundfragen; Aesthetik, 2 Bde; Leitfaden der Psychologie; Die eihischen

152　同右、七頁。

153　同右、二二一頁。

154　日本における「感情移入説」の受容について、近年には権藤愛順「明治期における感情移入美学の受容と展開――「新自然主義」から象徴主義まで」や、吉口弥生「伊藤尚と阿部次郎の感情移入説――リップス受容をめぐって」（『日本研究』第四三巻、二〇一一年、一四一～一九〇・一九一～二三六頁）という詳細な研究がある。より詳しいことは上記の二つの論文を参照されたい。

155　大西克礼編『大塚博士講義集Ⅰ　美学及芸術論』岩波書店、一九三三年、六～七頁。

156　和辻哲郎は「故　大西克禮会員追悼の辞」（大西先生生誕百年回想録編集委員会編『大西先生とその周辺――回想録』一九八九年、二～三頁。初出は『日本学士院紀要』第一七巻二号、一九五九年）の中で次のように述べている。「教授在任中には、毎年美学概論を講義するほかに、特殊講義として現象学派の美学、浪漫主義の芸術観、芸術様式の問題、美的範疇論、芸術の根本類型などの諸問題を、それぞれ二年乃至数年に亘って講義され、そのための研究に精力を集中していられたようであります。したがってそれ以外の活動には殆ど関与されず、ただ僅かに東洋大学、慶応義塾大学などに講師として一年おきに出講された程度でありました。学内でも昭和十九年より三年間評議員をつとめられた以外には、教政方面のことには関与されなかったようであります」。

157　竹内敏雄「弔辞」大西生誕編『大西先生とその周辺』（前掲注156）、七頁。

158　今道友信『美について』講談社、一九七三年、一三九頁。

159　本格的に西洋の美学理論を用いて日本ないし東洋の芸術文化・精神を考察し、さらに体系的な美学を築き上げた最初の日本人美学者として、大西は近年改めて評価されて注目を集めている。大西の研究として、Ueda Makoto: "Yugen and Erhabene: Onishi Yoshinori's Attempt to Synthesize Japanese and Western Aesthetics" (En：Rimer, J. Th. (ed.) *Culture and Identity. Japanese Intellectuals during the Interwar Years*, Princeton University Press, pp. 282-300, 1990) や小田部胤久「「日本的なもの」とアプリオリ主義のはざま――大西克礼と「東洋的」芸術精神」（『美学』第四九巻第四号、一九九九年、一三～二四頁）、大石昌史『大西克禮における西洋美学の批判的受容と日本人の立場からの体系的美学の構築』（科学研究費補助研究成果報告書、二〇一〇年）、田中久文『日本美を哲学する』（青土社、二〇一三）があり、大西の著作選集の再版や中国語翻訳として、『大西克礼美学コレクション』（全三巻、書肆心水、二〇一二年）と王向遠『日本幽玄』（吉林出版集団、二〇一一年）がある。

160　同右、小田部「「日本的なもの」とアプリオリ主義のはざま」一三頁。

161　同右、一七頁。

162　『大西克礼美学コレクションⅠ　幽玄・あわれ・さび』書肆心水、二〇一二年、一五頁。

163　同右、二〇頁。

164 同右、五七～六五頁。

165 同右、六一頁。

166 同右、六四頁。

167 同右、六三頁。

168 同右、一五三頁。

169 佐々木健一『エスニックの次元――《日本哲学》創始のために』（勁草書房、一九九八年）には、次のようなエピソードが記載されている。「伝聞によれば大西は、「ドイツ美学や日本美学などというものはない。ドイツ数学とか日本数学などというものがあるかね」と言うのを常としていたらしい」（七三頁）。また同書の考察によれば、大西の基本的立場は「美的価値を実現する構造を総合的に解明すること」にあり、基本的方法論は相互批判としての学説批判である。佐々木はこれを「学習型、後進国型の折衷主義」と呼んでいる（五六～七五頁）。また川上涇の追憶「美学に東洋も西洋もない」には次のような一節がある。「あるとき、きっかけが何であったかは忘れたが、「美学に東洋も西洋もない」と語気鋭く云われた。これが当時の西洋に対する東洋の特殊性、もっとはっきり言って優越性主張の風潮のなかで、多少注目されていた『東洋美学』（金原省吾著、昭和七年古今書院刊）を直接標的とされた批判であったかどうかは記憶がさだかでないが、私流に解すれば、美学とは「古今に通じて謬らず中外に施して悖らざる」ものであるべきだということであろう」（前掲注156、大西生誕編『大西先生とその周辺』一一二頁）。

170 竹内敏雄「日本の美学の歴史をかえりみて」『美学』第二五巻第四号、一九七五年、三頁。

171 山本正男の追憶「「大西研究室」の思い出」によれば、「戦争中は、研究室の研究活動にもいろいろ制約が加わり、美学研究室でも伝統芸術精神研究の課題が与えられて、私も西欧美学研究を棚上げして、俳諧の芸術精神に専念することになった。この状況はさらに進み、文学部では久松潜一先生を研究代表者に「明治文化の総合研究」が行われ、大西先生に命ぜられた私は、「明治時代の美学思想」を担当することになった」（前掲注156、大西生誕編『大西先生とその周辺』八六頁）という。

172 芳賀矢一は国学者の家に生まれ、帝国大学文科大学で学んで教授となった国文学者である。彼は一八九九年よりドイツへ留学し、文献学を中心に勉強した。神野藤昭夫は「近代国文学の成立」（酒井敏・原國人編『森鷗外論集　歴史に聞く』新典社、二〇〇〇年、三四頁）において、芳賀矢一（国文学）と上田万年（国語学）による分業体制が確立した一九〇一～一九〇二年を制度としての近代国文学の確立点としている。実方清は「国文学と日本文芸学」（『日本文藝研究』第一五巻二号、一九六三年、第三六頁）において、文献学的国学と芳賀をそれぞれ明治文学の主流と明治時代に日本文献学を唱えた先駆と見なしている。実方によれば、「芳賀博士は文学史は文献学の主要な部分であり、他のものはみなその準備に過ぎないと述べている」という。まさに文学史編成における文献学の重要を提唱したことは、久松に深く影響を与えたところである。久松は『国文学徒の思ひ出』(『久松潜一著作集』別巻、至文堂、一九六九年)に「芳賀先生と国文学」(一七三～一七五頁)という題でそれを追憶した。なお、この別巻には久松の年譜と著作目録も収録されている。

173 松浦一は一九〇五年東京帝国大学英文科から卒業し、『文学の本質』(大日本図書、一九一五年)、『生命の文学』(東京宝文館、一九一八年)、『文学の白光』(大日本図書、一九二四年)などを著した人である。久松在学中、松浦は若い講師として文科大学で文学概論などを担当し、久松などの若き生徒を魅了した。久松は「最近に於ける国語国文学界の動向　文学意識を中心とした研究」(『文学』第二巻第七号、一九三四年、一二三～一二四頁)において、松浦を垣内松三、和辻哲郎とともに「もののあはれ」や「幽玄」を拾う先駆者の一人として挙げた。久松がのちに「幽玄」を「すべての大きな自然や人生を型の中に入れて、その間から結晶した白光として表さうとする」こととしたのは、おそらく『文学の白光』を著した松浦から影響を受けたと考える。

174 久松潜一『久松潜一著作集三　日本文学評論史　古代・中世篇』至文堂、一九六八年、序。

175 久松潜一『久松潜一著作集一　国文学——方法と対象』至文堂、一九六八年、一六頁。

176 同右、二〇頁。

177 同右、二七頁。

178 秋山虔「久松潜一博士の文学史観について」『国語と国文学』第五三巻第七号、一九七六年、六四～六九頁)によれば、久松の代表的な業績は『文学評論史』であり、彼の名が冠せられた多くの「文学史」は概論ないし編著にすぎないという。また吉田精一は「文芸評論史の方法と明治時代の文芸評論概観」には、久松潜一の『日本文学評論史』をゼンツベリーの『ヨーロッパ文芸批評史』と並んで「東西の二大壮観」として高く評価した一方で、次のように超越的美学や形而上的理論の運用不足をも指摘した。「その膨大で広範な体系的批評史は、おそらく目標をセンツベリーG. Saintsburyの三巻にわたる「ヨーロッパにおける批評と文芸趣味の歴史」(A History of Criticism and Literary Taste in Europe, 1900–1904)あたりから得たのであろう。あくまで純文学的見地に立っての批評解説という態度においても、厳密な考証と、平明・明晰な理論や行文の点においても通じるところがある。純文学以外のものはあまりかえりみず、超越的美学や、形而上的理論(この両者は日本には欠けている)に深入りしない点でも同様であろう」(前掲注15、吉田『近代文芸評論史　明治篇』七～八頁)。

179 久松『久松潜一著作集』第三巻(前掲注174)、二六～二七頁。

180 久松『久松潜一著作集』第一巻(前掲注175)、七九頁。

181 同右、八三～八四頁。

182 久松潜一『久松潜一著作集九　上代日本文学の研究』至文堂、一九六九年、一九頁。

183 久松『久松潜一著作集』第三巻（前掲注174）、二一一頁。

184 同右、二三三頁。

185 同右、二三三～二四頁。

186 『国語と国文学』第五三巻第七号（前掲注178）は「久松潜一記念特集」として一九七六年に至文堂から出されている。そこには阿部秋生「国文学概論」、石津純道「日本文学評論史」、峯岸義秋「歌論史のことなど」、中西進「和歌史」、稲岡耕二「久松先生と上代文学」、大久保正「国学研究」、吉田精一「久松先生と近代文学研究」、長谷章久「文学風土研究」、秋山虔「久松潜一博士の文学史観について」、池田利夫「久松潜一博士目録」、福田秀一「久松潜一博士年譜」が収録され、久松業績の全般をよく解説している。

187 久松『久松潜一著作集』第一巻（前掲注175）、四二頁。

188 久松『久松潜一著作集』第九巻（前掲注182）、二一一頁。

189 同右、二一一頁。

190 久松『久松潜一著作集』第一巻（前掲注175）、四九頁。

191 同右、四八頁。

192 久松潜一『久松潜一著作集一〇　日本文学評論史　理念・表現篇』至文堂、一九六八年、一〇九頁。

193 同右、一一〇頁。

194 同右、一一二～一一三頁。

195 同右、一一二頁。

196 久松は「日本古代文学における美の類型」（『日本学士院紀要』第一一巻三号、一九五三年、六五頁）には次のように述べている。「美も歴史的風土的環境をうけて展開するのであつて、これを体系的に扱うことは困難である点もある。しかし美はそういう歴史的、風土的なものを超えて普遍的な点がある。美学の対象とする美はそのような普遍的な美であるとも言える。〔中略〕大西博士が「幽玄とあはれ」「風雅論」において美的範疇論の立場から美（優美）と壮美（崇高）とユーモアとを日本の美に適用して「あはれ」と「幽玄」と「さび」とを挙げ精細な考察をされたのは日本の美の体系的研究として殆ど唯一ともいうべき研究である。もとよりこれ等の美に特殊的な類型或は形態であるとされて居る如く、歴史的性質が多い。殊に「幽玄」や「さび」になると美としては基本的な美の複合性的性質が多いのである。それで私は大西博士の説を敷衍し、もしくは増補する意味で、日本の文学美をつぎのように図式化して見た」。また「日本文学美と川端文学」（『東京女子大学論集』第二一巻第二号、一九七一年、二頁）には次のように述べている。「美的範疇の上から日本美を「あはれ」「幽玄」「さび」として説明するのはより純粋な考え方である。ただ日本の美は複合的性質が多く、美的範疇だけで日本美の類型とその展開を十分に説明され得ないものがある。これは日本の歴史や風土の特殊性から来た美の特殊性でもある。そこで、私はそういう美の普遍的説明に歴史的なものを加えて、いわば歴史的類型として日本の美を説明して見たいと思っている」、大西博士のものは「私見に近いものになっている」という。

197 久松潜一『久松潜一著作集六　日本文学評論史　詩歌論篇』至文堂、一九六八年、一三頁。

198 同右、一五頁。

199 久松『久松潜一著作集』第一巻（前掲注175）、六二頁。

200 久松『久松潜一著作集』第一巻（前掲注175）、一八六頁。

201 同右、一八一～一八二頁。

202 同右、一八五頁。

203 久松『久松潜一著作集』第六巻（前掲注198）、一五頁。

204 久松『久松潜一著作集』第一巻（前掲注175）、八二頁。

205 岡崎『岡崎義恵著作集』第一巻（前掲注116）、一八頁。

206 実方清はその一人である。彼は「日本文芸学と国文学」（『日本文藝研究』日本文学科開設五十周年記念号、一九八二年、六頁）において、文芸学を体系的文芸学と史的文芸学の二つに分けた岡崎の日本文芸学を「主体と方法との混同」と批判し、「各人それぞれの方法があることを確認しておきたい」と呼びかけている。

207 岡崎『岡崎義恵著作集』第一巻（前掲注116）、五六頁。

208 同右、序一頁。

209 北住敏夫「竹内敏雄教授著『文芸学序説』を読んで」（『文藝研究』第一一号、一九五二年、六〇頁）によれば、大塚・大西の後を継いで美学講座を担当した竹内敏雄も東大文学部で「文芸学」を講義し、さらにその講義原稿に基づいて『文芸学序説』（岩波書店、一九五二年）を著したという。

210 岡崎『岡崎義恵著作集』第一巻（前掲注116）、九頁。

211 同右、一〇頁。

212 同右、一八頁。

213 同右、二五頁。

214 同右、二八三頁。

215 同右、一五～一六頁。

216 同右、二三頁。

217 類型学的方法から様式論の変更について、岡崎は次のように述べている。「類型論（Typenlehre）はフォルケルトなども説いており、格の正しい学問の領域に見いだされないことはない。これに典型の意味をも加えて、類型概念と規範との調停を試み、美学を類型の学として規定しようとしたのは、大塚保治博士の「美学概論」である。大塚博士は、さすがに美学の方法論について精密な考究を尽された後、このような方向に出られたのであるが、やはり様式論について考慮を進められる時期に達しておらず、今日から見ると、ディルタイ風の折衷主義を余り出ていないように思われる。一時私はこの類型学的立場から、自己の方法論を展開しようと思ったことがあるが、やはり様式論まで行かなければ、美的価値の学としての芸術学・文芸学は不十分であると考えるようになった」（同右、二九頁）。

218 同右、四三頁。

219 同右、一〇二頁。

220 岡崎義恵『日本文芸学』（岩波書店、一九三九年、六三八頁）の「跋・日本文藝思潮」に岡崎は次のように自分の方法論を説明している。「私の文學史的構圖は三度習作を重ねた事になつてゐる。第一のものは古代・中世・近世・現代に分ち、第二のものは抒情文學・敍事文學・劇文學の諸潮流に分ち、第三のものは個人・流派・地方・時代の諸様式と、形態・形式・表現法・思想・美的形相の諸様式に分つて、その各様式の流動を見た。其直後「世界思潮」よりの依囑をうけ、これら諸習作を基礎として新しく體系を立てようとし、文藝の根原力として美的精神の發現と發展とを追求すべく心構を整へた。此當時「あはれ」「をかし」「幽玄」「さび」「すい」等の如き、日本固有の美的諸相を取上げる為には、私の基礎的研究が不十分であつた。其處知つてゐた西洋美學思想によつて「崇高」「優美」「悲壮」「滑稽」等の觀念を用ゐたのであるが、日本固有の美的特徴をも決して度外視したのでは無く、能ふ限りは取入れてゐるのである。これ位多く日本的美の諸相を文學史の中に取扱つた者は、他にあまり無からうと思つてゐる。そして「崇高」「優美」の二大美的範疇の交替流動を樞軸として、日本的美の諸相をその中に適當に位置せしめ、時代と階級との契機をこの中に鎔鑄せんとした。階級の契機を取入れたについては、多少唯物辯證法の影響が無いとは言へないが、實はこれを美的様式の徴標として用ゐたのである」。

221 その二系列の内容は以下である。「第一系列は、男性的・意志的・統御的・戦闘的・未完成的・苦行的・理想主義的（または浪漫主義的）・実質的・構成的・自己拡張的・異国主義的・動的・混沌的・自然的・田園的であり、崇高・壮大・強力・厳粛の美を特徴とする。第二系列は女性的・感情的・自由的・平和的・完成的・享楽的・実際主義的（現実主義的）・形式的・羅列的・自己固定的・固有主義的・静的・整型的・人工的・都市的であり、優婉・快適・親愛・遊楽の美を特徴とする」（前掲注116『岡崎義恵著作集』第一巻、一四一頁）。

222 岡崎『岡崎義恵著作集』第一巻（前掲注116）、一〇四頁。

223 岡崎義恵『岡崎義恵著作集二　日本文芸の様式と展開』宝文館、一九六二年、三一九頁。

224 岡崎『日本文芸学』（前掲注220）、五二九～五三〇頁。

225 同右、六〇一頁。

226 同右、六一八頁。

227 『岡崎義恵著作集』第一巻（前掲注116）、一〇四頁。

228 岡崎義恵『岡崎義恵著作集五　源氏物語の美』宝文館、一九六〇年、一一三頁。

229 同右、八六頁。

230 岡崎義恵『美の伝統』弘文堂書房、一九四〇年、二一～三頁。この旨、彼は「文芸の日本的様式」にも次のように述べている。「文芸様式を我々が指摘する方法は、その様式の特徴を数個の徴標によつて示すことであるが、その徴標はむろん美的価値を示すものであるから、美的範疇をもつてすることもできるし、また文芸の普遍的基本様式をもつてすることもできる。私は日本文芸の様式的徴標として、この種の最も基本的な概念を示せといわれるならば、美的範疇としては優美を、文芸の普遍的基本様式としては、抒情的ということを挙げ得ると思う。これは天降り式にそういう概念を日本文芸に当てはめるのではなく、日本の作品の中の美的、文芸的価値を闡明した結果、このような普遍的特徴に属する性質が、最も優位を占めているということを発見したわけである」（前掲注116、岡崎『岡崎義恵著作集』第一巻、一〇三頁）。

231 久松潜一「最近に於ける国語国文学界の動向　文学意識を中心とした研究」『文学』第二巻第七号、一九三四年、一一五頁。

232 岡崎『日本文芸学』（前掲注220）、六五六頁。

233 松岡ひとみ「「幽玄論」の再検討」福岡女子大学編『香椎潟』第二四号、一九七八年、三四頁。

234 美学上の方法論的相異については、竹内敏雄『美学総論』（弘文堂、一九七九年、四二～四六頁）を参照されたい。

235 岡崎は「日本文芸学と国学」において自分の立場を次のように述べている。「私はカントの系統をひいている。カントは何といっても最大の哲学者であるから、その方法を無視することはできない。しかし、カント的体系は歴史的具体的世界に触れ難い。その点ではヘーゲル的な歴史哲学に近づく。しかし、ヘーゲルは理性を以て世界の本質を規定しようとした思弁的普遍史の提唱者である。私はむしろ美的なものを以て構成される世界を認めようとする。それ故シェリング流の審美的、芸術的普遍史に心を寄せることが多い。

236

そうかといつて普遍史的観点を採つて、世界を芸術的価値の展開で割り切ろうとするような、特殊の哲学的立場を持するものではない。諸種の文化的価値の平等に近い参加を期待するものである。その意味で文化体系観上のデモクラシーであるといえるかも知れない」(前掲注116、岡崎『岡崎義恵著作集』第一巻、二八三〜二八四頁)。

森『鷗外全集』第二二巻(前掲注10)、二九〇頁。

第三章　東アジアにおける〈天人合一〉の詩学

――〈幽玄〉の解明を中心に

第三章　東アジアにおける〈天人合一〉の詩学

――〈幽玄〉の解明を中心に

はじめに

〈幽玄〉という言葉を聞くと、まず目に浮かぶのはどんな風景であろう。日差しが十分ではない奥深い山にある渓流の源に辿り着き、滝から流れてくる濃い霧のような湿った空気に囲まれる午後の風景であろうか。それとも、名も知れぬ小島まで一人で放浪し、未明の月に向い海波の声を立ち聞く漆黒の夜の風景であろうか。いずれにしても、そのような特定の雰囲気に魂を奪われて、天地の間にある主客が解け合い、自然の響きと静かに合奏して一瞬呆然となる感受は、われわれ東アジアの人間が現実世界の中に持つ共通の美的経験であり、中世の日本人に〈幽玄〉と呼ばれ最高の芸術的理想として追求されてきたものでもある。

日本の美的系譜において、〈幽玄〉は日本人の美的理想の一つとして、文学をはじめ、庭園や絵画など様々な芸術領域で表現・実践されている。中でも、日本の古典芸術理論、とりわけ中世の和歌論、連歌論、能楽論の中心的概念として、構造上も思想上も柱のような役割を果たしてきた。さらに多くの研究者の考えによれば、〈幽玄〉には他に類のない独特な意義も存在している。例えば、国文学研究者の能勢朝次は自著の中で、〈幽玄〉は「民族的情操の最高至純なものであるべき」[1]と称し、日本美学の新時代を開いた大西克礼も〈幽玄〉を「崇高」の派生範疇または東洋の基本的な美的範疇の一つとして位置づけた。

しかしながら、時代の発展に伴う変容または芸術理論家[2]それぞれの個性によって、この言葉は概念としての抽象性や重層性を備え、意味的な難解さを深めている、としばしばいわれている。また、プラグマチズムの哲学者リチャード・シュスターマン（Richard Shusterman）が言うとおり、「哲学の問題や概念は歴史的コンテクストによって生じるのであり、したがってそれらは歴史的認識を通してのみ適切に理解されうる」[3]のであり、語源論的研究から着手しなければならない。それゆえ、本章では、〈幽玄〉の基礎的意味およびその歴史的変遷をそれぞれの時代における代表的な用例に即して、存在論的、様式論的、美的理想という三つの次元からダイナミックに俯瞰し、系譜的に解読しようと試みる。それにより包括的概念としての〈幽玄〉の全貌は顕になってくるだろう。

一　存在論的概念としての幽玄

1　中国における幽玄という言葉の起源

今日、〈幽玄〉は〈もののあはれ〉〈わび・さび〉〈いき〉と並んで、「日本美の典型」あるいは「日本的なるもの」と称される。この一連の概念の中で、〈幽玄〉の特殊性の一つはその起源にある。つまり、訓読みの〈もののあはれ〉などが示す日本固有のものと異なり、〈幽玄〉という言葉自体は古代中国に誕生して使われ、漢訳仏経とともに八世紀に日本へ伝来したものである。この言葉が生まれつき備える意味ないしこの言葉の裏に潜んでいる本質的なものは、古代中国人の死生観であり、宇宙に対する想像でもあると言える。従来の研究者がこの問題を取り扱う際によく用いたのは類別的分析法であり、すなわち中国における〈幽玄〉の使用例を道教、仏教または一般典籍に分けてそれぞれ分析することである。しかし、〈幽玄〉という概念が出現・成立したばかりの頃の中国では、各宗教は完全には成熟しておらず、まだ互いに影響し合っていたと考えられるため、ここではそのような分類法を避け、代わりに「起源―成立―世俗化」というような歴史的発展の視点から、中国における〈幽玄〉を改めて解明したい。

〈幽玄〉という語の最初期の使用例について、日本の学術界、特に後世にも引用され幽玄論の通説を構成した一九三〇～一九五〇年代の数多くの幽玄論では、仏教学者が初めてこの用語を創造・使用したと認識されている。例えば、幽玄研究の代表者の一人である能勢朝次は一九四四（昭和十九）年に出版した『幽玄論』で、「幽玄という語は、最初は仏教学者によって、仏法の「深遠奥妙で窺測し難い」という意を示すに用いられていたという事実がある」[4]と指摘し、その初出を東晋の僧肇（三七四～四一四）の『宝蔵論』に求めた。しかし、〈幽玄〉の用例が次々と発見されるにつれて[5]、今日われわれはこの結論を、〈幽玄〉という語は漢訳仏典に使われる以前から既に固定的に使われ、しかも中国においては古代史全般を貫いて用いられてきた、と修正するのが適切である。具体的な例証は後にして、まずは形態素としての「幽」と「玄」のそれぞれの字義から見てみよう。

中国最初の字義書である後漢の許慎（五八～一四八）の『説文解字』（一〇〇年）には、「幽」や「玄」が次のように解釈されている。

隠也、从山𢆶、𢆶亦聲。
隠也、山𢆶に从ふ、𢆶亦た聲。

幽遠也、象幽而入覆之也。黒而有赤色者爲玄。凡玄之屬皆从玄。、古文。
幽遠たる也、幽にして而して入もて之を覆ふに象る也。黒にして而も赤色有る者を玄と爲す。凡そ玄の屬は皆な玄に从ふ。、古文。[6]

これに基づき、さらに清の段玉裁（一七三五～一八一五）の注釈[7]を参照すれば、この熟語の基本的な意味を以下のようにまとめることができる。要するに、「幽」は「山＋𢆶」の会意文字（【図Ⅳ】参照）であり、色彩上は黒色を表現し、「隠・蔽・微」の意味を有している。「玄」は金文の「幺」から転じられており、色彩上は黒赤色を表現し、「幽」の意味を含め、「隠」だけではなく、「遠」の意味も備えている。そのほか、この〈幽玄〉の象形、特に「幽」について、研究者たちは

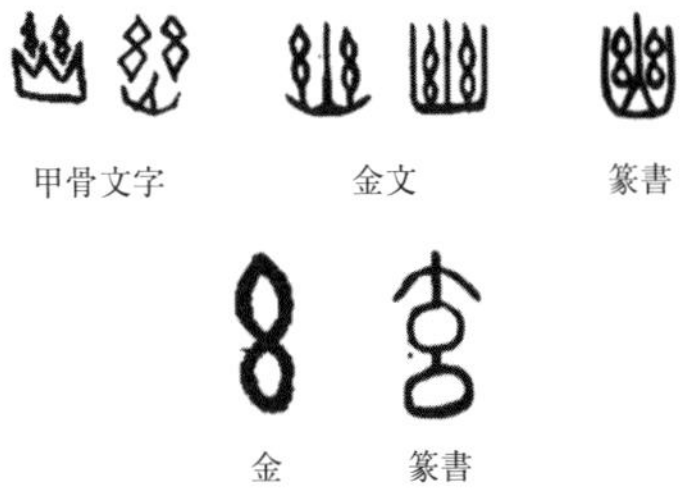

山の中にあるはっきり見えない炎の様子などを挙げて説明してきた。筆者はその考えをさらに一歩前に進め、〈幽玄〉は山岳信仰における人の昇天・昇仙の象徴ではないか、とあらためて強調し提言したい[8]。

後文の用例にも見られるように、〈幽玄〉は山岳信仰や死後の世界と密接な関係を有しており、古代中国人が想像・創造した「仙境」の一つでもある。「幽」の根幹である「丝」という字は、「炎」であれ「天に昇るための糸」[9]であれ、どちらから解読しても、芸術の源である巫術あるいは通霊の世界に結びついていると言っても過言ではない。とは言え、いったんここでは〈幽玄〉の字義を「隠遠・黒赤色を基本とし、重点が「玄」においてある」とだけ定義しておこう。

【図Ⅳ】幽玄の象形文字
（出典：加藤常賢『漢字の起原』角川書店、一九七〇年、七〇～七二頁より）

このような文字の構成に対し、国文学者の谷山茂は「極言すれば、幽の字はむしろ玄という語をその同音異義の語から識別するためにのみ添えられたものであるか、あるいは黒などという義の玄に対して深奥という義の玄を区別するためにのみ添えられたものかである」[10]と指摘し、中国の日本文学研究者の王向遠も「「幽」と「玄」をあわせて一つにするのは「同義反復」の手法である」[11]と述べている。より正確に記するならば、これは「同義連文」であると言えるだろう。「同義連文」とは、考証学の始祖とされている清の顧炎武（一六一三～一六八二）[12]が『日知録』巻二十四で言及した古代中国語によくある「重言」の現象であり、一般的に古代文言に認められる次のようなものである。つまり、意味が同じ、あるいは近い二つ、もしくは二つ以上の単語を組み合わせた、一種の平等関係でさらに互いに補足、説明ができる形を指している。この修辞法は往々にして言語や文章の全体の勢いを強化する機能を持つ[13]。

もちろん、筆者の推断は、字義からだけではない。その根拠は実際の用例にも同じく求められる。例えば、『文選』に収められた曹植（一九二～二三二）[14]の「七啓八首并序」（巻三十四）にある「玄微子隠居大荒之庭」（玄微子は大荒れた庭に隠棲した）という句に対し、唐の李善（六三〇〜六八九）[15]は「玄微、幽玄精微也」（玄微は、即ち幽玄精微というもの）と注釈した[16]。ここで見逃してはならないことは、実際に「七啓八首并序」にある「玄」という言葉が李善の注釈では〈幽玄〉と説明されていることである。つまり、李善の時代においては「玄」と〈幽玄〉は交換可能な言葉であることがわかる。さらに当時の読者にとって「玄」より〈幽玄〉のほうが口語的で理解しやすいものであったことをも暗示していると考えられる。

2　中国における幽玄という言葉の成立

では、「幽」と「玄」との連文形はいったいいつ、どのように成立したのだろうか。筆者が調査した限りにおいては、後漢の張衡（七八〜一三九）[17]の「髑髏賦」（一三七）が最も古い用例に該当した。以下に、原文の一部を掲出する。

張平子（中略）顧見髑髏、委于路旁。下居淤壤、上負玄霜。平子悵然而問之曰、子將並糧推命、以夭逝乎。本喪此土、流遷來乎。為是上智、為是下愚。為是女人、為是丈夫。于是肅然有靈、但聞神響、不見其形。答曰、吾宋人也、姓莊名周。遊心方外、不能自修。壽命終極、來此玄幽。[18]（傍線強調引用者、以下同じ。）

「髑髏」はもともと頭蓋骨の意味であり、中国ではのちに風雨にさらされて肉がすっかりなくなった全身の骨格を広く指している。この「髑髏」のイメージ・モチーフは荘子『荘子・外篇・至楽』に初めて用いられ、今日までの中国文学芸術史に多大な影響を与えた。「髑髏」をテーマにした文芸作品は枚挙に暇がないが、著名なものには、曹植の「髑髏説」や呂安の「髑髏賦」という漢魏の詩賦があり、《髑髏幻戯図》という宋の李嵩（一一九〇頃〜一二三〇年頃）の扇画も現存している。

【図Ⅴ】李嵩《髑髏幻戯図》
北京故宮博物院蔵（出典：中国古代书画鑑定組編《中国絵画全集・五代宋遼金・三》浙江人民美术出版社、一九九九年、図版説明一三頁）

張衡の「髑髏賦」もまさにその一つである。「荘子嘆髑髏」[19]の物語から翻案し、自己と髑髏の「荘周」との対話をめぐって展開したものである。ここでの「玄幽」は現世と違って声は聞こえるが、形が見えない不可思議で神秘的な世界（肅然有靈、但聞神響、不見其形）であり、「荘周」は命が極まった後（寿命終極）に来たところである。ただし、ここでどうしても看過できないのは、この「玄幽」の世界はある意味で死後の世界と同様であるものの、どんな人でも死んで行けるというわけではないことである。死者の「荘周」はもとより普通の人ではなく、存命中から現世以外のことに強く憧れ、さらにそれを止めることができなかった（遊心方外、不能自修）ため、死んだ後にこの世界に来た（壽命終極、來此玄幽）のである。

もし「玄」と「幽」との連文形である「玄幽」を使って、現世と違うあの世を指すのが一種の偶然であるとするならば、張衡の「髑髏賦」に続いて多く現れた「幽玄」の使用例はこの言葉の明らかな成立を象徴している。例を挙げながら見ていこう。

（一）天道易兮我何艱、棄萬乘兮退守蕃。
逆臣見迫兮命不延、逝將去汝兮適幽玄。（巻十下・何皇后紀）[20]

（一）は「悲歌」という東漢の少帝・劉辮（一七三～一九〇）[21]の作である。この歌は彼が毒酒を飲んでいる際に詠じたものであり、「私は逆臣に迫られて命を延長することができず、これから君を離れて幽玄の世界に行く」（逆臣見迫兮命不延、逝将去汝兮適幽玄）と、自分の苦難な人生を悲嘆し、愛妻の唐姫と別れた時の悲しみを表した歌である。ここにある「幽玄」は死後の世界と理解しても問題ないだろう。

（二）五嶽降神、四瀆炳靈。兩儀鈞陶、參合大成。〔中略〕
　無所炤灼、有求幽玄。（巻巻三・詩）〔22〕

（二）は晋の陸雲（二六二〜三〇三）〔23〕の「贈顧尚書」という賦文である。『文心雕龍』（五〇〇年頃）によれば、陸雲は「士龍は郎練にして、識を以て亂を檢す。故に能く采を布くこと鮮浄にして、短篇に敏なり（士龍郎練、以識檢亂、故能布采鮮浄、敏于短篇）」（巻九・才略第四十七）〔24〕という人物である。確かに『文心雕龍』の著者である劉勰（四六五頃〜五三二年頃）の言うとおり、「贈顧尚書」をはじめ、『陸雲集』に収録されているのはほぼ短篇であり、文彩の布置も新鮮である。原始的で神秘的なロマンチシズムに溢れるという点で、『楚辞』から影響を受けた様子が見受けられる。「顧尚書」が具体的に誰なのかは、文章では直接説明されていないが、当時の文壇の実態から推測すれば、「朱・張・顧・陸」という呉地の四大名門の顧家の一人である可能性が高い〔25〕。ここでの引用は主に天地が作られた時の様子に対する描写である。これは当時の文壇によくある表現様式で、人を褒める際に、まず彼が誕生した時の天地の奇異を強調する。この場における〈幽玄〉はいわゆる暗闇（無所炤灼、炤灼は光線が強く照らす様子）の中にあるわずかな光明のことであり、死後の世界とは微妙に異なり、世界や人が誕生する直前の世界を意味している。

（三）東王西母無極先君、乘氣鳳翔去此幽玄。
　澄於太素、不在人間。（弘明巻十四）〔26〕

（三）は東晋の僧侶である竺道爽（生没年不詳）[27]が撰した「檄太山文」である。表面上、この文章は当時「太山（＝泰山）」を占めた「妖鬼」を糾弾したものであるが、実は仏道二教が互いに泰山の主導権を奪い合った様子をはっきり示している。ここでの「幽玄」は、明らかに現世ではなく、「東王西母無極先君」[28]が気流に乗って鳳凰のように飛んで行くところである。

以上の三例はすべて代名詞として、現世と違う次元の世界を意味している。この異次元の世界に対して、ある研究者は「黄泉」と解読しているが[29]、実はそうではない。『周易』に「天玄而地黄」（巻二・坤）という名句がある。これについて、後漢の荀爽（一二八～一九〇）[30]は「天というものは陽、東北から始まり、故に色が玄なり。地というものは陰、西南から始まり、故に色が黄なり（天者陽、始於東北、故色玄也。地者陰、始於西南、故色黄也）」[31]と注釈している。またほかにも、「夫れ至人は、上青天を闚ひ、下黄泉に潛み、八極に揮斥して、神氣變ぜず（夫至上人者、上闚青天、下潛黄泉、揮斥八極、神氣不變）」（『列子・皇帝第二第五章』）[32]や「上は碧落を窮め、下は黄泉、両処茫茫として皆見えず（上窮碧落下黄泉、両処茫茫不可見）」（白楽天「長恨歌」）のような例がある。さらに『左伝・昭公七年』にある「人の生、始めて化するを魄と曰ふ。既に魄を生ず。陽を魂と言ふ（人生始化曰魄。既生魄。陽曰魂）」などの記載[33]に基づけば、以下の事実が掲示できよう。つまり、中国の原始信仰には魂・魄・形・気というような観念が存在し、人の誕生は天からの「精（魂）」と地からの「形（魄）」によるものである。人が死ぬ時はその逆であり、魂は天に昇仙し、魄は地に沈み込んで鬼になる。そうであれば、〈幽玄〉を黄泉と簡単に解読できないばかりか、黄泉と相対する概念と見なすべきである。ただし、〈幽玄〉を天・青天・碧落と一括して言うこともできない。例えば『列子』では、天地宇宙の形成を次のように説明している。

夫有形者生於無形、則天地安從生。故曰、有太易、有太初、有太始、有太素。太易者、未見氣也。太初者、氣之始也。太始者、形之始也。太素者、質之始也。氣形質具而未相離、故曰渾淪。渾淪者、言萬物相渾淪、而未相離也。

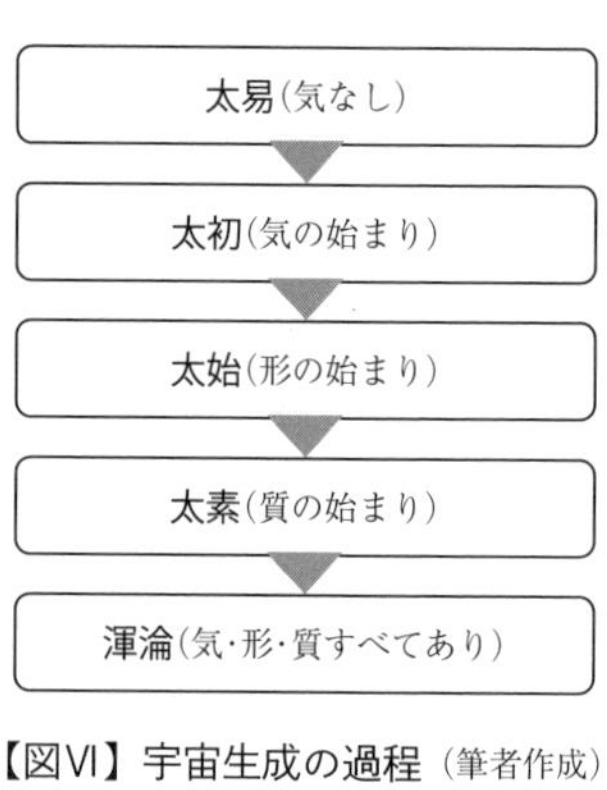

【図Ⅵ】宇宙生成の過程（筆者作成）

（夫れ有形の者は無形に生ず、則ち天地安れより生ずるや。故に曰わく、太易有り、太初有り、太始有り、太素有り。太易は、未だ氣を見ざるなり。太初は、氣の始めなり。太始は、形の始めなり、太素は、質の始めなり。氣形質具はつて未だ相離れず、故に渾淪と曰ふ。渾淪は、萬物相渾淪して、未だ相離れざるを言ふなり。）（天瑞第一第二章）[34]

つまり、天地生成は太易から渾淪までの段階を経なければならないのである。これを念頭において、（三）・（四）にある「太素に澄んでいる」（澄於太素）と「幽玄は太素の上にある」（太素在幽玄之上）という描写から、〈幽玄〉は、まだ天地が互いに分かたれる以前の「渾淪」という状態に近いと結論づけることができるだろう。字義から見れば、「渾」とは入り混じって渾然一体のさまであり、「淪」とは水が渦巻き流転して分かれないさまである。「渾淪」は即ち「陰陽」の二元気がまだ分かれない混一の状態を指している。

（四）大洞玉經曰、太素在幽玄之上、九宮列金門於太素之天。（巻六百七七）[35]

このような陰陽二元論は中国の儒道両教が共通としている宇宙の生成論であり、『老子』、『周易』、『荘子』にも似たような記述が確認できる。したがって、この「渾淪」の境地を神話あるいは山岳信仰において象徴的に言えば、魄が沈下していく黄泉ではなく、魂が昇天してくる仙界のはずであり、ある場合には、崑崙山や泰山として表現されていると言っても差し支えない[36]。

3　中国における幽玄という言葉の世俗化

周知のとおり、中国の古代において祭祀は重要な意義をもち、さらに帝王は庶民と違って祖先以外に天地を祀る権利と義務を持っている。以下の（五）は成公綏（二三一〜二七三）[37]が晋武帝司馬炎泰始五（二六九）年に作った「正旦大会行礼歌」であり、王都の郊外に天地神を祭祀するために使う楽府の歌である。

（五）登昆侖、上層城。〔中略〕
　明明聖帝、龍飛在天。與靈合契、通德幽玄。（巻二二・樂志）[38]

「幽玄」に言及したものを含め、全部で十五首ある。内容は天地への功績の報告にすぎないが、最後に「賢明たる聖帝、龍に載って天へ飛ぶ。神霊に通じ合って、徳は幽玄のようである（明明聖帝、龍飛在天。與靈合契、通德幽玄）」と、晋武帝の高徳を〈幽玄〉で讃えた前例はかつてない。先の用例と同じく宗教的・象徴的色彩を十分に満たしていると言えるが、ここで特筆するのは、〈幽玄〉の意味的変容にあるもう一つの傾向を示したいからである。それはすなわち「世俗化」という傾向である。晋以降、このような傾向がますます顕著になり、唐になってようやく価値的意味の用語に一転した。以下では、いくつか代表的なものを挙げよう。

（六）裁書悔曰、夫大乘佛教者、佛法之中究竟説也。
　名味泯絶、理致幽玄。（巻四・無垢友故事）[39]

（六）は『大唐西域記』（六四六年）に収録されている「無垢友」という人物の物語である。彼は「大乘佛法」を誹謗した後、突然気が狂い、血も止まらなくなった。結局、死に至ったが、彼は死ぬ間際に悔やんで、大乗仏法の理が「幽玄＝深遠・奥妙・難解」に極まると認めた。（六）のような使用はこの一例だけでなく、『大唐西域記』にはほかに三例（巻四、八、十二）あり、別の仏典にも豊富に存在していることが確認できた。この場合の例は（一）〜（五）とはずいぶん異なり、また老荘道家における宇宙的・存在論的意味での運用ではない。むしろ、仏法の絶対性・真理性を説くために価値的意味で使われたと考えられる。

次に、最も知られた例としては、李善による『文選』の注釈である。

（七）「玄微子隱居大荒之庭。」（曹子建・七啓八首並序）

註：玄微、幽玄精微也。『山海経』曰、大荒之中有山、名曰大荒之山、日月所入、是謂大荒之野中也。（巻三十四）[40]

（八）「且人君以玄默為神、澹泊為徳。」（楊子雲・長尋賦並序）

註：玄默、謂幽玄恬默也。（巻九）[41]

（九）「神功無紀、作物何称。」（任彦昇・到大司馬記室牋）

註：言、聖徳幽玄、同夫二者、既無功而可紀、亦何名而可称。莊子曰、神人無功、聖人無名。司馬彪曰、神人無功、言修自然不立功也。聖人無名、不立名也。（巻四十）[42]

（七）と（八）は李善が曹植の「七啓八首並序」および楊雄（前五三〜一八）[43]の「長尋賦並序」に付した注釈であり、同じく「玄」という字を〈幽玄〉に書き直している。前述のごとく、これは「玄」より、〈幽玄〉のほうが口語感や表現力が強いからである。また〈幽玄〉は、曹植や楊雄が生きていた漢魏にはまだ普及していなかった一方で、唐になってからすでに人々によく理解される言葉になったことを示している。

（八）にある「玄默為神」と（九）にある「聖德幽玄」に注目しよう。「玄默」と「澹泊」は人君・君主が聖人として備えるべき素質であり、人格上に表象される美である。このような人格の美は中国の古典美学において常に形式の美と同じく重要な位置を占め、鑑賞の対象の一つと見なされた。さらにその一部は魏晋南北朝時代に人物の批評用語から文芸の批評用語へと転じた。この人格上の最高の美は『老子』では「玄徳」（生じて有せず、爲して恃まず、長じて宰せず。是を玄徳と謂ふ＝生而不有、爲而不恃、長而不宰、是謂玄徳）[44]（能爲十章）と総じて称される。「聖德幽玄」はこのように人格美の最高位「玄徳」から転じ、君主への賛辞の常套句としてよく見られる。

ほかにも、（十）と（十一）のような、人の学問や文章を評価する際に使う用例がある。

（十一）季生學業幽玄、且道跡至勝、乃當在卷之上首耶。（巻十七・握真輔第一）[45]

（十二）研文較幽玄、呼博騁雄快。（巻八・雨中寄孟刑部幾道聯句）[46]

（十一）は梁の陶弘景（四五六〜五三六）[47]が著した『真誥』の「握真輔第一」からの一句である。ここで、「季生」という人物の学業を〈幽玄〉で評価しているが、想像上の人物であるため、学業の具体的な特徴を捉えがたい。ところが、（十二）を見れば、それは明瞭になる。この詩は韓愈（七六八〜八二四）[48]が「江陵掾曹」（江陵節度使の補佐）から「国子博士」（国子監の教員、正五品上）へ昇進した唐憲宗元和元（八〇六）年に作り、孟簡（生年不詳〜八二三年、字は幾道）に贈ったものである。この例について、谷山茂は次のように絶妙な解説をした。

その「幽玄」はまた次の「雄快」との対比で、文章の含蓄ないし滋味の深さ美妙さを意味し、すでに美的風趣の一様式をいったものと受けとめられる。とすれば、このような幽玄は、もはや仏教や老荘の哲理などとはかかわりもなく、一般的ないし文学的に、しかも文章の風姿を対象として、用いられた例といえる。[49]

だが、このような日本的幽玄の評価として正しいものが、必ずしも中国における〈幽玄〉の実情に合うとは言えない。唐代においては、貴族から文人ないし一般の庶民にまで、「仏老」[50]が愛されていたことは周知されている。『旧唐書』巻一百六十三によれば、孟簡はそのうえ、仏法に独特な見解を持ち、元和六（八一八）年に唐憲宗李純の勅命で『大乗本生心地観経』を翻訳した人物である。彼が仏教に夢中になっていたことは当時の美談であり、真面目な儒士によく軽蔑される（然溺於浮圖之教、爲儒曹所誚）[51]ところでもある。韓愈が、彼の文章が〈幽玄〉を窮める（研文較幽玄）と言ったのは主にこの点からであり、文章の宗教的色彩が強いという点に対してのみの評価である。もとより、これは一種の賛美であるが、「美的風趣の一様式」にはまだ及ばなかったことも事実であろう。同様に、『全唐文』や『全唐詩』に収録された孟簡の詩文[52]を確認すれば、次のこともわかる。孟簡は、文体の風格より、むしろ宗教的色彩が強い主題を好んだと捉えたほうが間違いがない。遺憾ではあるが、ほかの唐代の才俊、例えば駱賓王（六四〇～六八四年頃）や元稹（七七九～八三一）が残した用例[53]も同じく上例を超えず、文章の風体・様式に対しての評価は行われていなかった。なお、唐以降の長い間も同じ状況であり、ここで列挙することは省略する。

以上、中国における〈幽玄〉の使用を「起源―成立―世俗化」に分けて説明してきた。このような歴史的使用あるいは意味的変容は、中国各時期の宗教の発展、とりわけ老荘思想の盛衰と密接に関係している。すでに様々な面から論証したように、〈幽玄〉という言葉は、まさに〈玄〉という老荘思想あるいは道家・道教のキーワードを強化・口語化させるために作られたものであり、この語に含まれている神秘性ないし象徴的な意味も主に〈玄〉と関連しているからである。『老子』には次のような記載がある。

道可道非常道。名可名非常名。無名、天地之始。有名、萬物之母。故常無欲以觀其妙、常有欲以觀其徼。此兩者同出而異名。同謂之玄。玄之又玄、衆妙之門。

（道の道とす可きは常道に非ず。名の名とす可きは常名に非ず。名無し、天地の始めには。名有れ、萬物の母にこそ。故に常無は以て其の妙を観んと欲し、常有は以て其の徼を觀んと欲す。此の兩者同じきより出でて名を異にす。同じきもの之を玄と謂う。玄の又玄は、衆妙の門。）（體道第一）[54]

視之不見。名曰夷。聽之不聞。名曰希。搏之不得。名曰微。〔中略〕其上不皦、其下不昧。繩繩不可名。復歸於無物。是謂無狀之狀、無物之象。是爲忽恍。迎之不見其首、隨之不見其後。

（之を視れども見えず。名づけて夷と曰ふ。之を聴けども聞えず。名づけて希と曰ふ。之を搏へんとすれども得ず。名づけて微と曰ふ。〔中略〕其の上皦かならず、其の下昧からず。繩繩として名づく可からず、無物に復歸す。是を無狀の狀・無物の象と謂う。是を忽恍と爲す。之を迎ふれども其の首を見ず。之に隨へども其の後を見ず。）（賛玄第十四）[55]

これを簡潔にまとめると、次のようになる。『老子』において存在の本質は〈道〉というものであり、その〈道〉の一切の表象・特徴を一言で〈玄〉と称する。〈玄〉は「妙」である故に、美になる。〈玄〉はもともと一種の黒赤色を指しているが、距離が極めて遠いものは肉眼から見れば、常に黒赤色を示しているため、老子はこれを用いて〈道〉を表現する。したがって、〈道〉の一切の表象も〈幽玄〉の内容と言える。それは「ひっそりして音もなく、ぼんやりして形もない」という世界の根源、天地の始まりであり、「じっと目をすえてみても目に映らないし、耳をすましてみても耳に入らず、又、跡をつけてみてもつかめない（視之不見、聽之不聞、搏之不得）」という境地でもある。これらはまさに〈幽玄〉という言葉が誕生・成立した時から元来もつ内容・意味である。

ところで、時代がやや下れば、〈幽玄〉という概念も「深奥で解くことが難しい」「神妙で測ることができない」「曖味でぼんやりとしている」もの・ことを表現できる「形容詞」へ世俗化してきたが、終始、文芸理論には用いられず、日本のように専門的な芸術批評用語にはならなかったことも認めなければならない。その理由は王向遠が指摘したように「漢語の中に「幽」や「玄」を形態素とするまたは「幽」や「玄」の意を表す言葉は豊富すぎる」[56]ということがもちろんあるが、最も重要なのは〈幽玄〉の抽象性が強すぎることにあるのではないだろうか。『老子』で記載されたように、〈玄〉は一切の形式を包摂し、また排斥する。よって、〈幽玄〉は「聖徳幽玄」の形で人格美を形容したり、存在の根源である〈道〉の特徴を表現することは成り立つが、具体的な形式美の一様式としてはやはり定着しがたいのである。逆に言えば、日本の中世文芸において、〈幽玄体〉が成立したのは、まさにこの抽象性を避け、具体的な内容を充実させたからであろう。

さらに特に注意すべきこととして、ここで強調しなければならないことが二つある。一つは、〈幽玄〉が価値的・批評的意味の用語となることは、その本来的な存在論的意味を失ったことを意味するのではない。〈幽玄〉という言葉が世俗化して以降、価値的・批評的意味で使用された例が比較的多いが、それがすべてではない。もしくはその二つの意味が同時に備わっている場合もある。もう一つは、その後の中国の使用例の中には、〈幽玄〉は「聖徳幽玄」という人物の道徳批評に用いられており、「研文較幽玄」と文章の内容評価にも使用されたことがあるが、結局「美的風趣の一様式」となるまでには至らなかった。〈幽玄〉という言葉が芸術理想に導入されていないことは、言うまでもない。様式概念、すなわち和歌の風体・姿の一つである〈幽玄体・幽玄様〉として芸術領域に成立したのは、日本へ伝来した後のことである。

二　様式的概念としての幽玄

1　日本における幽玄という言葉の初見

これまで多くの研究者が指摘してきたとおり、日本における〈幽玄〉の初見は奈良時代の『浄名玄論略述』（智光、七七六年頃）の「解脱幽玄以離思為本」であり、芸術領域ではじめて使用されたのは『古今和歌集・真名序』（紀淑望、九〇五年）である[57]。

『古今和歌集』は万葉の時代からの古歌と今歌を両方収録し、春夏秋冬という季節および祝い・恋・旅など内容的な分類によって国の事業として初めて編纂された勅撰集である。この中には、紀淑望（生年不詳〜九一九）が執筆した「真名序」と紀貫之（八六六〜九四五）が執筆した「仮名序」という二つの序文が収録されている。「やまとうたは、人の心を種として、よろずの言の葉とぞなれりける」[58]から始まる「仮名序」は一般的に「日本の芸術論の根幹をなす最初の芸術論」[59]あるいは「日本の美学の宣言書」[60]と見なされてきたが、「国風暗黒時代」といわれる当時の書写状況[61]から見れば、むしろ流暢で華麗な四六駢文体で書かれた「真名序」が朝廷へ上奏した最初の正式な序文であり、「仮名序」はこの「真名序」をより多くの人々に理解してもらうために、のちにわかりやすく注釈・解釈して改訂したものである、と見なすのが適切かもしれない。「仮名序」は、内容や構造において「真名序」とおおよそ一致しているが、「真名序」より政治性が薄く、文学の純粋性の面で優れ、漢詩理論の影響を受けつつも日本固有の芸術ジャンルとしての自律性を積極的に求める点も見受けられる。それが〈幽玄〉という存在論的な表現が「真名序」のみに現れ、「仮名序」においては削り捨てられた理由でもある[62]。

「真名序」では、「難波津にさくやこの花冬ごもり今は春べとさくやこの花」（「難波津之什」）や「いかるがや富のを川の絶えばこそわが大君のみ名をわすれめ」（「富緒川之篇」）のような王仁を詠んで奉った上古の歌の特徴が「事関神異」

あるいは「興入幽玄」と指摘された[63]。

至如難波津之什献天皇、富緒川之篇報太子、或事関神異、或興入幽玄。但見上古歌、多存古質之語、未為耳目之翫、徒為教戒之端。[64]

「難波津之什」と「富緒川之篇」のどちらが「興入幽玄」にあたるものであろうか。これについては議論がある。とりわけ「富緒川之篇」が『日本霊異記』上巻第四話に記録されたため、「富緒川之篇」が「事関神異」に、「難波津之什」が「興入幽玄」にそれぞれ対応すべきと主張する人が多いようであるが[65]、ここでは「興入幽玄」を「難波津之什」と「富緒川之篇」の共通する特徴として考える。つまり、「富緒川之篇」を「幽玄の歌」として考える。その理由は、「難波津之什」は「おほさざきの帝をそへたてまつれる歌」という「そへ歌」として「仮名序」に残されているが、「富緒川之篇」は〈幽玄〉の言葉とともに「仮名序」では削除されたからである。「富緒川之篇」が歌ったのは、偶然に出会った飢えに苦しんだ人々を救済した聖徳太子の善行である。〈幽玄〉という中国的・仏教的な言葉を用いて、中国の制度や仏教の導入者として知られた聖徳太子の高尚たる道徳を褒め称えることは、中国の古典に親しい学者による適切な考究の作であるが、和歌の自律性を求める紀貫之から見れば、聖徳太子という人および〈幽玄〉という言葉は中国的色彩が強すぎたのかもしれない[66]。

「興入幽玄」の〈興〉はただ内容を表す趣旨のみならず、「和歌の六義」という和歌の創作方法の一つとして考えることも可能である。「詩の六義」は、中国儒教の経典「四書五経」の一つである『詩経・序』に初出した漢詩の分類であり、すなわち〈風・雅・頌・賦・比・興〉のことである。この〈風・雅・頌・賦・比・興〉の解釈には異なる見方も存在するが、通説となった最も有名な「毛詩学派」の注釈によれば、詩歌の内容によって区分された〈風〉〈雅〉〈頌〉はそれぞれ、教化と勧戒の意味を含む民謡「国風」、各地に流通した諸侯の施策がもたらした天下の盛衰を詠んだ歌謡「大雅・

小雅」、宮廷の祭祀の場面で用いて君主の玄徳を賛美したり祖先や神霊に報告したりする音楽「周頌・魯頌・商頌」のことである。そして、詩歌の修辞法によって区分された〈賦〉〈比〉〈興〉とはそれぞれ、あらゆる事柄をありのまま陳述する、それによって別の物を映すように比喩する、他物によって自らの心を詠み出してさらに鑑賞者にその心を感じさせることである[67]。

特に〈興〉について、『詩経』の選者でもある孔子は『論語・陽貨第十七』に「子曰く、小子何ぞ夫の詩を學ぶこと莫きや。詩は以て興す可く、以て觀る可く、以て羣う可く、以て怨む可し。之れを邇くしては父に事へ、之れを遠くしては君に事ふ。多く鳥獸草木の名を識る（子曰、小子何莫學夫詩。詩可以興、可以觀、可以羣、可以怨。邇之事父、遠之事君、多識於鳥獸草木之名）」[68]と、詩における第一の基本的機能としており、『詩経』にもこの類の歌を最も多く収録している。日本の場合もほぼ同じである。この技法によって作られた歌は「仮名序」に和歌の「六様」の一つである「たとへ歌」（他の五様はそえ歌・かぞえ歌・なずらえ歌・たとえ歌・ただこと歌・いわい歌）にあたるとされ、『古今和歌集』に収録された歌の大部分を占めた[69]。言い換えれば、この人間の感情を表現することに重きを置く〈興〉の歌は元々和歌の主流であり、『古今和歌集』以降、さらに和歌の本質的なものと規定されている。

「興入幽玄」とは、すなわち創作者と鑑賞者の双方が和歌という仲介の共感作用を通じて共に〈幽玄〉の境地に入ることである。創作者は美的観照において〈興〉という想像の働きを通じて、自らの感情や生命を外在の物ないしある場の雰囲気に移入し、もともと物理属性しか備えない外在の世界も、これによって生き生きとした人類的情感や生命力を持つようになった。この「心に思ふことを見るもの聞くものに託けて言ひいだせる」（「仮名序」）[70]という〈興〉の働きがなければ、真の芸術が作れない。花鳥風月であれ風花雪月であれ、こういう自然物は科学者の目から見れば、ただ客観的・対峙的に観察すべき対象にすぎないが、芸術家にとっては美的対象となる。芸術家はこれによって、人間と自然の間に立つ壁を越えて、もう一つの「幽玄」の世界を創造するのである。『世説新語』には次のような有名な「雪夜訪戴」の話が記載されている。

王子猷居山陰、夜大雪。眠覺、開室、命酌酒、四望皎然。因起彷徨、詠左思招隱詩、忽憶戴安道。時戴在剡。即便夜乘小船就之、經宿方至。造門不前而返。人問其故、王曰、吾本乘興而行、興盡而返、何必見戴。
（王子猷、山陰に居りしとき、夜大いに雪ふる。眠覺めて、室を開き、命じて酒を酌ましむるに、四望皎然たり。因つて起ちて彷徨し、左思の招隱詩を詠じ、忽ち戴安道を憶ふ。時に戴は剡に在り。即便ち夜小船に乗りて之に就き、經宿して方て至る。門に造りて前まずして返る。人、其の故を問ふに、王曰く、吾本興に乗じて行き、興盡きて返る、何ぞ必ずしも戴を見んや、と。）[71]

雪が大いに降った夜に、王徽之（生年不詳〜三八八年頃）は一人で酒を飲みながら詩を詠じていた。突然、友人の戴安道を思い出し、直ちに舟に乗って戴安道のところへ行こうと決めた。一夜の旅を経てようやく戴安道の家に着いたが、王はそのまま帰ってしまった。人々はその理由を聞き、王は「私はもともと興にまかせて行ったが、いま興が尽きて帰っただけであった。なぜ必ずしも戴に合わなければいけないのか」と答えた。〈興〉が尽きたかどうか、竹を愛する風流な書道家王徽之は功利的・現実的・道徳的・科学的な態度を持つのではなく、まさに芸術的な態度で自らの人生や行為を表現の媒介として、この〈興〉の働きによって美的体験を追求して人生の芸術化を実現することができたのである。

『古今和歌集・真名序』以降、この「興入幽玄」という表現も、影響力を持つ文芸批評の用語として継承され、さまざまな場合で使われてきた。中でも、最も類型的に使用されたのは、漢詩のみならず管弦の楽にも優れた藤原宗忠（一〇六二〜一一四一）の『中右記』である。五十二年間に亘って長く記録した宗忠のこの日記における「興入幽玄」の表現は次の五カ所である[72]。

寛治八年八月十五日　于時雲収天未月明、池上絲竹之調、興入幽玄。[73]

永長元年四月九日　今明内御物忌也、入夜參内之次行向治部卿亭、月前談事渉倭漢、興入幽玄也。[74]

永長元年四月廿八日　予拍子、兼俊和琴、蔵人少将琵琶、知定歌今様、律呂、催馬樂、曲物、興入幽玄。[75]

永長元年五月三日　晩頭參女院、次行向治部卿亭、左少辨不期而來會、語渉倭漢、興入幽玄、已及暁更歸家。[76]

嘉承元年十二月十六日　于時丑刻許也、雲晴月明、歌笛之聲興入幽玄。定有神感歟。[77]

いずれも音楽の加入あるいは中国のことを話すことによって、通霊（シャーマン）による芸術的・宗教的境地を感じた場合に使用されていたことがわかる。当時、宗忠のような風雅な「和魂漢才」にとって、海を隔てるはるか遠い向こう側にある「中国」は多少神秘的な色彩を帯びる幻妙の理想国であったろう。宗忠は〈興〉における想像の力によって、遥遠でありながら絵画や詩文という共通の教養を通じて親しくなったもう一つの想像世界である中国へ〈逍遥遊〉〈臥遊〉していったのである[78]。

2　日本における〈幽玄体〉の成立

さて、この国の権威を持って認定された和歌の指導書に求められた宗教的・存在論的な境界である〈幽玄〉に、果たして芸術創作・鑑賞を通して到達することは可能であるのか。さらに芸術作品によってどのように実現されるのか。それは『古今和歌集・真名序』が誕生して以降、追究される課題となり、芸術家・芸術理論家らはこの抽象的・形而上的な理念をどのような具体的・形而下的な様式あるいは技法によって表現・解釈するのかという課題をめぐって努力してきた。

その努力は、『和歌体十種』（壬生忠岑仮託、九四五年）から始まる。壬生忠岑（八九八～九二〇）は紀貫之に師事し、『古今和歌集』の編纂者の一人として知られている。この忠岑の仮託本と考えられた『和歌体十種』には和歌の風体が十種に分けられ、中でも高情体は古歌体・直体・比興体・神妙体・余情体・写思体・器量体・華艶体・両方体と並び、「詞は普通であるものの、義は幽玄に入る。和歌において、この高情体は最も上品なものであり、これを超えるものはない。神妙体、余情体、器量体はすべてこれから派生したものである。しかし、これらの体における心の働きは極めて玄妙であるため、区別をつけるのは難しく、後世の識者に委ねるしかない」[79]と評された。そして、高情体の下には、次の五首の歌が置かれた。

冬ながら空より花の散し来るは雲のあなたは春にやあるらむ
行きやらで山路くらしつ時鳥今一声のきかもほしさに
散り散らず聞かまほしきを故郷の花見てかへる人もあはなむ
山たかみわれても月の見ゆるかな光をわけて誰に見すらむ
浮草の池のおもてをかくさずふたつぞ見まし秋の夜の月[80]

これらの例歌はどんな特徴を持つのだろうか。武田元治は岡崎義恵らの考察をまとめた上で、「世俗の世界を離れて自然美の世界に心を遊ばせる態度で詠まれている点が共通する」と指摘し、さらに能勢朝次の「高情といふ語は、俗を離れた高潔な心であり、自然の山水や詩歌の世界に遊神する雅情といふ意味をもつ語である」という解説を引いて「この場合「高情体」の特徴の説明に「義入幽玄」とするのは、歌の心が俗界を離れて深い境地に到達しているという意味で、「幽玄」はその心の深さに関して言われたものではなかろうか」[81]と述べている。ところが、この「義入幽玄」の「義」は「真名序」における「興入幽玄」から転じた表現であり、相変わらず「詩歌の六義」の「義」を指したのか、それとも、「詞」に対置する「義（心）」として、〈幽玄〉の意味的分化を示したのか、直ちに判断することができない。しかし、少なくともここで心詞そのものの区別がすでに著者にはっきり意識されたと言えるだろう。なお、この「義入幽玄」の表現は、藤原基俊（一〇六〇～一一四二）などが歌合の判詞に「詞雖擬古質之体、義似通幽玄之境」[82]というように使用したこともある。

芸術論に初めて「幽玄体」が現れたのは藤原宗忠の『作文大体』（一一〇八年頃）[83]である。この中に「余情幽玄体」という漢詩の分類があり、次のように例詩が挙げられ説明されている。

清風何処隠題、保胤詩云、庶人展簟宜相待、列子懸車不往還。
又、花寒菊点蘘題、菅三品詩云、蘭蕙苑嵐摧紫後、蓬莱洞月照霜中。
是誠幽玄之体也、作文士熟此風情而已。[84]

ここで「幽玄之体」と評された漢詩は二首である。前者は鴨長明の『方丈記』に影響を与えた隠遁文学の先駆的作品『池亭記』を著した慶滋保胤（生年不詳～一〇〇二）の詩である。「清風はどこに隠されてしまったのか」という題に向けて、保胤は百姓らが竹席を敷いて涼しい風が来ることを待つという風景と、荘子『逍遥遊』に記載された列子が風に乗っていくという典故を取り上げ、「庶人（世俗人）」と「列子（私）」、「展簟（求める）」と「懸車（断る）」、「宜相待（積極的）」と「不往還（消極的）」の対比や暗喩によって、「私は清風として列子のように官職を辞めて隠棲するので、もう戻らない」と回答した。『和歌体十種』には「余情体」が「是體、詞標一片義籠萬端」[85]と解釈されたが、これは簡単な言葉を通じて捉えがたい言外の風情を表現した手法であろう。保胤は現在の風景と過去の典故の対比によって、まさに一種の「不急（涼しい風はどうせくるから急ぎない）」と「不帰（風に乗って行くのでもう帰らない）」という字面上に直接述べていないことを言外の意として表わしたのである。後者は菅原道真の孫の菅原文時（八九九～九八一）の詩である。「菊は寒いうちに咲いている」という題に向けて、文時は荒れ狂う風雨に打ち摧かれた紫の蘭蕙という現在の場面から、霜の降りる月夜に見えるような見えないようなはっきりしない神仙が住む蓬莱洞を連想し、紫の蘭蕙を黄色い菊に、花の仙である菊を蓬萊の神仙にそれぞれたとえた。厳密に言えば、前者の技法は〈興〉であり、対して後者は〈比〉であるが、ここでは言葉以外の余情を表したという共通点によって共に〈幽玄の体〉と見なされている。ところが、この『作文大体』は所詮漢詩文の制作参考書であり、ここでの用例も〈余情体〉から完全に分離したものとも言えないため、和歌の領域で規範的な〈幽玄体〉の形成がすでに成されていたと見なすことはできない。

名実共に一つの様式として意識され、確立されたのは、『千載和歌集』の撰者である藤原俊成、および『新古今和歌集』の撰者である藤原定家（一一六二～一二四一）が歌壇を指導した時代からである。ここで、俊成と定家を共に挙げて考察するのは、定家が俊成の子として基俊と俊成の歌道思想を受け継いでいるのみならず、天才的歌人として父俊成が確立した歌道の家である御子左家の権威を全盛させた人物だからである。換言すれば、父俊成が長い人生で悟った歌道の思想はほぼ子定家と共有され、さらにこれらの思想が定家の才能によって理論上も実践上も頂点を迎えたのである。定家の後、御子左家を受け継いで歌壇の中心的な人物となったのは定家の長男為家（一一九八～一二七五）であるが、保守的な理論や凡庸な作風のため和歌の発展を次の段階に高められなかった。為家が死んだ後、歌道の家としての御子左家は二条家・京極家・冷泉家の三家に分かれ、そしてついには断絶した。

俊成が〈幽玄〉に言及したのは合わせて十四カ所あり、その中の十三カ所は歌合の判詞として使用されている（【附録Ⅱ】に収録）。これらは現存する総数二十カ所の俊成の歌合判詞の半数以上を占めるため、俊成にとって〈幽玄〉はかなり重要な批評用語であったと推察される。歌合における判者の役割は何であろうか。ただ勝負を下すという審判ではない。俊成がここで果たしたのは、創作者と鑑賞者の交流を促した仲介的な役割であり、すなわち評者である。一般のモデルでは、創作者は自然や人事など現実世界に触発されて心に浮かんできた一種のイメージを一定の形式によって表現し、鑑賞者はこの形式によって現出する創作者の原体験をイメージに還元して再び味わう。しかし、鑑賞者は自らの人生経験や関連知識の乏しさなどにより必ずしもこれを体得することができるわけではない。

このとき、評者が必要となる。評者としての俊成もまた鑑賞者であり、批評の前にまず鑑賞者と同じように創作者が想像・創造した美的世界に入って創作者の原体験を味わうが、文化的教養があり美的感受能力も優れた人として、一般の鑑賞者を風雅の世界へ導くために、「既に幽玄之境に入る」（承安二年住吉社歌合二十五番、旅宿時雨）[86]というように自らの鑑賞体験を記録したり、「かの黛色迴臨蒼海上といひ、竜門翠黛眉相対などといへる詩おもひいでられて幽玄にこそみえ侍れ」（承安二年広田社歌合二番、海上眺望）[87]というようにヒントを与えたりする。例えば、「武庫の海をなぎたる朝に見わたせば眉もみだれぬ阿波の島山」という実定の歌を初めて鑑賞する時には気づかなかった事象や感覚も、俊成の示唆によって、「黛色迴臨蒼海上、泉声遥落白雲中」という賀蘭暹の「百丈山」や「龍門翠黛眉相対、伊水黄金線一条」という白楽天（七七二〜八四六）の「五鳳楼晩望」を思い出し、さらに泣きながら北の辺塞の地へ嫁いでゆく翠黛紅顔の美人王昭君の姿[88]を目の前に彷彿させて、興味深く感動することもあり得るだろう。

俊成の判詞には、「興入幽玄」や「幽玄の境」という『古今和歌集・真名序』あるいは師事した基俊からそのまま継承した表現のほかに、「幽玄の体」または姿や風体を〈幽玄〉と評した次の七カ所の八首がある。これらはかなり類型的な使い方と言える。

別当隆季：打ち寄するいそべの波の白木綿は花ちる里のとほめなりけり
実定：うちしぐれものさびしかる芦のやの昆陽の寝覚に都こひしも
盛方：漕ぎ出でて御沖海原見わたせば雲居の岸にかくるしら波
浄縁：葛城山菅の葉しのぎ入りぬともうき名はなほや世にとまりなん
西行自歌合：かりくれし天の川原と聞くからに昔の波の袖にかかれる
　　津の国の難波の春は夢なれや芦のかれ葉に風わたるなり
慈鎮和尚：冬がれの梢にあたる山風の又吹くたびは雪のあまぎる
女房：風ふけば花のしら雲やや消えてよなよなはるるみよしのの月[89]

このうち〈幽玄体〉であることから直接に勝ちを下したのは隆季と「女房」の歌である一方、〈幽玄体〉でありながら負けと下したのは慈鎮和尚の歌のみである。しかもこの負けは「自歌合」によるものである。つまり「心詞幽玄の風体なり」と評された慈鎮和尚の歌が負けたのは、自分のもう一首の歌であり、他人のものではない〔90〕。

これらの例歌で特に注目したいのは、「風ふけば花のしら雲やや消えてよなよなはるるみよしの月」という歌である。俊成はこの歌を「よなよなはるるみよしのの月、秋の空ひとへにくまなからむよりもえんに侍らむかしと、面影見るやうにこそ覚え侍れ」（『千百五番歌合』二百七十一番）〔91〕と評し、「艶」という言葉を使用した。この「艶」という表現は、俊成が九十歳というかなり長生きの人生の上に、境遇の変化や理解の進化によって歌道思想に生じた一種の変化であり、『源氏物語』をはじめとする物語文学の影響によって加味されたものである。このような『源氏物語』の受容は彼の晩年の様々なところから見いだせる。

例えば、「白露にあふぎをおきつ草のはらおぼろ月夜も秋くまなさに」という歌に対して、俊成は「幽玄の事に思ひよりて侍れど」（建仁元年八月十五日『選歌合』三十四番、左深山暁月・右野月露涼）〔92〕と評した。この「幽玄の事」として俊成に思い出させたのは、『源氏物語』第八帖「花宴」に源氏が「曇りもせず曇りも果てぬ春の夜の朧月夜に似るものぞなき」と歌った若い姫君と出会って一夜を共に過ごしたシーンであろう。さらに遡ると、この「朦朧月」のイメージは、文字面に大江千里の「照りもせず曇りも果てぬ春の夜の朧月夜にしくものぞなき」（『新古今和歌集・五五』）や白楽天の「不明不闇朦朧月」（「嘉陵春夜詩」）や晏殊（九九一～一〇五五）の「多少哀腸猶未説、朱簾一夜朦朧月」（「蝶恋花」）などの古典と見なされた詩歌に連結し、内容面では唐玄宗と元々は息子の嫁であった楊貴妃との恋の悲歌にも連結している。

清らかな花の香りが漂って月がおぼろにかすんでいる夜に、主人公は抑揚があって美しい歌声を聴いた。この声に魅力されつつ、知らず知らずのうちに声の源に接近し、ひとときでも千金の値があると思えるほど素晴らしい一夜を過ごした。夜が明けると、ぼんやりしていた視覚的感官や理性は戻ってきたが、あの人はすでに不在となった。これは真実であったのか夢であったのか、わからなくなった。「もう一度会いたい、夢でもいい」と思いながら、毎晩、毎晩、夢にあの人の姿をしっかりと思い出して、上は空の窮みまで下は黄泉まで探し続けたが、どちらもただ茫々として果てしなく、見つけることができなかった。「天にあっては願わくは比翼の鳥となり、地にあっては願わくは連理の枝となりましょうと一緒に誓ったのに、なぜ夢までも会いに来てこないの」と恨みながら、一人で宮殿から出た。しかし、夜がしんしんと静かにふけてゆくが、中庭には自分の影以外に何もなかった。月光は寂しくて見れば心が痛み、夜雨は冷たくしてその音を聞けば断腸の思いをした。この霞や霧に半ば隠れた「朦朧月」を媒介として、読者の想像力は触発され、思わず久遠の物語や彼方の世界に空想を馳せる。これによって、一つの非現実的で幻想的な美的情調の世界が面影として形成され、この世界にいる人々は視覚のみならず、五感の調和によって全身的に一種の酩酊感を体感することができた。これはすなわち「幽玄の事に思ひよりて」、〈幽玄〉の境に入ることである。

また「六白番歌合」の判詞や「正治奏状」にも、俊成の歌道思想における『源氏物語』の重視が見られる。「六白番歌合・冬上十三番」の判詞に俊成は、「紫色部、歌詠みの程よりも物書く筆は殊勝之上、花の宴の巻は殊に優ある物なり、源氏見ざる歌読は遺恨の事也」[93]と述べ、「正治二年俊成卿和字奏状」にも敵陣の歌人に「教長も清輔も源氏を見候はず」[94]と『源氏物語』の熟読を要求した。この〈幽玄〉における「艶」の加味は俊成が和歌に対して自らの理想を語った「慈鎮和尚自歌合十禅師跋」にもよく示された。この箇所はいわゆる歌合以外の俊成の第十四の幽玄用例である。

おほかた歌は、必ずしもをかしきふしをいひ、事の理をいひきらんとせざれども、本自詠歌といひて、ただ詠みあげたるにも、打ち詠じたるにも、何となく艶にも幽玄にも聞ゆることのあるべし。よき歌になりぬれば、其詞姿のほかに景氣のそひたるやうなる事の有るにや。たとへば、春花のあたりに霞のたなびき、秋月の前に鹿の聲をきき、垣根の梅に春の風の匂ひ、峯の紅葉に時雨の打ちそそぎなどするやうなる事の、うかびてそへるなり。常に申すやうには侍れど、かの月やあらぬ春や昔のといひ、結ぶ手のじづくに濁るなどいへるなり。何となくめでたくきこゆるなり。[95]

この「艶にも幽玄にもきこゆる事あるべし」という和歌の定義は、俊成が長い探求を経てまとめたものではないだろうか。俊成の場合、代表的理論書『古来風体抄』のタイトルおよびその内容が示すように、〈幽玄〉を上古の歌の特徴を示した作歌の模範とし、この種の古歌の習得を歌人の必須な稽古として特に重要視している。これに対して、「艶にもおかしくもきこゆる姿のあるなるべし」（民部卿家歌合）[96]や「艶にもあはれにもきこゆる事のあるなるべし」（『古来風体抄』）[97]という「艶」の趣味は俊成が晩年に悟った「新風」である。両者が調和した上で、〈興〉や〈見立て〉という技法を通じて、春の花のあたりに霞が棚引く様子を見る、秋の月の前に鹿の声を聞く、垣根の梅に春の風の匂いを嗅ぐ、峰の紅葉に降りかかる時雨を感じるというように、風景に人間の視線や感官や感情を持ち込んで一つの場面に溶け合い、一つの「有我之境」[98]を生成する。さらに、物語世界との連結を通じて、もう一つの言外の美的世界を作り出す。「月やあらぬ春や昔の春ならぬわが身ひとつはもとの身にして」（『古今集・七四七』在原業平）や「むすぶ手のしずくににごる山の井のあかでも人に別れぬるかな」（『古今集・四〇四』紀貫之）のような歌を「何となくめでたく」感じるのは、まさにそれぞれが『伊勢物語』や『土佐日記』という物語の世界に連結しているからである。これらによって和歌に至上の芸術性を実現することができると、俊成は考えたわけである。

　この俊成の歌道思想の基礎は定家に受け継がれ、いっそう明確に究明され実践されている。例えば、古典への模倣と新風への創造の関わりについて、定家は歌論書に次のように、『古今和歌集』『後撰和歌集』『拾遺和歌集』という三代集の熟読を要求した。

> 詞は古きをしたひ、心は新しきを求め、凡ばね高き姿をねがひて、寛平以往の歌にならはば、をのづからよろしきこともなどか侍らざらむ。（近代秀歌）

> 情以新為先（求人未詠之心詠之）。詞以舊可用（詞不可出三代集。先達之所用新古今古人歌同可用之）。風體可効堪能先達之秀歌（不論古今遠近、見宜歌可効其體）。〔中略〕常観念古歌之景気可染心〔中略〕和歌無師匠、只以舊歌為師、染心於古風、

習詞於先達者、誰人不詠之哉。（詠歌大概）［99］

文芸創作には二つのモデルがある。一つは反省的創造であり、歌合に見られるように、まず花や海などの題がつけられ、その題に応じて対象のイメージを意識的に想像し、歌を作ることである。もう一つは直観的創造であり、一つの風景や人事に触発され、湧いてくるインスピレーションによって一首の歌ができることである。極端に言えば、反省的創造には修正を繰り返すという働きが重要である一方、直観的創造には修正というものがないかもしれない。例えば、王安石（一〇二一〜一〇八六）が絶句「泊船瓜洲」を作る際、「春風到」「春風過」「春風入」「春風満」という何度もの言葉の修正を経て、ようやく「春風又綠江南岸、明月何時照我還」という誰もがよく知る秀でた詩に成った、という話は反省的創造の典型である。対して、王羲之（三〇三〜三六一）が酔態状態で書いた「蘭亭序」はのちに何度も清書しようと試みたが、やはり草稿以上の出来栄えにならなかったと伝えられており、こちらはいわゆる直観的創造の典型であろう［100］。しかし、反省的創造であれ直観的創造であれ、長い修練を通じて蓄えた教養が必須である。これは意識的に発想する際に頼る経験であり、インスピレーションが湧いてきた時の受皿にもなる。「庖丁解牛」という言葉自体が代表する東アジアの芸道思想の根本は、絶え間ない模倣と練習を通じて昔の詩聖や歌聖が到り得た境地へ到達すればよいというのではなく、前人未蹈の新しい美の境地を創造するために必須のプロセスということである。歌道において、定家が説いた「詞は古きをしたひ、心は新しきを求め」というのは、まさに古典への模倣を通じて創造的な想像を身につけようということであろう。

また、物語への重視についてもそうである。定家自身はもともと、異国情緒にあふれる、今日ならば浪漫主義の幻想的な小説と定義できるほどの『松浦宮物語』を著した物語の作者である。この中から、神秘的な唐への憧れ、唯美な恋を追求するための倫理の犠牲、芸術的な通感の境地などが十分に読み取れる。加えて、定家は室町時代半ば以降主流となった「青表紙本」の『源氏物語』の校訂者でもある。彼の代表作になっている「大空は梅の匂ひに霞みつつ曇りも果てぬ春の夜の月」（『新古今集・四〇』）、または「春の夜の夢の浮橋途絶えして峰に別るる横雲の空」（『新古今集・三八』）という有名な歌はまさに『源氏物語』の「花宴」と「夢浮橋」からイメージや本歌を取り、和歌世界と物語世界との連動・合奏を実現したものである。

では、歌合にて文芸批評用語として俊成に多く使用された〈幽玄〉について、定家はどのように理解して使っていたのだろうか。まず歌合判詞に〈幽玄〉と評された歌は次の四例五首である（【附録Ⅱ】にも収録）。

玉津島海人：万代を山田の原のあや杉に風しきたてて声よばふなり
三輪山老翁：流れ出てみ跡たれます瑞籬は宮河よりやわたらひのしめ
顕昭：なきまさるおのが声にやきりぎりす深ゆくよはの程をしるらん
釈阿：月はこれあはれを人につくさせて西へつひにはさそふなりけり
　故郷にひとりも月を見つるかな姨捨山をなに思ひけん
高倉：里はあれて伏見の秋を来てとへば月こそやどれ浅ぢふの露〔101〕

これらの歌はいずれも現世ではない異次元の神界のことを描いた歌であり、判詞に使用されたのも「興入幽玄」「幽玄之詞」「心尤幽玄」「入幽玄之境」という伝統を踏襲した極めて模範的な表現である。とは言え、ここでの「釈阿」の歌は特に注目してほしい。

なぜならば、「釈阿」は俊成の法名であり、これらの〈幽玄〉と評された歌の中で負けたのは「月はこれあはれを人につくさせて西へつひにはさそふなりけり」という「釈阿」の歌しかないからである。「釈阿」の相手となったのは「秋の虫の手玉もゆらにおる機をたれ来て見よと野辺の夕暮れ」という歌を詠んだ身分が極めて高い後鳥羽院であるから、負けたのは当然かもしれない。しかし、定家が父俊成の敗けを「左、秋虫仮機婦札札之声、晩野感行人悠悠之望。詞雖為塞北秋雁之行、心深於江南春水之色。其義偏慣于上世、左其体又超于中古。右、寄瞻望於秋月、凝観念於西天許也。幽玄之詞、雖頗異他、勝負之思、更難及左者歟」（千百五番歌合』七百五十一番）[102]と定めた理由は興味深い。これは、後鳥羽院の地位への配慮ではなく、歌の芸術性に基づいた発言としても有りうる。

左（後鳥羽院）の歌は誰も見てこない夕暮れの野にいる旅人の愁いを、閨房で機を織る女の寂しさに喩え、さらに秋の虫の声や機を織る音の加入によって、より一層いきいきとした情調を描き出した。この判詞に定家が説いた「塞北秋雁」と「江南春水」は具体的にどの漢詩に典拠したのかは不明だが、果てしなく広い大陸の北部の空を飛ぶ秋の雁とかすかな風に吹かれて南京の十里秦淮にさざ波が起きた春の水は、それぞれ中国詩歌における孤独と艶麗の代表的な文化記号であることには間違いがない。この歌の技法は「破幽夢孤雁漢宮秋」という戯曲に元の馬致遠（一二五〇〜一三二一）が使用したようなものである。馬致遠が歌った「枯藤老樹昏鴉、小橋流水人家。古道西風痩馬、夕陽西下、断腸人在天涯」という一首の小曲「秋思」も、この後鳥羽院の歌と同じような情緒を有したため、中国詩歌史上の古典となった。一方で、俊成の歌は「西」や「あはれ」など「幽玄の詞」を取り上げたが、イメージの表象性が非常に希薄であり、複数のイメージを一首の内に籠めることによって現実や世俗から遠く隔たった美の物語世界を作り出すことに失敗しただろう。もとより創作上も鑑賞上も、美的活動には連想の働きがなければならない。物理的には桜と雪、露と涙とはまったく異質なものであり、現実世界に決してわれわれに混同されることはない。しかし、詩歌ではよく桜を雪、露を涙に見立てることがある。これはすなわち連想の一種である。それゆえ、どのように複数のイメージを〈心〉の総合作用によって一つの有機的な全体に組み合わせ、さらに鑑賞者の連想を掻き立て美的世界へ導くかは歌人が常に念頭に置くべきことであり、詩歌の良し悪しを判断する基準の一つともなっている。両者を比べて、やはり後鳥羽院の歌は俊成が唱えた「艶にも幽玄にもきこゆる」ものであり、〈幽玄体〉のほうに近いであろう。またこの歌の特徴も、定家が『近代秀歌』（一二〇九年）に「幽玄におもかげかすかにさびしきさまなり」と評価した「うづらなくまのの入江のはま風に尾花なみよる秋のゆふ暮」や「ふるさとは散るもみぢ葉にうづもれて軒のしのぶに秋風ぞ吹く」[103]を詠じた俊頼の歌の雰囲気とかなり類似していると言えよう。

そして、確実に定家の手によって成された歌論書と考えられる『毎月抄』『近代秀歌』『詠歌大概』の三部作のうち、〈幽玄体〉を初めて一つの歌体として和歌理論書で挙げたのは『毎月抄』（一二一九年）である。この書簡の形で構成されて和歌の本質論と技術論の記述を含めた歌論書に、定家は〈幽玄体〉を次のように、事可然・麗・有心の三体と共に和歌の基本となるべき姿の一つとして説明している。

もとの姿と申し候は、勘申し候ひし十體の中の、幽玄様・事可然様・麗様・有心體、これらの四にて候べし。此體どもの中にも古めかしき歌どもはまま見え候へども、それは古體ながらも苦しからぬ姿にて候。ただすなほにやさしき姿をまづ自在にあそばししたためて後は、長高様・見様・面白様・有一節様・濃様などやうの體は、いとやすき事にて候。鬼拉の體こそたやすくまなびおほせがたう候なる。それも練磨の後は、などかよまれ侍らざらむ。[104]

この十体の中で、〈拉鬼体〉は高い技術が必要で広大な力強さを内容とするものである一方、〈幽玄体〉などは初心者が必ず習得しなければならない古典的な歌体に属する。しかし、この十体はそれぞれまったく違う内容を持つ分類ではない。さらにここで定家が最高位の様式として位置づけて中心的に説明したのも〈有心体〉であり、〈幽玄〉に関しては次の断片的な記述しか残していない。

さてもこの十體の中に、いづれも有心體にすぎて歌の本意と存ずる姿は侍らず。きはめておもひえがたう候。とざまかうざまにてはつやつやつづけらるべからず。よくよく心をすまして、その一境に入ふしてこそ稀にもよまるる事は侍れ。されば、よりしき歌と申し候は、歌ごとに心のふかきのみぞ申したためる[105]。

さても此有心體は、餘の九體にわたりて侍べし。其故は幽玄にもこころあるべし。長高にも又侍るべし、残りの體にも又かくのごとし。げにげにいづれの體にも、實は心なき歌はわろきにて候。今此十體の中に、有心體とてつらねいだし侍るは、餘體の歌の心あるにては候はず。一向有心の體をのみさきとしてよめるばかりをえらび出して侍るなり。いづれの體にても、ただ、有心體を存べきにて候[106]。

すべて詞に悪しきもなく宜しきも有るべからず。ただつづけがらにて、歌詞の優劣侍るべし。幽玄の詞に拉鬼の詞などを連ねたらむは、いと見苦しかるべきにこそ。されば心を本として詞を取捨せよとぞ、亡父卿も申しおき侍りし。或人の花實の事を歌にたて申すて侍るにとりて、古の歌はみな實を存して花を忘れ、近代のうたは花をのみ心にかけて、實には目もかけぬからと申しためり[107]。

さきにしるし申し候し十體をば、人の趣をみてさづくべきにて候。器量も器ならぬも、うけたる其體侍るねし。或は幽玄の體をうけたらむ人に、鬼拉の様をよめとをしへ、又長高の様をえたる輩に濃體をよめとをしへむ事は、何かよかるべき。[108]

これらの記述から、定家は〈様〉と〈体〉を区別して使用しているようである。〈幽玄〉の場合、〈幽玄体〉と〈幽玄様〉の両方ともあったが、〈有心〉の場合は〈体〉だけに結びついた。換言すれば、定家にとって、和歌というものは〈有心体〉でなければならないのであり、この〈有心体〉の上に様々な〈様〉（風格）が存在すると考えられる。定家は古典の熟読を通じて経験的な知識を十分に蓄え、そこから歌詞を取捨するという技法の〈花〉を支持する一方、〈こころ〉や〈実〉（美的感動）を作歌の根本として要求したのである。そうしなければ、「幽玄の詞」あるいは「拉鬼の詞」を華やかに作っても、良い歌にならない。老子が説いた、いわゆる「學を爲せば日に益し、道を爲せば日に損ず（爲學日益、爲道日損）」（忘知第四十八）[109]となる。

定家が『毎月抄』において〈幽玄〉に関して論じたことは以上のようなものであり、非常に限られたものである。「去元久頃、住吉参籠の時、汝月あきらかなりと、冥の霊夢を感じ侍りしによりて、家風にそなへんために、明月記を草しをきて侍事、身には過分のわざとぞ思給ふる」[110]と定家自身が述べており、日記『明月記』のほかに歌論書『明月記』を残したようであるが、残念ながらこちらは現存していない。それゆえ、『毎月抄』に基づいて〈幽玄体〉を完全に把握するのは不可能である。しかしながらまさにこの理由により、後代の諸家は自分の理解に基づいて〈幽玄体〉を別の位相で解釈することができたのである。

3 幽玄体に関する日本中世諸家の解釈

〈幽玄体〉の解釈に関して、最も影響力を持つのは、おそらく鴨長明（一一五五〜一二一六）の『無名抄』（一二一一年）であろう。『無名抄』において、鴨長明はまず当時の歌人を「中比の体を執する」という中古派と「この比様を好む」という新風派に分けた。そして次のように、清輔・頼政・俊恵・登蓮が代表とする「中古派」が、定家を中心とする「新風派」に「達磨宗など云ふ異名」をつけたり、彼らの「更に古風に帰りて幽玄の体を学ぶ」という主張を「目を驚かして譏り嘲け」たりしたことを紹介した。

ここに今の人、歌のさまの世々によみ古されにける事を知りて、更に古風に帰りて幽玄の体を学ぶ事の出来る也。是によりて、中古の流れを習ふ輩、目を驚かして譏り嘲ける。然共、真には心ざしは一なれば、上手と秀歌とはいづ方も背かず。いはゆる清輔・頼政・俊恵・登蓮などがよみ口をば、今の人も捨て難くす。今様姿の歌の中にも、よくよみつるをば謗家も譏る事なし。えせ歌どもい至りては、又いづれも宜しからず。中比のさしもなき歌を此比の歌に並べて見れば、化粧したる人の中にあさ顔にて交れるに異ならず。今の世のいともよみおほせぬ歌は、或はすべて心得られず、或はにくいげ甚し。されば一方に偏執すまじき事にこそ。[111]

長明によれば、「中古派」の体は学びやすいが、秀歌は詠み出し難い。それは「古い言い回し」の使用によって風情ばかりを追求したからである。一方で、「新風派」の体は学び難いが、その心をよく理解すれば詠み出しやすくなる。和歌の各要素の調和によって全体の風情を追求したからである。この両派の特徴はまるで「化粧したる人あさ顔にて交れる」ようなものであり、どちらに偏っても受け入れにくい。特に「新風派」を学ぼうとした人に対して、長明は自らの新しい創意がなければその派の華麗な詞だけを真似してもしょせん西施の顰に倣った「あやしの賤女」のようなものとなり、奥深い境地や思想をもっぱら追求してその表象性を失われば「幽玄の境」に到達することもできないと、注意を喚起している。そして、いったい〈幽玄体〉とは何かという問いに対して、長明は次のような有名な解釈した。

すべて歌姿は心得にくき事にこそ。古き口伝・髄脳などにも、難き事どもをば手を取りて教ふばかりに尺したれども、姿に至りては確かに見えたる事なし。いはむや幽玄の体、まづ名を聞くより惑ひぬべし。自らもいと心得ぬ事なれば、定かにいかに申すべしとも覚え侍らねど、よく境に入れる人々の申されし趣は、詮はただ言葉にあらはれぬ余情、姿に見えぬ景気なるべし。心にも理深く詞にも艶極まりぬれば、これらの徳は自ら備はるにこそ。たとへば、秋の夕暮れ空の気色は、色もなく声もなし。いづくにいかなる故あるべしとも覚えねど、すずろに涙こぼるるごとし。是を心なき者はさらにいみじと思はず、ただ目に見ゆる花・紅葉をぞめで侍る。又、よき女の恨めしき事あれど、言葉には現さず深く忍びたる気色を、さよなどほのぼの見つけたるは、言葉を尽して恨み、袖を絞りて見せんよりも、心苦しう哀深かるべきがごとし。又、幼き者などは、こまごまといはすより外は、いかでかは気色を見て知らん。この二つの譬へにぞ、風情少なく心浅からん人の悟り難き事をば知りぬべき。又、幼き子のらうたきが、片言してそれとも聞えぬ事いひ出たるは、はかなきにつけてもいとほしく、聞き所あるに似たる事も侍るにや、此等をばいかでかたやすくまねびおし、定かにいひもあらはさん。只自ら心得べき事なり。又、霧の絶え間より秋山を眺むれば、見ゆる所はほぼかなれど、おくゆかしく、いかばかり紅葉わたりて面白からんと、限なく推し量らるる面影は、ほとほと定かに見んにも優れたるべし。すべて心ざし詞に現われて、月をくまなしといひ、花を妙なりと褒めん事は何かは難からん。いづくかは、歌、ただものをいふに勝る徳とせん。一詞に多くの理を籠め、現さずして深き心ざしを尽す、見ぬ世の事を面影に浮べ、いやしきを借りて優を現し、おろかなるやうにて妙なる理を極むればこそ、心も及ばず詞も足らぬ時、是にて思ひを述べ、僅三十一字が中に天地を動かす徳を具し、鬼神を和むる術にては侍れ。[112]

「古き口伝・髄脳」とは、別名「俊成口伝」ともいわれる源俊頼によって書かれた歌論書『俊頼髄脳』のことで、ここで長明が説明している「幽玄体」というものは明確に記載して説明されたものではなく、自らが理解した「よく境に入れる人々」が述べたものであるとわかる。この「よく境に入れる人々」は前後の文脈から挙げた象徴的な説明から見ても、俊成・定家の一派を指しているに違いない。『無名抄』が書かれた頃、俊成はすでに他界しており、若いときに「駒とめて袖うちはらふ陰もなし佐野のわたりの雪の夕暮」や「見わたせば花も紅葉もなかりけり浦の苫屋の秋の夕暮」という超一流の歌を作り上げ、歌道の家に育てられた天才として登場した、次の世代の指導者となっていたのは定家である。鴨長明と藤原定家は、長明が七歳年上であるが、ほぼ五十年間は同時代を生きており、ここで長明に強く意識されたのはおそらく定家であろう。ここに挙げた二首の歌にも見られるように、定家の歌の一つの特徴は、目に直接に見える花や紅葉のような華やかな美をそのまま賛美するのではなく、否定や転折というレトリックを通じて寂寥感や無常感のような一種の思想性の美を余情や契機として作り出したことである。これは余情であるから、微かで半ば隠さなければならない。一方で、隠されることによって、その想像力は広々とした野原を馬で駆け回るように無限へ広がることができるようになる。また、幼い子どもは想像力と求知心が豊かで、さらに素直に世界と接触するが、これは〈幽玄体〉の歌の創造メカニズムとよく似ている。長明がそれらに着目し、和歌の発展の系譜において和歌進化の必然的な要求として見なしたのは見事である。

「大和歌は、人の心を種として、万の言の葉とぞなれりける」[113]と紀貫之が『古今和歌集・仮名序』の冒頭に述べたように、和歌発展の最初期において、歌人はその時の自分の素直な心境や感動をそのまま言葉として詠めばよかった。しかし、『古今和歌集』ないし定家の時代になって、それではすでに満足できなかった。和歌の芸術性を深めるためには、表象性を強めなければならない。しかし、和歌は五七五七七という三十一の音節しか用えない。この基本的な形式が定まったことにより、一首の和歌に表現できる内容も限られる。後世の連歌や近代の詩歌改良運動は、言うまでもなくこの形式を打ち破ることを通じて、表象性を強めようとしたが、俊成・定家親子が考え出したのはこの形式を守った上で、もう一つの面影の世界を創出することである。その世界とは長明の言葉で言うならば、「言葉にあらはれぬ余情、姿に見えぬ景気」というものである。では、その世界を創出するために、何をすべきであろうか。定家は譬喩や見立て、本歌取り、掛詞などの具体的な技法によって実現することができると考えた。これらの技法を通じて、創作者としての定家が作った歌は定家の原体験のみならず、白楽天の体験や若い姫君「朧月夜」の追体験でもあるかもしれない。定家は創作者側に鑑賞者としての体験をも導入してそのイメージを複合させ、和歌世界と物語世界をうまく連動させた。そして「共感」という働きによって、鑑賞者側にも共同体験を求める。良い歌はこのような一つの完全な美的体験をもたらすものであり、この美的体験に身を置いた創作者も鑑賞者も感動する。

しかし、問題となるのは長明が〈幽玄体〉を定家の歌体に等しいものとして考えたことである。ここまで考察してきたように、「幽玄の境に入る」ことは『古今集』の要求であり、それを至高の芸術的境地・目標とすることも定家のみならず、当時の歌人の共通な認識でもあった。定家の場合、最も評価したのは〈有心体〉であり、歌合の優劣の判断も〈こころ〉があるかどうか、〈こころ〉が深いかどうかということを根本的な基準としている。したがって、彼の歌体は〈幽玄体〉というより、むしろもっと基礎となる〈有心体〉といったほうが適切であろう。しかし、長明の解釈によって、後世では定家の歌風を〈幽玄体（評価の場合）＝達磨体（批判の場合）〉として理解したことは止むを得ず、それが一般化した。

中立的な立場を示した鴨長明と違って、定家の思想の正統を伝承した秘抄という表向きで書かれた『愚秘抄』『愚見抄』『三五記』『桐火桶』はどうであろう。これらの歌論書は一般に鎌倉時代末期に成立した定家の分流である冷泉家が定家の名に仮託して作したものと考えられているが、荒唐無稽なものとして無視することはできない。なぜなら、これらの本は現存していない定家の歌論書『名月抄』の副本として存在する可能性が高く、当時は真作と一般に信じられ、俊成・定家の歌道思想の発展として後世の「幽玄観」の形成に多大な影響を及ぼしたと考えられるからである。なお、これらの本は〈幽玄〉に言及するところが長く多少煩雑であるため、巻末の【附録Ⅲ】に抄出して比較に供し、ここでは説明の必要に応じて最小限引用したい。

これらの本における一つの目覚しい共通点は、『毎月抄』における定家の十体がここでより多くの体に細分されることである。定家の十体の一つである〈幽玄体〉も、「行雲」と「廻雪」の両体を派生したとされている。「行雲」と「廻雪」はそれぞれ宋玉の「高唐賦」「神女賦」と曹植の「洛神賦」に由来したものであり、いずれも空想上の綺麗な美人を描く詞藻が極めて華麗で浪漫味が溢れた作品である。〈幽玄体〉を象徴的意味が備わる「行雲」や「廻雪」という表現で説明するようになったのは、おそらく「あくるまで露のやどりやおしからむ浅茅がするに残る月影」という歌に対する俊成の判詞に由来するものであろう。俊成はこの歌に対して、「妖艶荊台の夢に入し姿にことならざるにや」（民部卿家歌合・十八番暁月）と評しており、この「妖艶荊台の夢」とは宋玉の「高唐賦」「神女賦」を指している。しかし、〈行雲体〉と〈廻雪体〉と〈幽玄体〉とはいったいどんな関係を持つのであろうか。

『愚秘抄』には、まず〈幽玄体〉について、「行雲、廻雪といふは幽玄本意也。行雲、廻雪は好妓の名也。是やさしく類なき女の姿を見る様ならん歌は幽玄體なるべし」[114]と説明している。これは俊成の「艶にも幽玄にもきこゆる」という和歌の理想に基づいて展開したものであろうと考えるが、本書が正しく俊成を理解したのかあるいは鴨長明の『無名抄』の影響を受けたのかについては、よくわからないのだが、妖艶な美女に喩えることによって、〈幽玄体〉が優美・妖艶な内容を描いた恋の歌であると理解するのは容易である。しかし、この句だけで〈幽玄体〉を内容上の分類なのか、それとも技法上の分類なのかは判断することができない。この譬喩によって〈幽玄体〉は優美・妖艶な内容を表すものであると簡単には言えない。そして『愚秘抄』には、文治年間に後白河院（一一二七～一一九二）の御所で開催された和歌の至極体に関する討論会というエピソードも記載されている。その際、代表的な歌人が何人か出席したが、俊成は歌壇の指導者として最初に発言し、「至極體とは有心體をその歌とすべし、但有心體にも深浅源流の姿侍り。此至極體と申さん歌は、正しき心を先として詞おぼめかず、安らかにつづけなして、さるから打まかせてつづけがたき様にて、面白き所あらんをいふべきかとなん」[115]と述べた。俊成に続いて、麗体を至極体とすべきと発言した顕昭（一一三〇頃～一二〇九頃）のほか、有家・雅経・家隆卿・通具朝臣は皆、〈幽玄体〉を和歌の至極体とすべき寂蓮（一一三九頃～一二〇二頃）に支持した。最後は、後京極摂政殿良経が俊成を認めて討論会を閉じたが、これを通じて、当時の人々が理解した〈有心体〉と〈幽玄体〉の関係が窺える。つまり、〈有心体〉と〈幽玄体〉をまったく異なる二体と見なすべきではない。寂蓮などは「深浅源流の姿」がある〈有心体〉から〈幽玄体〉を選出したのであり、寂蓮などから見れば、「俊成（＝定家）」が主張したのは〈有心体〉の至極、すなわち〈幽玄体〉ということである。そもそも寂蓮は俊成の養子定長である。鴨長明の『無名抄』にも新風派の歌人として紹介され、季経（一一三一～一二二一）などの中古派を攻撃した寂蓮の言葉が記載されている[116]。討論会での寂蓮の発言は、俊成を否定する意見というより、むしろ支持するものと見なされるべきであろう。さらに、『愚秘抄』には書道の〈皮肉骨〉の理論を借りて、「鬼拉体・有心体・事可然体・麗体」を〈骨〉、「濃体・有一節体・面白体」を〈肉〉、「長高体・見体・幽玄体」を〈皮〉としている。どのように〈皮肉骨〉を理解すればよいだろう。和歌などの芸術作品を支えて立体的にさせる最も基礎的なものは〈骨〉で、内容を特に重んじるのは〈肉〉で、全体的な姿として表すのは〈皮〉である、と理解できるだろう。このように理解すれば、やはり〈幽玄体〉は主に技法によって作られた姿と理解すべきであると考える。しかし、ここで「強きは骨、やさしきは皮、愛あるは肉なるべし」[117]という言葉もあるため、〈幽玄体〉の美的風格はそんなに強くなく、かすかで柔らかいということを特徴とするのもわかる。

『愚見抄』や『三五記』でも、「行雲」と「廻雪」の表現をもって〈幽玄体〉を説明しているが、曖昧な『愚秘抄』より一層はっきりしている。『愚見抄』ではまずこれを「行雲・廻雪體と申すは、幽玄の歌にとりての姿也。幽玄の歌の中に、わきて行雲・廻雪といはるるすがた侍り。心幽玄、詞幽玄として兩種あるべし。今の體は詞幽玄にて侍るべきにや」[118]と説明している。ここで〈幽玄体〉には〈行雲〉と〈廻雪〉という二つの重んじるところ、それぞれ異なる様式があるとわかるが、それぞれ重んじるそのところとはいったい何であろうか。「心幽玄」と「詞幽玄」の区別であろうか、すぐには判断できない。一方で、『三五記』には次のように記載されている。

凡今の體に幽玄と申すは、惣じて歌の心詞かすかにただならぬ様なり。行雲廻雪の兩體と申すも、ただ幽玄の中の餘情なり。但、心あるべきにや。幽玄は惣稱、行雲・廻雪は別名なるべし。所詮幽玄といはるる歌の中に、なほ勝れて、薄雲の月をおほひたるよそほひ、飛雪の風に漂ふけしきの心地して、心詞の外にかげのうかびそへらむ歌を、行雲・廻雪の體と申べきとぞ亡父卿申されし。先づ何れの姿と申しながら、是こそ和歌の本意なれとて、初心の時しめしきこえ給ふ體なり。されば歌には、やさしく物柔かなるすぢを冀ふべき事とやらむ。[119]

これはこれまでの考察に一致し、より正鵠を射たものであろう。現世とは違う他次元の神界である〈幽玄〉の世界への到達は、〈興〉という詩歌の基本的な技法によって実現することができる。これは和歌の本質的規定であり、俊成・定家が常に追求したものでもある。これを実現するために、〈もののあはれ〉を知る〈こころ〉を持つのは最も重要であるが、さらに優れたレトリックによっては面影・余情の世界を創作することが可能である。「俊成」はこの言葉の上に漂う面影・余情を作るレトリックを「行雲・廻雪」という譬喩で象徴して説明している。この「行雲・廻雪」とは鑑賞者の想像を圧倒してある明確な方向に導くのではなく、かすかに方向を示して鑑賞者の想像に任せる働きである。さらに、『三五記』に一つの指向性を見いだせるのは、その中に挙げられた例歌である。漢詩はほぼ白楽天のもので、〈幽玄体〉として挙げられた三首の和歌はそれぞれ「三代集」（古今集・後撰集・拾遺集）の収録歌であり、〈行雲体〉〈廻雪体〉として挙げられたのはいずれも『新古今和歌集』の収録歌（秀能三首・俊成女二首・範兼一首）である。これは俊成・定家の考え方に近い。俊成・定家の考えるところでは、〈幽玄体〉は古風の規範である。これに基づいて、新風を作らなければならない。いわゆる「ただ入門幽玄にやさしからむと思ひて、しかもただしくよみ習ふべし。幽玄をすてよとにはあらず。初心の幽玄をれんまの後にも、すてざれとをしふるなりと宣ひき」[120]と『桐火桶』に強調した「初心の幽玄」というものでもある。したがって、俊成・定家が提唱・創造した新風は〈幽玄体〉というより、場合によって〈余情妖艶体〉あるいは〈行雲廻雪体〉といったほうが適切かもしれない。

三　美的理想としての幽玄

1　日本中世文芸における幽玄美の発達

さて、「様式」としての〈幽玄体〉が俊成および定家によって樹立されたことは、美的理想としての〈幽玄美〉も同時に誕生したことを意味するわけではない。西洋の美意識の理論に即して形式を見るならば、歌道における〈心・興〉〈詞・言葉・調〉〈姿・様・体〉という分類はそれぞれ、美意識が成立するにあたって必ず揃わなければならない「内的要素」「外的要素」「社会約定」に対応させることができる[121]。そうであるならば、「心幽玄」や「詞幽玄」の一方に属する歌は、あらゆる場合において必ずしも〈幽玄美〉と言えるわけではない。定家の歌合判詞や和歌理論書にも明らかに見られるように、「詞幽玄」のみを追求して〈こころ〉を失う歌は優れた歌にならない。〈こころ〉と〈ことば〉との合理的な調和（〈心詞相兼〉〈花実相兼〉）による「姿幽玄」は有力者の判定・定義・提唱の上で様式的概念の〈幽玄体〉として確定され、さらに社会に広く受け入れられたからこそ、〈幽玄美〉として成立したのである。つまり、美の典型的な一種類として存在する〈幽玄美〉はただ芸術家の個別的な意識現象や、あるいは美的体験ではなく、特定の時代や社会と密接に関わる共同・共通の美的様式として存在するのである。それゆえ、多くの受け手ないし広い社会性が十分に備わる前に〈幽玄美〉が成立したとは言い難い。

和歌における〈幽玄体〉が文芸の〈幽玄美〉となる過程において、重要な人物は定家である。しかし、この転化は定家本人が成し遂げたものではない。ここまで考察してきたように、俊成や定家が説いた〈幽玄体〉は古典的・規範的な歌体を指すものであり、特にそれを自分の歌体あるいは自分の歌論的理想としたわけではないからである。より正確に言えば、この転化は定家の歌体や歌風が〈幽玄〉と誤解・消化され、追い求められてから始まり、時代の好尚や趣味とも言える優艶の色彩が加わった後の鎌倉時代の末に、ようやく歌壇ないしすべての文芸に浸透する最高の美的理想となったのである。この時代に王朝時代から伝わってきた感覚的・官能的な華麗・艶麗の色彩は、まさに晩年の俊成や定家の提唱によって広がり、「於歌道は定家を難ぜむ輩は、冥加もあるべからず、罰をかうぶるべき事なり」[122]と定家を理想とする正徹の場合に至っては、さらに〈幽玄美＝艶美〉という極限の公式に結実することとなった。以下では、〈幽玄〉を中心に論を展開した歌論とも言える『正徹物語』（一四四八〜一四五〇年頃）を一瞥しよう。

正徹は御子左家の一支流である冷泉家の門人であるため、彼の歌論『正徹物語』は定家の歌論ないし定家の仮託書と一致性があり、継承関係を持っていてもおかしくはない。〈幽玄体〉を「行雲廻雪の体」で説明することはまさにそうである。しかし、「われらは古今を見る時も、此うたのこころはなにとしたる心ぞ。これは幽玄體のうたか、長高體とや申すべきなどあてがふなり」[123]というところが示すように、正徹は〈幽玄〉に対してかなり強い問題意識を持っており、自分なりの理解も存在していたことは見逃せない。上下二巻の『正徹物語』において〈幽玄〉と評された和歌は次の五首である。

生きてよもあすまで人はつらからじこの夕暮をとはばとへかし（式子内親王『新古今集・一三二九』）
忘れてはうち嘆かるる夕べかな我のみ知りてすぐる月日を（式子内親王『新古今集・一〇三五』）

哀れなる心長さのゆくえともみしよの夢をたれかさだめん（俊成女）
やすらひに出でにしままの月の影我が涙のみ袖にまてども（定家）
白妙の袖の別れに露落ちて身にしむ色の秋風ぞ吹く（定家『新古今集・一三三六』）[124]

共通点は、いずれも女性の立場で作った悲しい恋の歌だということである。特に俊成女の歌については、正徹に「極まる幽玄の歌也」と評され、次のような評価を下された。

きはまる幽玄のうたなり。其夜の密事をば、その人と我とならではしらぬなり。ただひとり心ながく待ちいたるをも、人がしらばこそ、ありしちぎりをも夢ともさだめんずれといひたる心なり。いきてよもあすまでのうたも、いひかけたるにはあらず。ただひとりいて、いきてあすまでながらふべきならば、こよひとへかしとなげきたるにて有る也。[125]

自分と相手しか知らない秘密な不倫の愛であるため、もう一度会いたいという気持ちがいつまでも続いて湧いてきて、耐えられないものの、誰にも伝えられないし、直接に言葉を通して心を発して詠ずることもできない。その気持ちが顔にも言葉にも深く隠されるが、〈もののあはれ〉を知る人であれば、なんとなく眉から読み取れることができる。この深く隠され、〈こころ〉を通じてしっかり味わわなければ感じられない感情体験こそが、すなわち〈幽玄美〉である。この〈幽玄美〉は「月にうすぐものおほひ、花に霞のかかりたる」[126]や「山の紅葉に秋の霧のかかれる」[127]様子であり、「南殿の花の盛りに咲き乱れたるを、きぬ袴著たる女房四五人眺めたらん」や「空に雲のたなびき雪の風に飄ふ」[128]風情でもある。いずれの譬喩にせよ、こういう気象という視覚的契機の隔たりによって、もともと優位的感官である視覚で捉えるべき対象は、人々の想像力やほかの劣位的感官に委ねなければならない。それゆえ、この場合、想像力はより遠いところまで辿り着くことが可能となり、感受力もより敏感となる。しかし、この隔たりの作用によって作られた本意や本情との距離感は、この想像力や感受力を延長させるかどうかの成否を決める。距離が遠すぎると鑑賞者は創作者の本情を完全に感じ取ることができない。一方、距離が近すぎると想像力によって生じた美は失われる恐れがある。この「距離的矛盾」をうまく解消した「不即不離」こそが理想的なモデルであり、〈幽玄美〉の構造を支える、欠けてはならない重要な要素でもある。

また正徹の場合、〈幽玄体〉は〈余情体〉と区別しながら、共通の部分もあるとしている。共通点は〈有心（＝「ものあはれなる體」）〉を基礎とするところにあり、相違点はすなわち〈幽玄体〉における「妖艶」の色彩である。そして、正徹は〈幽玄体〉を定家の独特な〈余情妖艶体〉と完全に理解していることが、次の一文からわかる。

> 幽玄體の事、正しくその位にのりいて納得すべき事にや。人のおほく幽玄なる事よと云ふをきけば、ただ餘情の體にて、さらに幽玄にはあらず。あるはものあはれなる體などを、幽玄と申すなり。心得べし。つらぬきも、ものづよき歌のほどはよみ侍りしが、幽玄抜群のほどをばよまずと定家書きたまへり。物あはれなる體をば、歌人のたしなみよむなり。[129]

貫之の歌は明瞭な指向性がある強力なものであるため、「幽玄抜群」とは言えない。しかし、ここで正徹が引用した定家の話は微妙に定家本人の話とは違う。定家が『近代秀歌』に書いたのは「むかし貫之歌、心たくみにたけ及びがたく、詞つよく姿おもしろき様をこのみて、餘情妖艶の體をよまず」[130]である。このように対照して見ることによって、正徹の理解の行き過ぎたところが明らかになる。正徹にとっては、俊成女や定家が作った恋歌が代表する唯美抒情的・華麗感傷的・気分象徴的で典型的な「新古今風」こそが「極まる幽玄の歌」である。

また、この女性的・貴族的な優艶の美しさは、能の舞台表現に基礎づける一種の写実主義をなす〈物真似〉に対峙もしくは補足する抒情的唯美主義をなすものとして、本座田楽の一忠（生没年不詳）、近江猿楽の犬王（生年不詳～一四一三）、大和猿楽の観阿弥（一三三三～一三八四）などに取り入れられた。さらに世阿弥によって「ただ美しく柔和なる體、幽玄の本體也」（『花鏡・幽玄之入堺事』）[131]とやさしく艶な芸の姿として、能楽論に広く論じられ、最大の開花を実現することができた。

今日知られている世阿弥の二十一種の伝書において〈幽玄〉について言及されているのは『風姿花伝』『至花道』『二曲三体絵図』『能作書』『花鏡』『曲附書』『風曲集』『五音曲』『申楽談儀』などであり、とりわけ具体的に論じられたのは体系的な理論書としてまとめた『風姿花伝』と『花鏡』である。『風姿花伝』で「幽玄」がより多く言及されたのは、これが父観阿弥の教えに基づいて世阿弥が記した能の舞台における自らの競争力を確保するための秘伝書である、ということと無関係ではない。世阿弥は『能作書』において次のように、〈幽玄美〉を流派に拘らない、能楽の最も基礎的本風や一種時空を超越した不変的本質として捉えている。

大方、能の是非分別の事、私ならず。都鄙遠近に名望を得る藝風なれば、世以て隠れあるべからず。然れば、能の風曲、古體、當世、時々変るべきかなれども、昔より、天下に名望他に異なる達人は、その風體何れも何れも幽玄の懸を得たり。古風には田樂の一忠、中當頃流の先士観世、日吉の犬王、是れ皆、舞歌幽玄を本風として三體相應の達人也。その外、軍體・砕動の藝人、一旦名を得ると雖も、世上に堪へたる名聞なし。さる程に、誠の幽玄本風の上果の位は、時々當世によりても、見風變るまじきかと見えたり。仍て、幽玄の花種を本風として、能を作書すべし。返々、上代末代古今、年々去來に、藝人の得手得手様々なりと雖も、至上長久に、天下に名望を得る為手に於ては、幽玄風のみなるべし。古名をば聞及、當代をば見分して、都鄙一同の名を得たらん藝人に、得手の證見、幽玄の花風を離るべからず。[132]

能楽における〈幽玄美〉の重要性に関する世阿弥の認識はどこから得たものであろうか。まずは観阿弥から教えられたことがあげられる。世阿弥は観阿弥が三十歳ころにもうけた子であり、観阿弥が亡くなった時、世阿弥はまだ二十二歳であった。ちょうど「時分の花」を失ったばかりで「一期の芸能」がまだ定まっていない変声期である。能という上演芸術は和歌などに比べ、観客とより一層密接な関係を有している。換言すれば、能楽は時代や観客の趣味に深く関わっており、実際の上演で観客の心を確実に掴むことができるかどうかは極めて重要である。危機を迎えた世阿弥が父の知恵や成功からこれを乗り越えようと必死に探求したのが、すわなち〈幽玄美〉である。大和から京都へ進出する以前、群小猿楽の一つにすぎない山田猿楽を行っていた観阿弥は物真似に力を入れればよかったかもしれない。しかし、京都へ進出して観客層が変ずるにつれて、優雅や風流を追求する貴族的趣味を満たすため、犬王の近江猿楽が特に重んじた舞歌の華麗を中心とする能の〈幽玄美〉をも重視するようにならなければならない。これは世阿弥が、大和猿楽の特徴を「物まね・儀理を本として」強くて激しい振舞いの演出とする一方で、観阿弥が名声の絶頂期を得たのは「静が舞の能、嵯峨の大念佛の女物狂の物まね」という「幽玄無上の風體」をうまく演出したからである（「第五、奥儀云・二」、「序段」）[133]と『風姿花伝』や『申楽談儀』で述べたり、『能作書』や『二曲三体絵図』に「女物狂の風體、是はとても、物狂なれば、何とも風體を巧みて、音曲細やかに、言振舞に相應して、人體幽玄ならば、何とするも面白かるべし」（「二」）[134]や「女體の舞、ことに上風にて、幽玄妙體の遠見たり」（「女舞」）[135]と、女体や歌舞に特に〈幽玄〉の風情を強調したりした所以である。

次に、世阿弥自身が少年時代に経験で体得したことからであろう。観阿弥の結崎座の地位をしっかり安定させるためには、幕府将軍足利義満（一三五八～一四〇八）や関白二条良基（一三二〇～一三八八）の眷顧と支持を決して離さないことが必要であった。薄い化粧をするだけで美しく見える少年役者の世阿弥は、当時有名な美童であり、男童の可憐さや美しさが賞玩された時代の好尚には、結崎座の強力な切り札であっただろう。この時の世阿弥は「時分の花」として能の舞台に咲いていたのみならず、蹴鞠や連歌などの教養もしっかり身につけており、良基から藤若の名を得たり義満に宴会に招かれたりして、貴人らの寵愛を一身に集めていた。それゆえ、世阿弥の意識には「まづ童形なれば、何と為たるも幽玄なり」（『風姿花伝・十二三より』）[136]ということがあり、さらに「上方様の御意にかなふ」（『至花道・結び』）[137]ために、「樂人の舞にも、稜王、納蘇利など、皆その舞名までにて、舞童は直面の児姿なるが如し。これ則、後々までの藝體に、幽玄を残すべき風根なり」（『至花道・二曲三體事』）[138]というように児童の時にある〈幽玄〉の風根を重視した。さらに「まづ、世上の有様を以て、人の品々を見るに、公家の御起居の位高く、人ばう余に変はれる御有様、是幽玄なる位と申すべきやらん。しからばただ美しく柔和なる體、幽玄の本體也。人體の閑雅なる粧をい、人ないの幽玄なり。又、言葉優しくて、貴人・上人の御慣はしの言葉遣ひをよくよく習ひうかがひて、かりそめなりとも口より出ださんずる言葉の優しからん、是言葉の幽玄なるべし」（『風姿花伝・幽玄之入堺事』）[139]というように、真面目な物真似や稽古を通じて残さなければならないと考えたのである。

最後は庶民の中から発して脈々と継がれてきた猿楽そのものの成長に伴う社会的地位の向上ないし理論化の要求である。『古今和歌集・真名序』には「以此為花鳥之使、乞食之客」というように、歌人を花鳥の使いとすると同時に、乞食の客としている観もある。これを以て能の役者に譬えるならば、宮廷貴族の目にはこの時の能の役者は乞食の客にすぎない。和歌というものは風流を身につけるために必須な教養として、貴人らもその創作に深く参与した。これに対して、能の舞台において貴人らはただの鑑賞者であり、能の舞台に立って真面目に演じようとする貴人は一人もいなかったのである。能と和歌などの芸術の間に創作主体の身分による格差が存在したことは否定できない事実であろう。そのような状況で、通俗的な「乞食の所行」を高尚な「花鳥の使」まで高め、能を式楽として幕府や貴人らの公認を得るためには、貴人らの趣味に応じて風格を調整したり能の芸術性・鑑賞性そのものを深めたりしながら、理論化も行わなければならない。世阿弥は日本最古の演劇論『風姿花伝』をはじめ、特に晩年には著作に力を入れ、合わせて二十種を超えた伝書を残した。これは、そのような理由によるものだろう。また能を理論化しようとするならば、その最も近道は発達していた和歌理論を手本として学ぶことであったであろう。「されば、古きをまなび、新しきを賞する中にも、全風流を邪まにする事なかれ。ただ言葉賤しからずして、姿幽玄ならんを、受たる達人とは申すべき哉」[140]という『風姿花伝』の序にある「姿幽玄」の表現をはじめ、『至花道』における「皮肉骨」や『五音曲』における「性道」（【附録Ⅳ】参照）の理論的解釈の方法などは、いずれも歌論から借りたものである。「行雲」や「廻雪」というような歌論におけるかなり譬喩的・抽象的な表現は、世阿弥の場合、舞曲や女体の艶麗な姿としてうまく消化し、舞台に具体的に表現することができるようになった。

さらに、「幽玄の境に入る」という和歌の芸術的追求も世阿弥は『花鏡』においてすべての芸術にわたる共通な「上果」（【附録Ⅳ】参照）として位置づけ、それを具体的に実現する方法を展開した。世阿弥によれば、能楽も「幽玄の風體」を「第一」としている。舞台で〈幽玄〉を表現することは、すなわち「公家の御起居」や「御有様」の風流・優雅な様子を演出し、詞章や音曲や舞踏や物真似のいずれの方面にも、至極の唯美主義としての〈幽玄美〉を追求することである。物真似とは人物の典型性を追求して表現することであるものの、世阿弥の能楽はこれに留まるのではなく、「上臈・下臈、男女、僧俗、田夫野人、乞食非人」それぞれの人体の〈花〉をいつまでも追求することも忘れてはならないとしている。これはまことに能という上演芸術の特殊性を見いだした見事な洞察である。なぜならば、上演芸術では物語をうまく演出するためにセリフや音曲や舞踏などの総合作用によって〈花〉を表現するとともに、役者の体の〈花〉そのものも表現の媒介となり鑑賞の対象ともなるからである。これは書という芸術ジャンルに共通する特徴でもあるだろう。書の作品では、漢字あるいは仮名で書かれる詩歌は鑑賞されるほかに、個々の文字、さらに一つ一つの筆線そのものも美的対象となっている。唐の書道家、「飲中八仙」の一人である張旭（生没年不詳）が公孫大娘の剣器の舞から草書のヒントを得て、素晴らしい作品をつくったのはまさにこの原理によるのである[141]。

この〈花〉を身につけるために、〈心〉を通じて行ってはならない。近代の人間科学においては人々の精神作用（＝〈心〉の働き）を分析する際、「知」または「情意」に分けてそれぞれを「直観」と「感動」に対置することは慣例であろう。しかし、世阿弥がここで説いた〈心〉は「知」の側面に属する「見る」（あるいはより高次の思想的・心理的な営為としての〈悟〉）もしくは「情意」の側面に属する「感じる」というものだけではない。世阿弥によれば、「姿をよく見するは心なり。心といふは、この理をよくよく分けて、言葉の幽玄ならんためには歌道を習ひ、姿の幽玄ならんためには、尋常なる為立の風體を習ひ、一切ことごとく、物まねは変はるとも、美しく見ゆる一かかりを持つこと、幽玄の種と知るべし」（「幽玄之入堺事」）[142]。つまり、「単なる型の訓練や技法の獲得とは考えられずに精神や心の向上を齎すと了解される」「身を以ての藝術的訓練」[143]というのが、世阿弥がここで説いた〈心〉である。この「身を以ての藝術的訓練」は「見る」と「感じる」のほかに、稽古を通じて「美的ハビトス」を体につける「鍛える」の意味も含んでいる。この〈心〉（＝「美的ハビトス」）を媒介・媒体として、役者は自らの「ミクロコスモス」を世界の「マクロコスモス」に合致させ、神秘的体験である「幽玄の境」へ到達することができるのである[144]。

2　幽玄美の構造

〈幽玄美〉の構造を解明するためには、まず「美意識」そのものの語源的来歴をすこし説明しておきたい。周知のように今日、「美意識」という言葉は一般的にドイツ語「ästhetisches Bewußtsein」の訳語として、新カント学派の一支系であるマールブルク学派の創設者コーヘンの『純粋感情の美学（*Ästhetik des reinen Gefühls*. 1912）』における「天才の生産的意識の根底を貫く法則性を言い当てる語」という定義に由来するとされている[145]。この語が登場して以来、感情移入説をはじめとする心理学的美学のみならず、新カント学派の美学にも中心的な課題として導入され、しばしば論じられてきた。日本においては、大塚保治がコーヘンやフォルケルトの学説が紹介される前に、いち早く「死と美意識」（一九〇二年九月『太陽』）という論文に、これを「美意識に於ける意志の關係の輕重深淺」によって「崇高」「滑稽」「フモール」へ、「其苦痛の有無大小」によって「悲哀」「美（狭義）」「感動」へ分け、歴史上や芸術上の実例を挙げながら説明した[146]。大塚保治の後任者大西克礼はさらに『美意識論史』（角川書店、一九四九年）に詳しい論説を展開し、「美學本來の課題は、「美的なるもの」を、それらの心理的過程の一般性に還元して説明する點にあるのではなく、寧ろ逆にそれらの心的要素の特殊の關係が、結局「美的價値」の原理に統一されることによつて、「美意識」乃至「美的體驗」といふ特殊のものを成立せしめる所以を、究明するところにあるといはなければならぬ」[147]ということに自らの美学研究の目的を置くことによって、美意識を自らの美学的体系を貫く中枢的な概念として『美学』（遺稿、弘文堂一九五九年）に導入し、「美的意識」の作用としての「直観」と「感動」を「必ず同一不二のものでなければならぬ」と見なした。また「「直観即感動」、或は「感動即直観」となるところにこそ、「美的意識」乃至「美的体験」なるものの本質の一面がある」[148]と結論づけた。ここで、大西は心理的美学と形而上学的美学の総合統一を試みようとした。また「感覚・表象・連合・想像・思考・意志・感情」という美意識を組織する個々の心的要素の内在主義的・経験主義的解釈を止揚しようとしたため、「美意識」と「美的体験」を並行的・同義的に取り扱ったのである。竹内敏雄が監修した『美学事典』の「美意識」という項目の執筆者木幡順三は「美意識は、多くの美学説が、この語を用いると否とにかかわらず、主なる対象として省察するところであるが、心理学的立場では美的態度における意識過程をさし、哲学的観点では美的価値に関する直接的体験を意味する。したがって特に哲学的美学では、美意識の語に伴いがちな心理学的誤解をさけるために、美的体験ということが多い」[149]と両者を区別し、その背後に美学方法論的論争があることを示している。

　新カント学派の美意識にせよ現象学派の美的体験にせよ、これらの活動は大まかに、われわれ人間が外在の自然物あるいは芸術作品を観照・観想する時に突然に生起して不意打ちの感動を与える一種の主体的な心の動き、と言っても差し支えないであろう。〈幽玄美〉はまさにこのような「一種の主体的な心の動き」であり、外在の世界に自らの感情を投射したあるいは共感を体験したことによって生じた美的感動のモデルでもある。先に〈幽玄〉の用例を解釈する際、すでに触れているが、ここでもう一度〈幽玄美〉の原理的構造を簡潔にまとめておきたい。

　われわれ人間が外在的世界と接触する際、内在的世界との交流の仲介的契機となるものには〈興〉という意識的な働きないし芸術創作上の技法がある。〈興〉に基づいてのちに〈寄物陳思〉や〈見立て〉など高階的で複層的な技法も出てきたが、自然美を観照する場合、われわれはこの基礎的・本質的な〈興〉という働きを通じて、無意識のままに周りの風景・景色・景気・場の雰囲気に融け合い、自我の意識的存在を最小限に抑えて客体との一体化の境地に達し、さらに存在の根源へ辿ってすべての現実世界の束縛から逃れ自由自在に遊ぶことによって、一種の美的体験を感じ取る。この存在の根源としての異次元の〈幽玄〉の世界に遊んでいるわれわれは、ふたたび自然を対象や客体として把握して賞玩することではなく、自然に感情や生命を置き入れることによって、世界への共情・合奏を遂げることができた。この時の主客関係あるいは物我関係は、近代西洋に確立された主観としての「私」は再び客観としての対象を捉えるという対立的な図式[150]ではなく、〈天人合一〉という言葉に代表されたような主客の一体化である。この時の〈幽玄〉は単なる視覚的もしくはある種の感官的な対象から与えられたものでもなく、感官間の通感という機能あるいは各感官の調和を通じて、全身全霊がある雰囲気に入る・覆われる・包まれるところに生じた「情動」である。

　しかし、この〈興〉という働きはだれでもいつでも発動するわけではない。〈もののあはれ〉を知る〈こころ〉を持つことは必須である。この〈こころ〉を持つことによって、われわれはまるで美を発見するメガネをかけるように、自然界や現実社会の隅々に実存する風物や人事を美的・芸術的な態度で観賞することができるようになる。そして、自らが体験した美をある形式で表現しようとすれば、この〈もののあはれ〉を知る〈こころ〉以外に、長く「身を以ての藝術的訓練」もなければならない。この両方を揃える上で、「天才」や「霊感」に触発されることによって、自らが体験した美的世界を一つの感情的モデルとして芸術作品に結晶して表現することができるようになる。その一方で、われわれは芸術美を観照する場合、また〈興〉という働きを通じて、現実世界から一定の距離を隔てたもう一つの世界に入り、「カタルシス」のような精神を浄化する効果を感じるのである。

　〈幽玄〉の境に入った人々は、「いづくにいかなる故あるべしとも覚えねど、すずろに涙こぼるるごとし」というように、愉快で思わず感動する。その時を知覚で認知することは難しいと言えるが、必ずしも意識されたら消えるというわけではない。美しい花は確かに儚いが、花が枯れてもまったく消えてしまっても、花の美しさはそのまま記憶に残され、一種の余韻として美的体験を長く持続することは可能である[151]。〈幽玄美〉はこのような微かな余情の美でもある。

3　幽玄美の特質

第二章で紹介したように、美意識の一つとしての〈幽玄〉は、例えば大西克礼に「崇高」の派生範疇と位置づけられたり、草薙正夫には「抽象的、形而上学的な概念としての「幽玄」と、純粋感覚的概念としての「優美」を両極として、その中間においてのみ展開されており、そしてこの両者が結合統一されたものを、「幽玄美」という芸術的理念として捉え」[152]られている。「美（the beautiful）」と「崇高（the sublime）」は西洋近代美学にしばしば論じられた典型的な二つ美的範疇であり、類型である。では、〈幽玄〉はどちらに帰属させるべきであろうか、あるいはこれらの美的範疇とどのような共通点や相違点を持つのであろうか。以下では、この二つの美的範疇、とりわけ「崇高」の成立史と対照することによって、〈幽玄美〉の特質を明らかにしておきたい。

西洋近代美学史において、「美」と区別しながら「崇高」の美学的範疇化の完成を促した最も重要な哲学者は、アイルランド人のエドマンド・バークとドイツ人のイマヌエル・カントである。イギリス経験論的な立場からバークによって体系的に分析される以前、「崇高」はまず「偉大な文章」や「高尚な文体」という様式的概念の形で偽ロンギノス（pseudo-Longinus）の修辞学的著作『崇高について（*Peri Hypsous*）』に登場した。書簡の形で編まれたこの著作で、偽ロンギノスは「崇高体」を、聴衆を一方的に説得することではなく「驚異」の念を抱かせることによって陶酔させる、偉大な作家の「傑出し卓越したロゴス」としている。彼によれば、「崇高体」を構成する要素には「偉大な思考を形成する力」「強く熱狂的なパトス」「適切な比喩の形成」「高貴な言葉遣い」「威厳と気品に満ちた構文」という五つがあり、前者の二つは生得的なものに対して後者の三つは修練を通じて後天的に身につけられる技術でもある[153]。

しかし、紀元後一世紀ころ成書したと伝えられている『崇高について』は、長い歴史においてほぼ忘れ去られていたことも同じく事実である。この古書が再び人々の視野に入ったのは十七世紀後半のフランス訳が出版されてからのことであり、新旧論争において保守的立場を取ったニコラ・ボアロー（Nicolas Boileau-Despréaux, 1636-1711）は古典派を擁護するためにこの旧い様式的概念を取上げたという背景があったのである。この概念は再発見された際、二つの重要な気運に恵まれていた。一つは貴族や上層の知識人に新しく流行してきた「グランドツアー」であり、もう一つは十八世紀啓蒙主義思潮の高調である。それに伴い、この概念は「大自然のうちで出遭うすべての驚くべき光景が、全能なる神にたいする崇敬・畏怖の念へと昇華されてしまう」[154]という山岳体験を表現する言葉として、美のパラダイムが古典主義からロマン主義へ移行するコンテキストに現れた重要な転換として、人々に重視され理論化されてきたのである。

この歴史的な背景の下、「崇高」という概念を理論的なレベルにまで高めたのは、バークの『崇高と美をめぐる我々の観念の起源にかんする哲学的探究（*A Philosophical Enquiry into the Origin of Our Ideas of the Sublime and Beautiful*, 1757. 1759)』である。この本において、若きバークの狙いは「崇高」と「美」の原理的区分にある。彼によれば、「すべての人類に共通な感情と判断の原理が存在」[155]し、「想像力の産物や洗練された芸術に感銘を受けたり、それらに対して判断を下す精神のひとつあるいは複数の能力のことだけを意味しているもの」[156]、もしくは「洗練された判断力」[157]と定義される「趣味（taste）」も「理性」と同じく普遍的で定まった原理を持つのである。これに基づいて、バークは「生活実践を離れた形而上学的」ではなく、「感覚主義的な経験論」の立場から「趣味の論理学」を構築しようとした[158]。「崇高」や「美」について、彼は人間の精神における「快（pleasure）」「苦（pain）」および「無関心（indifference）」という三つの状態の相互原理を分析することによって、次のような結論を導き出した。

「崇高」の根源となる対象は、人々に「苦と危険の観念を喚起するもの」[159]であり、「苦の観念は快を構成する観念よりも強力である」[160]ため、「ある一定の距離があり、ある種の緩和を伴うなら」[161]、それは「積極的快の観念とも非常に異なっている」「悦び（delight）」をもたらす。このような「自己保存（self-preservation）」という人間の基本的情念によって「苦」や「危険」や「恐怖」から転化された「悦び」を喚起するものは、すなわちバークが説いた「崇高」である[162]。バークに論じられた「崇高」は大きく、精神の状態としての「崇高」、このような状態を喚起する「崇高なるもの」、構成する要素もしくは属性としての「崇高さ」という三つの項目に分けられる。第一に、「崇高」は「恐怖」が作用する程度によって、「すべての動きが停止してしまうような魂の状態」で最高度の効果としての「驚愕（astonishment）」あるいは「もっと程度の低い効果」としての賞讃、畏敬、尊敬とも言える[163]。第二に、「崇高なるもの」は対象の視覚にとって、恐ろしく外形が巨大であるもの（例えば、あらゆる種類の蛇や毒をもつ動物や大海）、不明瞭で曖昧なもの（例えば、幽霊や悪鬼あるいは絵画より詩）、「何らかのかたちで力が姿を変えたもの」（例えば、犬の対立面としての狼）[164]。第三に、「崇高さ」は全面的な「欠如性（privation）」（虚空・暗闇・孤独・静寂）、極端に大きな広がりあるいは小ささ、「無限性（infinity）」、部分の「連続性（succession）」や「画一性（uniformity）」、容積の大きさ、困難さ、「壮麗さ（magnificence）」、陰鬱さ、唐突さなどである。

これに対して、「美」は「崇高」と対照的なものであり、「愛もしくは愛に似た情念を喚起する、物体のひとつもしくは複数の性質を意味する」[165]ものとしてバークに定義された。この「愛」において求めようとする立場から、彼は「美」たらしめる原因が「均整（proportion）」「合目的性（fitness）」「完全性（perfection）」であるという伝統的な説を否定し、「美はその大部分が、物体がもつ性質として、感覚の介在によって人間の精神に機械的に働きかける」[166]として、その美しさを「小ささ（small）」「柔らかさ」「滑らかさ（smoothness）」「漸進的変化（gradual variation）」「繊細さ（delicacy）」「色彩の明るく晴れやかさ・穏やかさ・変化の豊富さ（tohave its colours clear and bright）」「優雅さ」「すばらしさ」「もっともらしさ」などを挙げて説明した。

その一方で、イギリス経験論哲学と大陸の合理論哲学を体系的に総合し、「コペルニクス的転回」という大きな哲学的業績を残したカントの哲学では、「崇高」と「美」がどのように論じられてきたのか。しばしば指摘されるとおり、「崇高」に関するカントの思想にはバークからの影響があり、カントの体系的分析はある程度、バークの鋭い人間観察に基づいて立てられたものである。しかし、第三批判において学術的・哲学的・形式的に演繹する前に、カント自身にも「美と崇高にかんする観察（Beobachtungen über das Gefühl des Schönen und Erhabenen. 1764）」という明快なエッセーがある。この中で、カントは「崇高」と「美」を、人間を感動して快適と思わせる仕方が根本的に異なる二つの「高雅な感情」として位置づけ、徹底的に区分を対照化した[167]。

「崇高」として挙げられたのは主に、「雪をいただく頂が雲にそびえる山岳の眺め」、「荒れ狂う嵐の叙述やミルトンの地獄の描写」によって引き起こされた恐怖を伴った喜び[168]、「神苑の高い樫の木と寂しい影」や「夜の褐色の影を通して」輝いた「震える星の光」や視界にかかっている「寂しげな月」や「夏の夕べの穏やか静けさ」によって生じた人々を「次第に友情、俗世の蔑視、永遠といった高遠な感覚」に引き込むという「ふさわしい強度」を持つ感動[169]、悟性・大胆・慎重・非利己的な奉仕欲・真実・誠実という人格によって生じた友情や悲劇や大きな体格や老年や男性やドイツ・イギリス・スペイン人により多く見られる他者への尊敬である。これに対して、「美」として挙げられたのは主に、「豊かに花咲く草原、蛇行する小川」を伴った「放牧の群におおわれた谷間の眺望」[170]、「エーリュシウムの叙述やホメロスによるヴィーナスの帯の描写」によって引き起こされた「快適な感覚」としての朗らかな笑いかけ[171]、「花壇、低い生け垣、ものの姿に刈り込まれた木々」によって生じた人々に「活動的な熱意と愉快の感情を吹き込む」という魅惑[172]、機知・手管・諧謔・快い媚び・洗練された礼儀正しさ・典雅という人格によって生じた異性への愛や喜劇、小さな体格・若者・女性に対するイタリアやフランス人により多く見られる他者への愛である。

言うまでもなく、カントが取り扱った対象としての「崇高」や「美」はいずれも人間の感情を指すものであり、美的活動を機械的に惹起する対象としての物の属性や要素の意味ではない。このエッセーでは、読者にわかりやすく理解させるために、カントは多くの具体例を挙げている。「美」と「崇高」を中心に論じた『判断力批判』における「美しいものの分析論」と「崇高なものの分析論」では、これらがより一層体系的に説明された。『判断力批判』より先に、カントはすでに『純粋理性批判』と『実践理性批判』にそれぞれ認識能力としての悟性と欲求能力としての理性を用いて、理論哲学と実践哲学の理論的法則を演繹した。それゆえ、批判哲学の体系的補完という意味で、ここでカントが主に狙ったのは、心のもう一つの能力「趣味判断」の原理的な分析であり、さらにこれを通じて自然界と道徳界との架橋を築こうとしたことである。

カントによれば、この「趣味判断」は「バラ一般は美しい」という論理的判断あるいは「このバラは（匂いが）快適である」という感官判断ではなく、「このバラは美しい」という「判断の規定根拠が主観的でしかありえない」主体の快あるいは不快という感情と直接に関わっている美感的判断である[173]。これを質、量、関係、様相という四つの契機・カテゴリーにそれぞれ即して考察すれば、「美」の定義を「関心なき満足」「概念なき普遍性」「目的なき合目的性」「概念なき必然性」と形式上規定される、とカントは考える。他方「崇高」も同じように、論理的判断や感官判断ではなく反省的判断を前提にするものとして、「数学的崇高」と「力学的崇高」に分けられ形式上組織された。「数学的崇高」とは、数学的な意味で「端的に大きいもの」[174]を「崇高」と呼ぶのである。このような「端的に大きいもの」は、「自然の諸物のうちに求められうるのではなく、もっぱらわれわれの諸理念のうちにのみ求められうる」[175]ものである。換言すれば、「崇高とは、それを考えうることだけでも諸感官のあらゆる尺度を凌駕している心のある能力を証明するもの」[176]であり、「真の崇高性は判断者の心のうちにのみ求められなれけばならず、この判定は判断者のこうした心の調和を惹起する自然客観のうちに求められてはならない」[177]。「氷のピラミッドを頂いて、荒々しく無秩序に重なり合う不恰好な山岳群、あるいは陰鬱な荒れ狂う大洋」[178]などを「崇高」と呼ぼうとするのは、われわれがこれらの表象を直観する際、これらの無限性を完全に認識できないため構想力が理性と抗争し、自分が動揺させられるのを感じるからである。「力学的崇高」とは、力学的の意味で自然がその威力でわれわれに恐怖や抵抗の無力さを感じさせるものである。例えば、「急峻な張り出した、いわば威嚇するような岩石、電光と雷鳴をともなって大空に湧きあがり近づく雷雲、すさまじい破壊的な威力のかぎりを尽くす火山、惨憺たる荒廃を残して去る暴風、怒濤逆巻く際限のない大洋、強大な水流の高い大瀑布」[179]などは人間を徹底的に圧倒する威力を持つが、もし安全な場所にいれば、これらの対象はわれわれに「魂の強さを通常の程度を超えて高揚させ」ると同時に、「別の種類の抵抗の能力」をも発見させる。これによって、「自然の外見上の全威に匹敵しうるという勇気」をもらう[180]。

以上のバークないしカントの形式的な規定に自己矛盾や自家撞着のところがあるかどうかはしばらく看過し、彼らが論じた「崇高」ないし彼らの崇高論の特徴に即して〈幽玄〉と比較すれば、以下の要点は指摘することができるのではないだろうか。

第一に、この「崇高体」が美学的に範疇化された歴史的力学から見れば、〈幽玄〉とかなり類似的な背景を持つことは否定できない。〈幽玄美〉が成立する前に、〈幽玄〉も同じく文体的概念として存在したのであり、さらにこの〈幽玄体〉も「崇高体」と同じように古典的な様式として俊成・定家に取り上げられた後、他者に「余情妖艶体」と誤解・解読されたため、時代の好尚の〈幽玄美〉となったのである。しかし、ここで見逃せないのは、この形成過程における山岳体験の逆転と異質さである。つまり、「崇高」は「崇高体」から「山岳体験としての崇高」を経て「崇高美」となったのに対し、〈幽玄〉は「自然感情としての幽玄」から〈幽玄体〉を経て「幽玄美」となったのである。

第二に、「幽玄なるもの」と「幽玄さ」という方面について、「崇高」と共通点があることも認めざるを得ない。特に社会の一般的な美的理想となる前の〈幽玄〉、例えば藤原俊成に〈幽玄〉と判定された和歌には、描かれた対象はだいたい「菅の葉・散る桜・白木綿・芦・柳の木陰・枯れの梢・野の草」という植物、「ほととぎす・鴫・鶉」という動物および「波・海・川・暮れた日・月・露・雲」という自然の風物、という三種類からなる。いずれも感官に積極的な快を惹起するものではないが、「数学的崇高」や「力学的崇高」というようなわれわれの「構想力」を凌駕するものでもない。日本の風景、少なくとも〈幽玄美〉を創造した貴族ら（＝文化の創造階層）の目線には、この端的な大きさや圧倒的な力を持つものはなかったのであろう[181]。〈幽玄美〉が形成した後、例えば「哀れなる心長さのゆくえともみしよの夢をたれかさだめん」（俊成女）や「夕まぐれそれかと見えし面影の霞むぞかたみ有明の月」（正徹）や「やすらひに出でにしままの月の影我が涙のみ袖にまでども」（定家）[182]など、正徹が〈幽玄〉として挙げた歌からも見られるように、その消極的な苦はすでに仏教の「四苦八苦」における「愛別離苦」や「求不得苦」を表す恋歌として、日本固有の「優美」に完全に消化されたと言える。

第三に、バークであれカントであれ、どちらも崇高の感情の成立における「自己保存」の確保を前提とした「恐怖」の契機を重視し、「崇高」を異質な他者への対抗によって生じた「自我の解放」と見なした。しかし、精神状態あるいは美的体験としての〈幽玄〉は「すべての動きが停止してしまうような魂の状態」と言える一方、決して「恐怖」がもたらした「驚愕・驚異(astonishment)」[183]ではない。存在の根源でもある〈幽玄〉へ帰ることによってわれわれが体験したのは、対象の巨大に圧倒された受動的な「驚愕」というより、むしろ想像力を無限へ馳せられた主動的な「悦び(delight)」であろう。この「悦び」は「美感的量評価では構想力が理性による評価に不適合であることから生じる不快の感情であり、また、その際同時に呼び起こされた快でもある」[184]というより、むしろわれわれがこれらの日常生活に馴染んだ風物に自らの感情や情緒を移入したり、自らの生命を見いだしたりすることによって生じた情動であろう。

第四に、この「恐怖」の程度によって、バークは「崇高」の感情から尊敬・賞讃・畏敬を見いだし、カントも「理性」の介入によって「崇高」に道徳性や尊敬の念を意義づけた。中国における幽玄用例には「聖徳幽玄」という慣用的な言葉がある。この言葉は道徳的評価としての「幽玄」が存在する事実を代表的に示している。また『論語・雍也第六』にも「子曰く、知者は水を樂み、仁者は山を樂む。知者は動き、仁者は靜かなり。知者は樂み、仁者は壽し(子曰、知者樂水、仁者樂山。知者動、仁者靜。知者樂、仁者壽)」[185]というわれわれが馴染んだ格言がある。これを〈中国美学〉の術語で言えば、すなわち「君子比徳」というレトリックである。つまり、暴風など極端な状況にも揺るがない山や厳しい寒さにも負けない菊などを君子の美しい品徳に譬えることである。しかし、この自然物に道徳性を与える趣味が日本でどれほど受容されたのかは疑問である。中国の幽玄用例にも見られた古代中国人の山岳体験や山岳信仰と同じように、日本へ伝来した後、これらは実感としての形ではなく、ただ想像上の〈見立て〉の形で日本へ移植されただけかもしれない。

日本人の「信仰や芸術の源泉」と位置づけられた富士山を例にすれば、すぐわかるだろう。『竹取物語』には主人公「かぐや姫」が月へと帰って(=「幽玄の境」とへ昇仙して)いく際に不老不死の仙薬を富士山に燃やしたというシーンがある[186]。富士山を主題とした民話には、このことが徐福伝説と接続されている。つまり、かぐや姫が仙薬を富士山に残したため、不老不死の仙薬を探せという秦の始皇帝の命を受けた徐福がここ富士山に辿り着いたというわけである。中国では、不老不死の仙薬を埋めるところは泰山や崑崙山であるとされ、長寿を願った秦の始皇帝も泰山へ登って封禅の儀式を行ったと『史記・封禅書第六』に記載されている[187]。この点から見れば、富士山が中国の泰山や崑崙山として〈見立て〉られたと言っても差し支えない。また都良香（八三四？〜八七九）の「富士山記」（『本朝文粋』第十二巻）に記載されているように、富士山の神（浅間神）と伝えられたのは「白衣の美女二人有り、山の巓の上に雙び舞ふ（有白衣美女二人、雙舞山巓上）」[188]のコノハナサクヤヒメとカグヤヒメである。この二人の女神は〈幽玄〉の別名としてしばしば使われた「行雲」と「廻雪」のイメージによく似ているのみならず、「コノハナサクヤヒメ」はまさに「難波津にさくやこの花冬ごもり今は春べとさくやこの花」（「難波津之什」）にも巧みに導入された詞ではないか。この『古事記』や『日本書紀』に天照大神の孫の妻として登場した女神の別名（鹿葦津姫または葦津姫（カヤツヒメ）が本名）を掛詞の形で「難波津之什」に導入され、もう一つの神話・想像の世界を作り出し、紀淑望に「真名序」に「興入幽玄」と評されたのであろう。

また「富士山」をモチーフとして描かれた絵画を見てみよう。現存する最も年代が旧い「富士山図」は秦致貞筆「聖徳太子絵伝」である[189]。画面の右上には聖徳太子が甲斐の黒駒に乗って富士へ昇仙したという『今昔物語集』や『聖徳太子伝歴』にも記載された物語が描かれている。聖徳太子は、善政を施して日本に唐の行政制度や仏教を導入した功績を残した、中国で君主へ上表する際に使われる常套語「聖徳幽玄」として讃えられる人物であろう。その一方で、この作品の作家である秦致貞はどのような人物だろうか。「秦」という苗字は渡来した徐福に由来したとされている[190]。中国文化に親しい渡来人の秦致貞がこの彰子絵を画いたとき、どれほど中国の神仙思想・山岳信仰を有していたのかということは興味深い。おそらく、富士山へ「昇天」した聖徳太子のイメージは、中国の神仙思想・山岳信仰に基づいたものであろう[191]。同様のことは世阿弥が作った能楽「富士山」にも認められる。要するに、日本の固有の民話・伝承と当時の日本人の「中国趣味・中国志向」とがうまく融合し、近代以前の日本人の山岳体験となったのである。この種の山岳体験は実感的というより、むしろ想像的なものであり、ある種の伝承にすぎない。「アルプス越え」

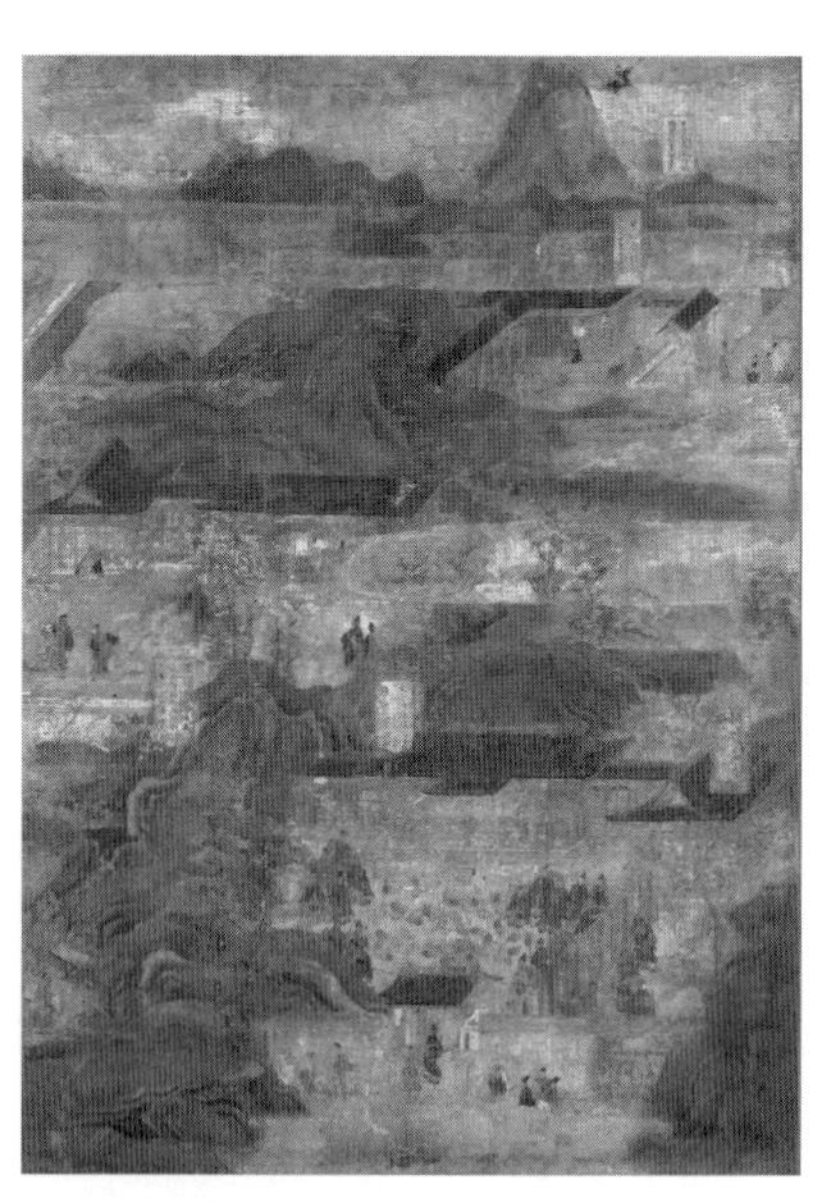

【図Ⅶ】国宝≪綾本著色聖徳太子絵伝≫（第三面）秦致貞筆
189.4 × 137.3cm、1069年、東京国立博物館蔵
（出典：「colbase」https://colbase.nich.go.jp/）

のような驚異を起した実感的な山岳体験は、〈幽玄美〉の形成期の日本においては欠如したものであり、それが一般化したのは、近代地理学が西欧から伝来した後のことである。志賀重昂（一八六三〜一九二七）の『日本風景論』（一八九四年初版）はそのことを物語る代表的書物である。

日本の〈幽玄〉に見いだせる日本人の実感的な体験は、和辻哲郎の言葉を借りて、「モンスーン的」風土がもたらした一種の「受容性・忍従性」に基づいた自然感情と言ってもよいかもしれない。これは「単に熱帯的、単調な感情の横溢でもなければ、また単に寒帯的な、単調な感情の持久性でもなくして、豊富に流れ出でつつ変化において静かに持久する感情」[192]であり、「単に熱帯的な、従って非戦闘的なあきらめでもなければ、また単に寒帯的な、気の永い辛抱強さでもなくして、あきらめでありつつも反抗において変化を通じて気短に辛抱する忍従」[193]でもある。また、「信仰の源」と見なされた富士山の守護神を艶麗な女神としたり、世阿弥の能楽論に女体の至極と見なしたりすることから見れば、〈幽玄美〉を創造した中世日本人は、まさにカントが「美と崇高の感情にかんする観察」を説いたフランス人のほうが近いのではないだろうか。

フランス人は道徳的な美に対する支配的な感情を持っている。「彼は丁重で典雅で愛想良い」、「彼は交際においても実に素早く親しくなり、諧謔があり、とらわれる所がない」、そして、品良き物腰のお方とか御婦人という表現は、フランス人の丁重な感情を身につけた人に対してのみ理解できる意味を持つのである。彼は崇高な感覚を少なからず持っているが、それすら美の感情に従属し、この感情と合致することによってのみ強さを獲得するのである。〔中略〕この民族の功績と国民的能力が、最も関係する対象は婦人である。ここではよそよりもっと女性が愛されたり、評価されたりするということでは必ずしもなく、婦人が、機知や礼節や品の良い作法という大好きな才能を輝かす最良の機会を与えるからである。[194]

おわりに

以上、〈幽玄〉の解明を存在論的、様式論的、美的理想という三つの次元から試みた。この考察を通じて、〈幽玄〉の意味的変遷における次のようないくつか重要な問題を確認することができた。

〈幽玄〉は〈もののあはれ〉などと異なり、その言葉の起源は中国にある。中国では、〈幽玄〉は主に存在論的な概念として使われてきた。その言葉は仏教学者が最初に創造したものではなく、仏典に導入される前、古代中国人の死生観や山岳信仰と密接なものとしてすでに存在していた。場合によっては、山岳信仰における人の昇天・昇仙の象徴とも言える。晋時代以降、この言葉は宗教的・象徴的色彩を満たしたものから徐々に世俗化し、唐になってようやく価値的・評価的意味の用語へ一転した。さらに、「聖徳幽玄」という形で人格美の最高位の賛詞として、君主への上表文の常用句となり、人の学問や文章を評価する際にも使われた。しかし、中国では「美的風趣の一様式」にはまだ及ばなかったことも事実である。この言葉が様式的概念として芸術批評に援用されたのは日本へ伝来した後のことである。

日本における〈幽玄〉の初出は奈良時代の『浄名玄論略述』であり、芸術領域ではじめて使用されたのは『古今和歌集・真名序』である。「真名序」で〈幽玄〉は〈興〉という詩歌の創作方法と結びついた。〈興〉は「仮名序」の「たとへ歌」にあたるとされ、他物によって自らの心を詠み出し、さらに鑑賞者にその心を感じさせる技法を指す。したがって、

「興入幽玄」は、すなわち創作者と鑑賞者の双方が和歌という仲介の共感作用を通じて、共に〈幽玄〉の境地に入ることを要請するのである。「仮名序」においては選者は意識的にこの存在論的概念を削り捨てたものの、漢詩理論の導入や和歌理論の発展に伴い、この概念はようやく一つの様式論的・文体的な概念として成立した。特に俊成・定家系の歌合判詞では、重要な文芸批評用語として運用されてきた。〈幽玄体〉が一つの歌体として初めて明確に和歌理論書で挙げられたのは、定家の『毎月抄』である。定家はこの歌論書で、〈幽玄体〉を和歌の基本となるべき歌の姿の一つとして説明している。定家にとって、〈幽玄体〉は和歌創作の古典的な手本である。彼は古典の熟読を通じて経験的な知識を数多く蓄え、そこから歌詞を取捨するという技法の〈花〉を賛成する一方、〈こころ〉や〈実〉〈美的感動〉を作歌の根本として要求した。ところが、鴨長明が定家の歌風を〈幽玄体〉として理解し、後世の誤解を招いた。ここから様式論的な概念あるいは技法として考えられるべき〈幽玄体〉は内容上の風格として狭く理解され、さらに中世における解釈によってそれらが一般化した。正徹や世阿弥の場合には、〈幽玄体〉はすでに唯美抒情的・華麗感傷的・気分象徴的で典型的な「女性美」や「典雅美」として、それぞれの芸術理論に完全に消化された。

この〈幽玄美〉を形式上から見れば、われわれ人間が外在の自然物あるいは芸術作品を観照・観想する時に突然と生起してわれわれに不意打ちの感動を与える一種の主体的な心の動きと言える。この美的体験において、われわれはふたたび自然を対象や客体として把握して賞玩することではなく、自然に感情や生命を置き入れることによって、世界への共情・合奏・共感・共鳴を遂げたのである。この図式はいわゆる〈天人合一〉というものである。さらに「崇高」の美的範疇化された歴史において、バークやカントが論じた「崇高」に即して見れば、〈幽玄〉と「崇高」とは異なる特質を持つと言える。これは主に山岳体験の欠如によると考える。前近代の日本人の山岳体験は実感的なものではなく、〈見立て〉という機能によって、日本の固有の民話・伝承と当時の「中国趣味・中国志向」とうまく融合したうえで成立した想像的なものだからである。

注

1 『能勢朝次著作集Ⅱ　幽玄論』思文閣、一九八一年、二〇四頁。初出は『幽玄論』（河出書房、一九四四年）である。

2 日本の中世において、批評家、理論家、芸術家など現代的な細分概念は適用しないが、ここでは便宜のため、藤原俊成など幽玄を取扱った人々を「芸術理論家」という。それに対して、近代以降、学術的方法によって幽玄を論じたものを「幽玄論者」という。

3 リチャード・シュスターマン「美学的問題としての「娯楽」」（樋口聡訳）広島大学編『第五三回美学会全国大会当番校企画報告書』二〇〇三年、二五〇頁。

4 『能勢朝次著作集Ⅱ　幽玄論』（前掲注1）、二〇八頁。

5 日本における幽玄の使用例について詳細なまとめを行った先行研究には、赤羽学『幽玄美の探求』（弘文堂、一九八八年）がある。赤羽は時代順として、『宝蔵論』の前に、「悲歌」「正日大会行礼歌」『抱朴子』という三例を挙げた。これは筆者の考察と一致している。また、筆者も先行研究がまだ論述していなかったいくつかの例を発見しており、後文で必要に応じてその一部を掲出する。

6 （漢）許慎撰・（清）段玉裁注・許惟賢整理『説文解字注』鳳凰出版社、二〇〇七年、二八三～二八四頁。読み下し文は尾崎雄二郎編『訓読説文解字』東海大学出版社、一九八六年、八七〇～八七八頁による。以下、注同じ。

7 𠂤部曰、隱、蔽也。小雅、桑葉有幽。毛曰、幽、黑色也。此謂幽爲黝之假借。玉藻、幽衡。鄭云、幽讀爲黝。毛不易字、鄭則易之。周禮・牧人、陰祀用幽牲。守祧、幽堊之。鄭司農皆幽讀爲黝、引爾雅、地謂之黝。今本幽、黝字互譌。从山𢆶。幽從山、猶隱從𠂤。取遮蔽之意。從𢆶者、微則隱也。於虯切。三部。（𠂤部に曰く、「隠は蔽ふ也」と。「小雅」に「桑葉に幽有り」。毛曰く、「幽は黒色也」と。此れ「幽」を謂ひて「黝」の假借と為す。「玉藻」に「幽衡」。鄭云らく、「幽讀みて黝と為す」と。毛は字を易へず。鄭は則ち之を易ふ。「周禮」牧人に「陰祀には幽牲を用ふ」、守祧に「之を幽堊す」。鄭司農皆な「幽」讀みて「黝」と為し、「爾雅」にいふ「地は之を黝と謂ふ」を引く。今本は「幽」「黝」字互に譌す。「幽」山に従ふは、猶は「隠」𠂤に従ひて遮蔽の意を取るがごとし。𢆶に従ふ者は、微なれば則ち隠るる也。𢆶亦聲。於虯の切。三部。）

老子曰、玄之又玄、衆妙之門。高注淮南子曰、天也。聖經不言玄妙、至僞尚書乃有玄德升聞之語。玄を謂也、小則隱。幽遠之意。胡涓切。十二部。此別一義也。凡染、一入謂之縓。再入謂之赬。三入謂之纁。五入爲緅。七入爲緇。而朱與玄、周禮、爾雅無明文。鄭注儀禮曰、朱則四入與。注周禮曰、玄色者、在緅緇之閒。其六入者與。按纁染以黑則爲緅。緅、漢時今文禮作爵、言如爵頭色也。許書作纔。纔既微黑、又染則更黑、而赤尚隱隱可見也。故曰黑而有赤色。至七入則赤不見矣。緇與玄通偁、故禮家謂緇布衣爲玄端。（「老子」に曰く、「玄の又た玄、衆妙の門」と。高「淮南子」に注して曰く「天也」と。聖經は「玄妙」を言はず。僞「尚書」に至りては、乃

ち「玄徳升聞す」の語有り。玄を謂ふ也。小なれば則ち隱。幽遠の意。胡涓の切。十二部。此れ別の一義也。凡そ染むること、一入は之を縓と謂ひ、再入は之を赬と謂ひ、三入は之を纁と謂ふ。五入を緅と爲す。七入を緇と爲す。而も朱は玄と「周禮」「爾雅」に明文無し。鄭「儀禮」に注して曰く、「朱は則ち四入與」と。「周禮」に注して曰く、「玄色なる者は、緅・緇の閒に有り。其の六入する者與」と。按ずるに纁は染むるに黑を以てすれば、則ち緅と爲る。「緅」は漢時　今文の「禮」は「爵」に作り、爵頭色の如きを言ふ也。許書「纔」に作る。纔は既に微黑にして、又た染むれば則ち更に黑く、而も赤は尚は隱隱として見る可き也。故に曰く、「黑にして而も赤色有り」と。七入に至れば、則ち赤見えず矣。緇は玄と通偁す。故に禮家は緇布の衣を謂ひて玄端と爲す。）

8　中国の山岳信仰における昇天・昇仙については、広島大学敦煌学プロジェクト研究センターの代表荒見泰史氏・顧問白須淨眞氏をはじめ、多くの方々から貴重な教示を頂いた。特に荒見氏から敦煌文献および四川・重慶石窟資料における山岳信仰に関する最新研究を紹介され、白須氏から吐魯藩出土文物における昇天図などを案内された。両先生からの示唆を受け、さらに白須淨眞編『シルクロードの来世観』（勉誠出版、二〇一五年）を背景的知識にし、ここであえて以上のように提言した。詳細については荒見泰史「大足宝頂山石窟「地獄変龕」成立の背景について」（『絵解き研究』第一六号、二〇〇二年、一六〜五二頁）および白須淨眞「シルクロードの古墓から出土した不思議な木函――四世紀後半期、トゥルファン地域の「昇天アイテム」とその容れ物」（白須淨眞編『シルクロードの来世観』勉誠出版社、二〇一五年、一〇四〜一二八頁）などを参照されたい。

9　近年の出土文献の研究によれば、「糸」は「万万九千丈」という天と地の距離の象徴として、日中両国の古墓の副葬品リストに多く発見されている。詳細は門司尚之「シルクロードの古墓の副葬品に見える「天に昇るための糸」――五〜六世紀のトゥルファン古墓の副葬品リストにみえる「攀天糸万万九千丈」」（前掲注8、白須編『シルクロードの来世観』、八九〜一二八頁）を参照されたい。なお、これはただ一説であり、落雷などほかの説も有りうるだろう。この点について荒見泰史氏より大変有意義な教示や指摘を頂いた。

10　谷山茂『谷山茂著作集Ⅰ　幽玄』角川書店、一九八二年、九頁。

11　王向遠『日本之文与日本之美』新星出版社、二〇一三年、一〇五頁。

12　中国明末清初の儒学者。元の名を絳、字を忠清という。清になって炎武という名に改め、字は寧人、号は亭林とした。

13　黎輝亮「談古代漢語的同義連文」『海南大学学報（社会科学版）』一九八四年〇一期、六七〜八一頁。

14　中国三国時代魏の詩人、字は子建。曹操の三男として生まれ、のち陳王に封じられ、陳思王とも呼ばれる。建安文学の代表者の一人であり、「詩聖」という評価もある。『三国志・巻十九』には「陳思王植」という列伝が残っている。

15　中国唐代の学者、字不詳。書道家李邕の父。『文選』六十巻を注訳したため、世によく知られた。『旧唐書・巻一八九上』には「儒学上・李善列伝」が残っている。

16 （梁）蕭統編・（唐）李善注『文選』上海古籍出版社、一九八六年、一五七六頁。なお、巻九所収「長尋賦」（陽子雲）にも同じく注釈を下していることがあり、後文には掲出する。

17 中国後漢時代の文学家・科学家、字は平子。世界初の地動儀（地震計）を発明した科学家として、今日によく知られているが、実は彼も優れた文学家であり、「二京賦」や「帰田賦」をはじめ、さまざまな詩賦を創作し、「漢賦四大家」の一人と見なされている。『後漢書』巻八十九には「張衡列伝」（第四十九）がある。

18 （漢）張衡著・張震沢注『張衡詩文集校注』上海古籍出版社、二〇〇九年、二四七頁。

19 荘子が楚に旅をしていた時にあった髑髏との会話を中心とするものであり、髑髏の口で「楽死悪生」の道理を提示した。つまり、「死の世界には、上に主君もなければ下に臣下もない。春夏秋冬の四季の変化もない。ゆったりと身を任せ、天地と寿命を等しくするばかりだ。この楽しさは人の世の天子の楽しさも及ぶところではない」（市川安司『新釈漢文大系・第八巻 荘子（下）』明治書院、一九六七年、四九六頁）ということである。

20 （南朝）范曄撰・（唐）李賢等注『後漢書』中華書局、一九六五年、四五一頁。

21 廃帝として、『後漢書』には専門的に記載している本記がなく、ただ「巻十・后記（下）」の「霊思何皇后」において言及された。実は少帝・劉辨は漢霊帝の嫡長子であり、霊帝の崩御に伴い、何太后とその兄である何進によって幼い年で擁立された。しかし、何進はまもなく宦官集団の「十常侍」との戦いで殺され、劉辨も宮廷から出ることを強制された。そして、「勤王」の名義で洛に入った董卓に握られ、やむをえずに陳留王の弟である劉協（献帝）に皇位を譲ってしまった。結局、反董卓連合が起こった時に、董卓に命じられた李儒によって毒殺された。十八歳の年であった。

22 （晋）陸雲著・黄葵校注『陸雲集』中華書局、一九八八年、七一頁。

23 中国西晋時代の政治家・文学者、字は士龍。兄の陸機と共に「二陸」と称され、祖父と父がそれぞれ三国時代の呉の重臣陸遜と陸抗である。『晋書』巻五十四には「陸雲列伝」（第二十四）がある。

24 戸田浩暁『新釈漢文大系・第六五巻　文心雕龍（下）』明治書院、一九七八年、六二七頁。

25 その「贈顧尚書」に続いて「贈顧彦先五章」という詩文も収録されている。顧彦先は間違いなく顧栄（生年不詳～三一二）のことである。顧栄という人は呉の丞相顧雍の孫、宜都郡太守の顧穆の子であり、字は彦先、若くして呉に仕え、黄門侍郎・太子輔義都尉となった。呉が滅びた後、陸機兄弟とともに洛陽に入り、当時の人に「三俊」と称された。郎中に任じられ、尚書郎・太子中舎人・廷尉正を歴任した。『晋書』巻六十八には「顧栄列伝」（第三十八）がある。

26 （晋）竺道爽著「竺道爽檄太山文」『大正新脩大藏経』第五二冊、大藏出版社、一九三二年、九一頁。

27　竺道爽その人物については『高僧伝』などにも記載されていない。劉凌「竺道爽檄太山文的文化意蘊」(『泰安師専学報』第二一巻第四期、一九九九年、六～一〇頁)によれば、この作は晋安帝義熙十一(四一五)年のものであり、竺道爽は儒・道・仏三教にも詳しい道生の一系の僧侶に該当するべきである。道生(三五五～四三四)は、中国魏晋南北朝時代に活躍した僧である。幼少時から竺法汰に従い出家し、「竺」の姓をつけて竺道生という。仏典を解釈するのが得意であり、道家の理念を仏性の討論・分析に導入することも有名である。なお、『高僧伝』巻第七には「宋京師龍光寺竺道生伝」がある。

28　中国神話上・山岳信仰上の仙人である。西王母が女仙を統率するのに対し、東王公は男仙を統率する。無極先君というのは不明であるが、おそらく仙人の一人であろう。荒見泰史氏の教示によれば、「中国における山岳信仰を解明する場合、『山海経』が重要である一方、その後の展開からとくに西王母信仰が背景に存在することは中国研究上に見直されるべき重要な点である」という。これについて、荒見氏は「信仰における図像とその継承——敦煌古墓画磚と莫高窟壁画における天、山と西王母の描写を中心として」をテーマとして日本道教学会第六九回大会(二〇一八年一一月一〇日於広島大学)に口頭発表したことがある。

29　赤羽『幽玄美の探求』(前掲注5)、二五～二六頁。

30　中国後漢時代の政治家・経学家。字は慈明。『礼』『易伝』『詩伝』などを著述し、碩儒と呼ばれるようになった。

31　(唐)李鼎祚著・陳徳述整理『周易集解』巴蜀書社、一九九一年、三〇頁。

32　小林信明『新釈漢文大系・第二二巻　列子』明治書院、一九六七年、七六頁。

33　鎌田正『新釈漢文大系・第三三巻　春秋左氏伝(三)』明治書院、一九七七年、一三二四頁。より詳細には荒見泰史「シルクロードの敦煌資料が語る中国の来世観」(前掲注8、白須編『シルクロードの来世観』一八～五四頁)、同「中国仏教と祖先祭祀」(原田正俊編『宗教と儀礼の東アジア——交錯する儒教・仏教・道教』勉誠出版、二〇一七年、三四～三九頁)や竹田晃『中国の幽霊』(東京大学出版会、一九八〇年)などを参照されたい。

34　小林『新釈漢文大系・第二二巻　列子』(前掲注32)、一八頁。

35　(宋)李昉等編『太平御覧』中華書局、一九五九年、三〇二三頁。

36　中国の山岳信仰における崑崙山や泰山の位置づけについては、曽布川寛『崑崙山への昇仙——古代中国人が描いた死後の世界』中央公論社、一九八一年などを参照されたい。

37　中国西晋時代の文学家、字は子安。経伝を手広く修め、辞賦は特に華麗である。当時文壇の盟主である張華に推薦され、太常博士などを歴任した。『晋書』巻九十二には「文苑・成公綏列伝」(第六十二)がある。

38　(唐)房玄齢等撰『晋書』中華書局、一九七四年、六八八頁。

39 （唐）玄奘・辯机著、季羡林等校注『大唐西域記校注』中華書局、一九八五年、四〇四頁。また『西域記』ともいう。全十二巻あるこの書は、貞観元年から貞観十九年まで、玄奘が求法のために歴訪した中央アジアからインドにわたる一一〇カ国および伝聞した二八カ国のことを記した見聞録・地誌である。玄奘が口述し、長安・会昌寺の僧・辯機に編纂させた。

40 蕭統編『文選』（前掲注16）、一五七六頁。

41 同右、四〇三頁。

42 同右、一八三八頁。

43 中国前漢時代末期の文人・学者、字は子雲。「甘泉賦」「羽猟賦」「長楊賦」などの賦文および「太玄」「法言」などの思想書を著した。

44 阿部吉雄・山本敏夫『新釈漢文大系・第七巻　老子』明治書院、一九六六年、二六頁。

45 （梁）陶弘景著・吉川忠夫等編・朱越利訳『真誥校注』中国社会科学出版社、二〇〇六年、五三七頁。

46 （唐）韓愈著・屈守元等編『韓愈全集校注』四川大学出版社、一九九六年、一〇〇四頁。

47 中国南北朝時代の医学者・科学者、字は通明。道教の茅山派の開祖ともされている。『本草経集注』という医学書から『真誥』まで幅広く著述した。『真誥』は今日に上清派の歴史や教義を研究する時、最も重要な文献と見なされている。『梁書』巻五一には「陶弘景列伝」（第四十五）がある。

48 中国唐中期を代表する文人・士大夫である。唐宋八大家の一人。字は退之、謚は文公。四六駢儷文という六朝以来の修辞主義の傾向を批判し、秦漢以前の文を範にして古文復興運動を提唱した。『旧唐書』巻一百六十には「韓愈列伝」（第一百十）がある。

49 『谷山茂著作集Ⅰ　幽玄』（前掲注10）、一五頁。

50 仏教と老荘思想の併称。当時の士大夫にとって、儒学のかたわら、仏教と老荘思想を一緒に研究・修行することは風潮である。

51 （後晋）劉昫等著『旧唐書』中華書局、一九七五年、四二五七頁。

52 『全唐文』巻六百十六に収録した孟簡の文章は「白鳥呈瑞賦」「批孔禺献詩状」「建南鎮碣記」であり、『全唐詩』に収録した詩は「享恵昭太子届楽章」「擬古」「咏欧陽行周事」「惜分陰」「嘉禾合穎」「賦得亜父碎玉斗」「酬施先輩」の七首である。

53 便宜のため、駱と元の使用例をここで掲出する。それぞれは（唐）駱賓王著・（清）陳熙晋箋注『駱臨海集箋注』（上海古籍出版社、一九八五年、二〇四頁）と（唐）元稹撰・翼勤点校『元稹集』（中華書局、一九八二年、一四二頁）による。「随隠顕而動息、候昏明而進退。委性命兮幽玄、任物理兮推遷。化朽木而含影、集枯草而藏烟。不貪熱而苟進、毎和光而曲全」（駱賓王「螢火賦」）。「自傷魂惨沮、何暇思幽玄」（元稹「獻滎陽公詩五十韻并序」）。

54 阿部等『新釈漢文大系・第七巻　老子』（前掲注4）、一一頁。

55 同右、三三頁。

56 王『日本之文与日本之美』（前掲注11）、一〇五頁。

57 日本の芸術論における幽玄の初見は『古今和歌集・真名序』であるということは贅言を要しないが、日本最古の幽玄の用例は『浄名玄論略述』であるという説はおそらく赤羽学『幽玄美の探求』（清水弘文堂、一九八八年、三頁）の発見によって広がったのであろう。

58 佐々木信綱編『日本歌学大系』第一巻、風間書房、一九五七年、三七頁。

59 青木孝夫「序」青木孝夫・宇佐美文理編『芸術理論古典文献アンソロジー・東洋篇』藝術学舎、二〇一四年、一一頁。

60 高階秀爾『日本人にとって美しさとは何か』筑摩書房、二〇一五年、一四頁。

61 大山範子「古今和歌集仮名序解題」（前掲注59『芸術理論古典文献アンソロジー』二四八頁）によれば、「『万葉集』以後、古今和歌集成立の前、ほぼ一世紀にわたる「国風暗黒時代」と呼ばれる漢詩文の興隆時代がありました。その後、和歌が盛んに詠まれるようになり、十世紀初めに機が熟して初の勅撰和歌集が企画されました。しかし、当時は律令社会で、公務文書や記録類のみならず、私的な日記や記録類も、基本的には漢文で書かれていました」という。

62 尼ヶ崎彬（『花鳥の使　歌の道の詩学』勁草書房、一九八三年、五〇～五一頁）によれば、貫之は和歌の自律性を求めるために、「中国歌論にみられる倫理的〈目的〉〈風化・風刺〉や存在論的〈根源〉〈道・気〉を削り捨て」て、「〈見る物聞く物に付託して〉という修辞の条件を加えた」。つまり、貫之は漢詩の形式の一つにすぎない比興のような譬喩表現を和歌の基本的規定としたのであるという。この尼ヶ崎の考察は妥当であれば、この貫之がわざわざ削り捨てた存在論的意味を持つ「幽玄」という概念は後世になって日本の美的理想となったことはむしろ貫之の予想外であろう。

63 佐々木編『日本歌学大系』第一巻（前掲注58）、四二頁。

64 同右。

65 武田元治（『幽玄――用例の注釈と考察』風間書房、一九九四年、三頁）はこの見方に賛成し、さらに「こういう考え方は、すでに佐伯梅友氏が日本古典文学大系『古今和歌集』頭注に示されており、谷山茂氏もこれに賛成して、さらに詳論しておられる（「古今真名序の幽玄」『幽玄』所収）。以上のようなことから、「興入幽玄」は、難波津の歌について言われたものと見たい」と述べた。

66 より多くの補足的説明は本章三節の「幽玄美の特質」という項における富士山に関する説明を参照されたい。

67 比と興を区別するのは難点である。この違いについて、尼ヶ崎彬は「心を表す外物に付託するというだけでは、比興のちがいは明らかでない」と述べ、『文心雕龍』の考察を通じて次の結論を得た。「文の上に明確に表されていない（微）心情を、読者が自ら「起発」させるものが「興」である。「比」に於ては、訴えるべき甲の「こころ」は乙の「こころ」として既に文の上に表されているから、読者はただそれを了解し、甲に当てはめればよい。しかし「興」に於ては、自らの力で「こころ」を生起させねばならないのである。この、読者の側の「起情」によって、比興は区別される。或いは、文の表現の面から、こう言換えてもよい。比と興とは、外物に付託するという点では同じであるが、「比」に於ては「こころ」が文に顕れ、「興」に於ては隠されている」(前掲注62、尼ヶ崎『花鳥の使　歌の道の詩学』一六頁)と。なお、鷗外は上田敏宛(五七八・明治三十八年十一月九日・出征第二軍々醫部より)への手紙に「比興詩論とかいふものはAllegorieとSymboliqueとの別をなくしてゐるらしきにおどろき候」(森林太郎『鷗外全集』第三六巻、岩波書店、一九七五年、二七八頁)というように、〈比〉と〈興〉をそれぞれAllegorieとSymboliqueに対置している。

68　吉田賢抗『新訳漢文大系・第一巻　論語』明治書院、一九六〇年、三八六頁。

69　尼ヶ崎彬(『日本のトレリック——演技する言葉』筑摩書房、一九八八年、一一二～一一三頁)によれば、「『古今集』の歌を見れば、物への付託のない方が珍しいくらいである。(仮名序が付託表現を論の中心としていることは既に竹岡正夫氏や片桐洋一氏の指摘があり、小著にもやや詳しく卑見を述べた。)もちろん和歌に付託が多いのは、万葉期以来の実情である。『万葉集』には「何々に寄せる」という歌が多い。この「何々」とは鳥や木や草など、つまり「物」である。この「物に寄せる」歌はついに十一巻、十二巻で、「寄物陳思」「譬喩」という二つの分類項目を生み出した」という。

70　佐々木編『日本歌学大系』第一巻(前掲注58)、三七頁。

71　目加田誠『新釈漢文大系・第七八巻　世説新語(下)』明治書院、一九七八年、九五二頁。

72　川俣馨一編『史料大成・中右記(全七巻)』内外書籍株式会社、一九三四～一九三五年。

73　川俣馨一編『史料大成・中右記』第一巻、内外書籍株式会社、一九三四年、一七三頁。

74　同右、三四六頁。

75　同右、三五一頁。

76　同右、三五二頁。

77　川俣馨一編『史料大成・中右記』第三巻、内外書籍株式会社、一九三四年、一五八頁。

78　日本における中国文化への憧れは瀟湘八景をプロトタイプとして受容した「見立絵」から十分に読み取れる。この辺の情報については、太田孝彦「室町時代における中国絵画の受容」(『日本の美術』昭和堂、一九八九年、一五五～一六二頁)、青木孝夫「〈見立て〉の美学」(『日本の美学』第二四号、ぺりかん社、一九九六年、三六～六二頁)や「〈見立て〉の詩学　古典文化の受容と変容の美学——主に瀟湘八景を例に」(『人間文化研究』第一号、二〇〇九年、四二～五八頁)、城市真理子「室町時代の水墨画における中国イメージ——広島県立美術館蔵　西湖図屏風をめぐって」(『広島国際研究』第一九巻、二〇一三年、三九～五〇頁)などを参照されたい。青木の

「〈見立て〉の美学」によれば、〈見立ての〉位相が「想像の見立て」「趣向の見立て」「創作の見立て」「当座の見立て」に分けられ、「」をみる」が直接的な知覚を示すのに対し、「とみる」には〈思い（思考・想念）〉によって対象を定立する〈見る〉の働きが鮮明だろう。それはまた、見るの背後の〈思い（力動的想像力・思考力）〉の潜在を示している。〔中略〕〈想像の見立て〉では、親しい物事を絵画や詩文を通じて知った遠く中国の景色に置き換えあるいは重ねてみる」（青木「〈見立て〉の美学」前掲論文、四一・四六頁）という。

79 原文：「此體、詞雖凡流義入幽玄、諸歌之為上科也、莫不任高情。仍神妙、余情、器量皆以出是流。而只以心匠之至妙難強分其境。待指南於來哲而已」（前掲注58、佐々木編『日本歌学大系』第一巻、四七頁）を拙訳した。

80 佐々木編『日本歌学大系』第一巻（前掲注58）、四七頁。

81 武田『幽玄――用例の注釈と考察』（前掲注65）、二六三頁。

82 長承三年九月十三日中宮亮顕輔家歌合。

83 『作文大体』は一〇世紀の中ごろの誕生から一七世紀ごろまでに、何度も増補改編を経て多数の異本が形成された。現代の流布本としては群書類従所収本であるが、一九三四年東寺観智院本が貴重図書影本刊行会の複製本として刊行されたことによって、群書類従所収本より古く平安時代の原形により近いのが東寺観智院本であることが明らかになった。それについて詳細に研究されたものは小沢正夫の「作文大体の基礎的研究」（愛知県立女子大学国文学会編『愛知県立女子大学説林』第一一号、一九六三年、一～六三頁）である。氏の調査によれば、「余情幽玄体」を言及した「詩雑例」の内容は観智院本・東山御文庫・高野山甲本・群書類従本・京都図書館・内閣文庫本・神宮文庫本にあるが、大須文庫本・成簣堂本・高野山乙本・叡山文庫本に見られなかった。また、観智院本『作文大体』を基礎にして翻印したものは氏に「校訂作文大体」（前掲書、六五～八一頁）としてこの論文の最後に付録された。その一方で、山崎誠は「『漢文学資料集』解題」（『真福寺善本叢刊』第一二巻、臨川書店、二〇〇〇年、七〇一頁）において、「真福寺本では雑体証拠詩の末尾、観智院本では雑体の末尾に位置する、『詩雑例』を例にすれば、観智院本は「発句不用題字用義他字事」とこれの証拠詩としての兼明親王の詩を欠く。この「詩雑例」の後に、「詩八体」の「余情幽玄体」以下が続くが、この間に明らかに紙継ぎがあり、観智院本の元姿は必ずしも現状の如きものではあるまい」という疑問を投げたこともある。したがって、ここでは小沢の「校訂作文大体」（観智院本）に依拠しながら、観智院本自体も段階的に成立したものであり、全書の作者は必ずしも藤原宗忠ではないことおよび「余情幽玄体」を論じた「詩雑例」の項目は成書後に加えられた可能性も極めて高いということに留意しなければならない。

84 小沢正夫校訂「校訂作文大体」、同右『愛知県立女子大学説林』第一一号、七四頁。

85 佐々木編『日本歌学大系』第一巻（前掲注58）、四六頁。

86 『新編国歌大観』第五巻、角川書店、一九八七年、二〇七頁。

87 同右、二一六頁。

88 『和漢朗詠集』には「翠黛紅顔錦繡粧、泣尋沙塞出家郷。辺風吹断秋心緒、隴水流添夜涙行。胡角一声霜後夢、漢宮万里月前腸。昭君若贈黄金賂、定是終身奉帝王」という大江朝綱の「王昭君」という漢詩が収録されている。

89 『新編国歌大観』第五巻(前掲注86)、一八七・二〇七・二一六・二二〇・二六一・三三六・四三五頁。

90 松岡ひとみは「「幽玄論」の再検討」(福岡女子大学編『香椎潟』第二四号、一九七八年、三五頁)において、「批判の根拠となるのは、彼が幽玄だと評した歌は十二首であるが、そのうち「勝」とされたものはわずか三首であること、また、主要な歌論書である『古来風体抄』には、幽玄の語はまったく出てこないなどである。以上を考えると、俊成において幽玄体が理想であった、と主張することはおかしいことになる」というように、「幽玄体」が俊成の理想であることを批判している。しかし、この推論は間違っている。俊成の場合、幽玄だと評した歌には「勝」が少ない一方、「負」のほうも少ないからである。

91 『新編国歌大観』第五巻(前掲注86)、四三五頁。

92 同右、四〇二頁。

93 萩谷朴・谷山茂校注『日本古典文学大系七四　歌合集』岩波書店、一九六五年、四四二頁。

94 久松潜一編校『歌論集(一)・中世の文学』三弥書店、一九七一年、二七三頁。

95 佐々木信綱編『日本歌学大系』第二巻、風間書房、一九五六年、三〇二頁。

96 『新編国歌大観』第五巻(前掲注86)、三三三頁。

97 佐々木編『日本歌学大系』第二巻(前掲注95)、四一六頁。

98 「有我之境」は『人間詩話』(一九〇八〜一九〇九年)における王国維の言葉である。つまり、私の感情をもって外在の世界を観照することによって、外在の世界を私の感情と一致させることである。

99 佐々木信綱編『日本歌学大系』第三巻、風間書房、一九五六年、三二七・三三九頁。

100 朱光潜は『文芸心理学』(初出一九三六年)においてこの二つのモデルを学理的に説明している。詳細は、朱光潜『文芸心理学』(復旦大学出版社、二〇〇九年、二〇六〜二一〇頁)を参照されたい。

101 『新編国歌大観』第五巻(前掲注86)、六〇・二六二・四五八・五八五頁。

102 同右、四五八頁。

103 佐々木編『日本歌学大系』第三巻(前掲注99)、三二八頁。

104 同右、三四六頁。

105 同右、三四七頁。
106 同右、三四八頁。
107 同右。
108 同右、三五一頁。
109 阿部等『新釈漢文大系・第七巻　老子』（前掲注4）、八六頁。
110 佐々木編『日本歌学大系』第三巻（前掲注99）、三五二頁。
111 同右、三〇九頁。
112 同右、三一二頁。
113 佐々木編『日本歌学大系』第一巻（前掲注58）、三七頁。
114 佐々木信綱編『日本歌学大系』第四巻、風間書房、一九五六年、二九三頁。
115 同右、二九二頁。
116 「寂蓮入道申す事侍き。この争ひ、やすく事切るべきやう有り。其故は、手を習ふにも、劣りの人の文字はまねび安く、我より上りざまの人の手跡は習ひ似する事難しといへり。然ば、我等がよむやうによめといはんに、季経卿、顕昭法師など、幾日案ずともえこそよまざらめ、われはかの人々のよまんやうには、ただ筆さし濡らしていとよく書きてむ。さてこそ事はきらめとぞ申されし」（前掲注99、佐々木編『日本歌学大系』第三巻、三一一頁）。
117 佐々木編『日本歌学大系』第四巻（前掲注114）、二九五頁。
118 同右、三五六頁。
119 同右、三一五〜三一六頁。
120 同右、二七四頁。
121 大石昌史（「余情の美学――和歌における心・詞・姿の連関」『哲学』第一一八号、二〇〇七年、一七三頁）によれば、美意識とは「主観と客観とが志向的に「相関」すると共にその能所（能動・受動）を「反転」し合うところの相互規定的な創作あるいは鑑賞の経験において、記号的な意味作用に基づく想像的な「対象形成」と身体的な感受作用に基づく情動的な「自己反省」との力動的な均衡関係を肯定的な基準として判定する意識の働き」と定義される。つまり、美意識は意識一般に認められる主客の相関と自他の反転の構造の上に、能動的な対象形成と受動的な自己反省も同時に含まれる。このような構造化された美意識は言うまでもなく、動態的に美的活動の中に動いているが、あえて平面的に細分させると、内的要素（観念的・意味的・宗教的・自然的）、外的要素（言語的・感覚的・音響的）および社会・地域に基づく約定（文化的・民族的・地域的）があるはずである。主客観が反転できる状況に、その三者を同時に備えてこそ、完全な美意識のモデルは生まれるということである。

122 佐々木信綱編『日本歌学大系』第五巻、風間書房、一九五七年、二二〇頁。

123 同右、二二五頁。

124 同右、二二八頁。

125 同右。

126 同右、二三三頁。

127 同右、二二八頁。

128 同右、二五一頁。

129 同右、二三五～二三六頁。

130 佐々木編『日本歌学大系』第三巻（前掲注99）、三二六頁。

131 能勢朝次『世阿弥十六部集評訳』上巻、岩波書店、一九四九年、三五八頁。

132 同右、六六六頁。

133 同右、一四五頁。能勢朝次『世阿弥十六部集評訳』下巻、一九四九、三二三頁。

134 同右、能勢『世阿弥十六部集評訳』上巻、六一五頁。

135 同右、四九二頁。

136 同右、一三頁。

137 同右、四七八頁。

138 同右、四三六頁。

139 同右、三五八～三六五頁。

140 同右、七頁。

141 これについて、杜甫は「観公孫大娘弟子舞剣器行」という詩を作った、その序言には「昔、呉人の張旭、草書を善くす。しばしば嘗て鄴県に於て公孫大娘の西河の剣器を舞うを見、此れより草書、長進し、豪蕩感激す」という記載がある。その詩の原文は次である。「昔有佳人公孫氏、一舞劍器動四方。觀者如山色沮喪、天地為之久低昂。霍如羿射九日落、矯如群帝驂龍翔。來如雷霆收震怒、罷如江海凝青光。絳脣珠袖兩寂寞、晚有弟子傳芬芳。臨潁美人在白帝、妙舞此曲神揚揚。與余問答既有已、感時撫事增惋傷。先帝侍女八千

人、公孫舞劍初第一。五十年間似反掌、風塵澒〈音閧〉洞昏王室。梨園子弟散如煙、女樂餘姿映寒日。金粟堆前木已拱、瞿塘石城草蕭瑟。玳筵急管曲復終、樂極哀來月東出。老夫不知其所往、足繭荒山轉愁疾」（『全唐詩』第四冊、上海古籍出版社、一九六〇年、二八六七頁）。

142 能勢『世阿弥十六部集評訳』上巻（前掲注141）、三六五頁。

143 青木孝夫「芸道的中心概念：審美習慣――以世阿弥能楽論中的樹木与器為糸索」『中国美学』第二号、中国社会科学文献出版社、二〇一六年、七〇頁。

144 〈花〉という世阿弥の能楽論における譬喩的言語の解明などについては、青木孝夫「世阿弥の能楽論に於ける〈花〉について――解明の試み」（雑誌『美学』第三六巻第二号、一九八五年、三六～四八頁）や「世阿弥の能楽論に於ける「物まね」について」（『理想・特集演劇』通号六二九号、一九八五年、一六二～一六八頁）や「文献解題　世阿弥元清『風姿花伝』」（『比較文化研究』第一一号、一九八九年、三七～四三頁）を参照されたい。

145 金田晋「美意識の基本性格」『諸芸術の共生――齋藤稔教授退官記念論文集』溪水社、一九九五年、三六一頁。

146 大西克礼編『大塚博士講義集Ⅰ　美学及芸術論』岩波書店、一九三三年、六一四頁。

147 大西克礼『美学』上巻、弘文堂、一九五九年、六九頁。

148 同右、八八頁。

149 竹内敏雄編『美学事典』（増補版）弘文堂、一九七四年、一五六頁。木幡順三には『美意識論』（東京大学出版会、一九八六年）という美意識の専著がある。

150 佐々木健一は花に対する西洋人と東洋人の異なる態度から、次のようなことを説いた。「認識する「我」を中心におき（主観）、この我が対象（客観）を捉える、という主観―客観の軸に添って構成された。この機軸の意味は、主観が対象を支配することであって、その逆ではない。「我」が対象を受容するのではない。「我」がその対象を対象として成り立たせている、という考えである（この思想を確立し、近代的世界観の根幹を打ち立てたのが、カントの認識論である）。主観が対象を構成するとともに、「対象」というあり方が、主観の存在を聖化する。そこで、主観＝人間は、対象＝世界の支配者となる。しかし、近年、この人間中心主義に対する批判と反省の意識はいよいよ強くなってきている。例えば、ドイツの哲学者ケルノート・ベーメは、雰囲気というあり方に注目している。より正確に言うならば、もののあり方のなかの、対象的な側面よりも雰囲気的な側面に注目している。意識は対象を支配するが、雰囲気にはわれわれの方が包まれる」（佐々木健一『日本的感性――触覚とずらしの構造』中央公論新社、二〇一〇年、二一七～二一八頁）と。また青木孝夫も「花与状況的美学――以夜桜的雰囲為中心」（『中国美学』第五号、中国社会文献出版社、二〇一八年、一〇九～一一二八頁）に、別の系譜でこのことを明らかにしたという。

151 今道友信は『美について』（講談社、一九七三年、一七九頁）に、「美しいものの美しい状態」と「美」そのものについて次のように説明している。「江戸時代の俳句に、「朝顔やはかなきものは美しき」という句があるが、日本の伝統の中では、しばしば美しいものははかないというふうに言われている。それはもちろん、日本ばかりではなくて、オスカー・ベッカーのような現代の現象学者の中にも、シェリングを引いて美のはかなさということを主題にしているほどである。しかし、これは美しいものの美しい状態と美とを混同するところから出てくる論理的に間違った考えなのである。卓上に飾られた花は美しいが、三、四日を出でずして色褪せてゆくのであるから、たしかに、この美しい花ははかない。しかし、この花がわれわれに与えた美しさは、花が消えると同時に消え去るほど弱いものであろうか。美しい花が枯れても、そしてその場所に醜く萎れた花があっても、われわれは花の美しさを記憶したり、想起したりすることができ、かつ、その心にとらえた美しさが、美しい花の消えた今日も、私の心を晴れやかに元気づけることもあるではないか。これは、美が人間の知性の中に座を占めて、知覚の対象の有無にかかわらず、存続することを意味する」。

152 草薙正夫『幽玄美の美学』塙新書、一九七三年、八五頁。

153 星野太『崇高の修辞学』月曜社、二〇一七年、四六頁。

154 桑島秀樹『崇高の美学』講談社、二〇〇八年、五八頁。

155 エドマンド・バーク著、大河内昌訳『崇高と美の起源』（「英国十八世紀文学叢書」第四巻）研究社、二〇一二年、一六一頁。

156 同右、一六三頁。

157 同右、一七三頁。

158 桑島秀樹『初期バークにおける美学思想の全貌——一八世紀ロンドンに渡ったアイリッシュの詩魂』大阪大学大学院文学研究科博士学位論文、二〇〇三年、四四頁。

159 大河訳『崇高と美の起源』（前掲注155）、一八七頁。

160 同右、一八七頁。

161 同右、一八八頁。

162 同右、一九九頁。

163 同右、二〇四頁。

164 同右、二一二頁。

165 同右、二三七頁。

166 同右、二五八頁。

167 イマヌエル・カント著、久保光志訳「美と崇高の感情にかんする観察」『カント全集二』岩波書店、二〇〇〇年、三二四頁。

168 同右。

169 同右、三二五頁。

170 同右、三二四頁。

171 同右。

172 同右、三二五頁。

173 イマヌエル・カント著、牧野英二訳『カント全集八　判断力批判　上』岩波書店、一九九九年、七二・五六頁。

174 同右、一一七頁。

175 同右、一二〇頁。

176 同右、一二一頁。

177 同右、一二八頁。

178 同右。

179 同右、一三五頁。

180 同右、一三六頁。

181 濱下昌宏が「志賀重昂『日本風景論』にみる日本的崇高の可能性――「跌宕」・山岳景仰と国粋」(『文芸学研究』第八号、二〇〇四年、一二一～一三三頁)において、『稿本日本帝国美術略史』やラフカディオ・ハーン『心』、戴季陶『日本論』の記述を引用しながら、日本風景における「大なるもの」の不足が説明されているので、ここでは贅言しない。

182 佐々木編『日本歌学大系』第五巻(前掲注122)、二二八頁。

183 牧野英二(『崇高の哲学――情感豊かな理性の構築に向けて』法政大学出版局、二〇〇七年、一〇五～一〇九頁)の考察によれば、「哲学は世界に対する驚異とともに開始された」という哲学史上の「常識」はプラトンの『ティマイオス』やアリストテレスの「形而上学」まで遡ることができる。近代では「驚異(admiration)」はデカルト『情念論』において人間の六つの基本的情念における最も自由的感情として位置づけられたが、カントによってさらに「驚嘆(Verwunderung)」と「讃嘆(Bewunderung)」に使い分けられている。カントの場合、「驚嘆」は「期待を上回る斬新さの表象における情動(Affekt)」であるのに対して、「讃嘆」は「斬新さが失われても止むことのないある驚嘆」である。また、「驚嘆とは、ある表象とこの表象によって与えられた規則とが、心のうちですでに根底に存している諸原理と合一しがたいことに対する心の衝撃である。それゆえ、この衝撃は、はたして人が正しく観察ないし判定したかどうかという疑問を引き起こす」という。

184　牧野訳『カント全集八　判断力批判　上』（前掲注173）、一三〇頁。

185　吉田『新訳漢文大系・第一巻　論語』（前掲注68）、一四二頁。

186　阪倉篤義等校注『日本古典文学大系九　竹取物語・伊勢物語・大和物語』岩波書店、一九五七年、六六～六七頁。その一節は次である。「中将、人々引き具して歸りまいりて、かぐや姫を、え戰ひ止めず成りぬる事、こまごまと奏す。薬の壺に御文そへ、まいらす。ひろげて御覧じて、いといたくあはれがらせ給ひて、物もきこしめさず、御遊びなどもなかりけり。大臣上達を召して、「いづれの山か天に近き」と問はせ給ふに、ある人奏す、「駿河の國にあるなる山なん、この都も近く、天も近く侍る」と奏す。これを聞かせ給ひて、「逢ことも涙にうかぶ我身には死なぬくすりも何にかはせむ」かの奉る不死の薬に、又、壺具して、御使に賜はす。御使には、つきのいはかさといふ人を召して、駿河の國にあなる山の頂にもてつくべきよし仰せ給ふ。嶺にてすべきやう教へさせ給ふ。御文、不死の薬の壺ならべて、火をつけて燃やすべきよし仰せ給ふ。そのよしうけたまはりて、つはものどもあまた具して山に登りけるよりなん、その山をふじの山とは名づけける。その煙いまだ雲のなかへたち上るとぞ言ひ傳へたる」。

187　「封禅書」全体は長いが、その関連する箇所は次である。「古より命を受くる帝王は、曷ぞ嘗て封禪せざらん。蓋し其の應無くして而も事を用ふる者有らん、未だ符瑞の見るるを睹て而も泰山に臻らざる者は有らざるなり。〔中略〕威・宣・燕昭より、人をして海に入り、蓬萊・方丈・瀛洲を求めしむ。此の三神山は、其の傳に、渤海の中に在り、人を去ること遠からず。〔中略〕始皇自ら以爲へらく、海上に至るとも恐らくは及ばざらん、と。人をして乃ち童男童女を齎らして海に入りて之を求めしむ」（吉田賢抗『新釈漢文大系・第四一巻　史記四（八書）』明治書院、一九九五年、二一八・二三六～二三七頁）。

188　小島憲之校注『日本古典文学大系六九　懐風藻・文華秀麗集・本朝文粋』岩波書店、一九六四年、四一三～四一五頁。なお、この「富士山記」からいくつか重要なことを読み取れる。第一、「富士山」の描写は古籍の記載・民話・フィクションの上に成立したものであり、都良香が実際に見たことではない。第二、女神の姿は地元の人々が山麓から遠く仰ぎ見たものであり、実際に山に入って出会ったものではない。第三、成功に山頂まで登山できる人はまだいない。その一節は以下に抄出する。「富士山は駿河國に在り。峯削り成せる如く。直に聳えて天に屬く。其の高さ測るべからず。史籍の記せる所を歴く覽るに、未だ此の山より高きは有らざるなり。其の聳ゆる峯鬱に起り。見るに天際に在りて、海中を臨み瞰る。其の靈基の盤連する所を觀るに、數千里の間に亘る。行旅の人、數日を經歴して、乃ち其の下を過ぐ。之を去りて顧み望めば、猶し山の下に在り。蓋し神仙の遊萃する所ならむ。承和年中に、山の峯より落ち來る珠玉あり、玉に小さき孔有りきと。蓋し是れ仙簾の貫ける珠ならむ。又貞觀十七年十一月五日に、吏民舊きに仍りて祭を致す。日午に加へて天甚だ美く晴る。仰ぎて山の峯を観るに、白衣の美女二人有り、山の巓の上に雙び舞ふ。巓を去ること一尺餘、土人共に見きと、古老傳へて云ふ。山を富士と名づくるは、郡の名に取れるなり。山に神有り、淺間大神と名づく。此の山の高きこと、雲表を極めて、幾丈といふことを知らず。頂上に平地有り、廣き一許里。其の頂の中央は窪み下りて、體炊甑の如し。甑の底に神しき池有り、池の中に大きなる石有り。石の體驚奇なり、宛も蹲虎の如し。亦其の甑の中に、常に氣有りて蒸し出づ。其の色純らに靑し。其の甑の底を窺へば、湯の沸き騰るが如し。其の遠きに在りて望めば、常に煙火を見る。亦其の頂上に、池を匝りて竹生ふ、靑紺柔愞なり。宿雪春夏消えず。山の腰より以下、小松生ふ。腹より以上、復生ふる木無し。白沙山を成せり。其の攀ぢ登る者、腹の下に止まりて、上に達ることを得ず、白沙の流れ下るを以ちてなり。相傳ふ、昔役の居士といふもの有りて、其の頂に登ることを得たりと。後に攀ぢ登る者、皆額を腹の下に黠く。大きなる泉有り、腹の下より出づ。遂に大河を成せり。其の流寒暑水旱にも、盈縮有ること無し。山の東の脚の下に、小山有り。土俗これを新山と謂ふ。本は平地なりき。延暦廿一年三月に、雲霧晦冥、十日にして後に山を成せりと。蓋し神の造れるならむ」。

189 富士山世界文化遺産登録推進両県合同会議編『富士山百画』美術出版社、二〇一三年、六頁。

190 五代後周の和尚釈義楚の『義楚六帖』には「日本国、またの名を倭国と名づく。東海中にあり、秦の時代、徐福五百童男、五百童女を将いてこの国に止まる。今、人と物、一に長安の如し。〔中略〕東北千余里、富士山という、また蓬莱と名づく。徐福にこに止まる。〔中略〕今に至るまで子孫は秦氏という」(土橋寿「富士山北麓の富士山民話」渡邊定元・佐野充編『富士山を知る事典』、日外アソシエーツ、二〇一二年、一八二頁から引用)という話がある。

191 中国の昇仙図については、白須浄眞氏に多くのことを教示いただいた。特に日中山岳信仰における『竹取物語』の重要性も、白須氏から勧められ読んだことによって長い歳月を経た後に改めて意識したものである。

192 和辻哲郎『風土 人間学的考察』岩波書店、一九三五年、一三六頁。

193 同右、一三七頁。

194 久保訳『カント全集二』(前掲注167)、三七一~三七二頁。

終 章　幽玄論の理論的射程と〈日本美学〉の新しい可能性

終章　幽玄論の理論的射程と〈日本美学〉の新しい可能性

それを考えることしばしばであり、かつ長きにおよぶにしたがい、つねに新たなるいやます感嘆と畏敬とをもって心を充たすものが二つある。わが上なる星しげき空とわが内なる道徳法則がそれである。

（カント『実践理性批判・結語』）〔1〕

一　結び

本書では、〈幽玄〉という〈日本美学〉の重要な概念に関する研究や解明を手掛かりにして、多元文化の時代における「エスニックな美学」の構築のために、考察してきた。これはあくまでも一種の準備的作業にすぎないが、同時に不可欠な手続きでもある。特に、近代以来、東洋における幽玄論あるいは美学の研究はそれぞれの研究パラダイムをかたく守り、国学または西洋学のようにはっきりと分かれている個別な研究領域に長く囚われていたことも、紛れもない事実である。それゆえ、国際日本学の観点と総合科学の研究手法を用いた複眼的で重層的な研究は、幽玄論を次の段階へ推進し得る方法であるだけでなく、西欧中心主義を超克し、〈日本美学〉を構築するための必要な道程であると考える。この方法論の立場に基づいて、本書では歴史的事実や社会的背景を重視する姿勢を保ったうえで、各章でそれぞれ美学史や学説史や解釈学などによる分析を試みた。以下では、ここまでの各章の理路や結論を整理し、本書の結びに代えよう。

序章では予備的な研究として、「〈日本美学〉という概念」、「西欧中心主義的な美学の終焉」、「方法としての〈幽玄または〈幽玄〉の方法」という内容を考察しつつ、本書の研究対象、研究背景、研究目的、研究方法に言及した。具体的には、まず「〈日本美学〉という概念」においては、美学と哲学の関係、美学に対する定義の多様性、日本における美学の有無などについて弁証的に論じ、次のようなことを明らかにした。つまり、美学は哲学の一部門として、純粋な知的関心に基づく専門的な「学問（理論）」としての性格を持つと同時に、美意識や美的・感性的文化の結実としての「思想」や「文化」の側面も備えている。この視点から「美学」を捉えるならば、西洋哲学の受容以前、日本にはもとより豊富な美学があり、それらは和歌や物語といった文芸作品に散在し、芸術的実践の技法書や理論書としてまとまったものも少なくない。その一方で、これらの豊富な素材から論点を抽出して、日本の風土や日本人特有の感性に基づいて理論的で体系的に組織したもの、あるいは思想史的・精神史的な考察方法によって遂行するものは欠けている。この事実は、近代の中江兆民ないし現代の佐々木健一の発言にも確認することができた。そして「西欧中心主義な美学の終焉」においては、「近代の再超克」や「近代化の再思考」という歴史的思潮に現れたアジアの近代的意義および「エスニックな美学」の在り方を、国際美学会議の開催という具体例を用いて説明し、とりわけ第一五回国際美学会議である「東京大会」を美学発展における新たな地平や一つの重要な転換として位置づけた。「東京大会」以降、近代の国民国家の創始段階に現れたような普遍性や同一性を追求する宗主国的で西欧中心主義的な美学と、それに対抗する被支配の殖民地の排外的で民族至上的なアイデンティティとしての「民族美学」は存続する意義を失ったとも言える。代わりに、本書では、現代のポスト国民国家時代に現れた世界主義や互いに尊重し合う多文化主義に基づいて築かれる「エスニックな美学」を提唱すべきものとして取り扱った。また「方法としての〈幽玄〉または〈幽玄〉の方法」においては、〈幽玄〉が近代の西欧中心主義を超克することができる〈日本美学〉を構築する、具体的な方法となり得る理由を提示した。これらの理由は〈日本美学〉の構築における幽玄論の意義や方法でもある。しかし、「伝統藝術」の形で継承し続ける伝統的な感性ないし学術的環境を含める日本的な「風土」を重視する本書は、決して前近代的な伝統へと学問的な動向を回帰させようと呼びかける「復古主義」ではなく、西洋をスタンダードとした近代主義の代わりに日本主義や東洋主義を唱えるものでもない。本書の目標は、伝統を究明しながら、現代的な研究方法を取り入れることによって、〈日本美学〉の構築という課題に貢献することである。

第一章では美学史に関する研究として、「和魂漢才」から「和魂洋才」へとパラダイムが転じた日本近代美学の歴史をその黎明期から振り返った。ここでの考察は、その中心を先哲たちの〈日本美学〉の構築に向けた努力に絞りつつ、〈日本美学〉のダイナミックな系譜を描いた。具体的には、まず「はじめに」において、日本近代美学史を取り上げて論じた土方定一『近代日本文学評論史』、山本正男『東西芸術精神の伝統と交流』、吉田精一『近代文芸評論史』、金田民夫『日本近代美学序説』、神林恒道『美学事始——芸術学の日本近代』、加藤哲弘『明治期日本の美学と芸術研究』、佐々木健一編『日本の近代美学（明治・大正期）』、濱下昌宏『主体の学としての美学——近代日本美学史研究』などの先行研究を概観し、それぞれの研究がもつ性格を明らかにした。そして「日本における「近代化」の開幕」においては、「近代」および「近代化」の定義を再検討し、本書で指す「近代日本」を、中華文明をモデルとする「和魂漢才」から欧米文明をモデルとする「和魂洋才」への変換期として特徴づけた。近代美学の前史におけるArtの認識として、佐久間象山の「東洋道徳、西洋藝術」という用例を中心に考察した。これを通じて、当時に、形而下的な術や器としてのArtの存在意義と価値が認識された一方、形而上的な学や道としてのArtはまだ意識されなかった、ということが明らかになった。また「「美学」の訳語」においては、中国における「美学」の早期の用例、西周の著作および中江兆民の『維氏美学』を中心に考察した。ここでは、「美学」の訳語の変遷をただ事実上・文字上に把握するのではなく、その背後にある「美学」という学問に対する明治人の意識の変容の究明や『維氏美学』への再評価を図った。この考察により、本書は日本近代美学史の通説を更新する重要なポイントを見つけた。一つは、西周の訳語の「不統一」という指摘に対して、本書は西本人および当時の著作という両面から、時間的な推移や理解の深化によって西が最後に選択した統一的訳語は「美妙学」であると結論づけた。もう一つは、森鷗外をはじめとした『維氏美学』への悪評に対して、本書は『維氏美学』のテキストそのものおよび歴史に実存する当時の流派間の対抗という両面から、兆民が定めた「美学」という訳語は必ずしも不適切ではないと主張した。また「「美学」の制度化」においては、東京大学の美学講義を源流とした日本の講壇美学の系譜を整理しながら、フェノロサの美学講義と美学講座に関するケーベルの業績を重点的に考察した。内容上から見れば、フェノロサの「講義」は個人的な観点を含めた批判的な紹介であり、歴史的事情のみならず、当時の美学の発展動向をもしっかり理解・把握した上で成立したものであると言える。方法上から見れば、フェノロサは日本における比較美学の先駆者とは言えるが、その背後には日本の美術品の価値を高めようとした意図があったことも見落としてはならない。最後の「おわりに」では、東京大学をはじめとする教育機関が講座の名称を「審美学美術史」から「美学美術史」に改めた理由について、一つの仮説を提示した。つまり、兆民が考案した訳語が天心や東京美術学校に採用されたため、当時、主にお雇い外国人によって美学が講じられていた東京大学、さらに学界全体に受け入れるようになったのではないか、ということである。

第二章では学説史的な研究として、先人の努力によって徐々に蓄積されていった幽玄論を、日本近代美学史の展開（西欧美学および文芸理論の移入を主要な特徴とする段階）から振り返ることを通じて、近代幽玄論の地平を築き上げた学者らの研究成果にもとづきつつ、幽玄解釈学ないし〈日本美学〉の生成方法の新しい可能性を切り開くことを目的とした。具体的には、まず「森鷗外と石橋忍月の「幽玄論争」をめぐって」において、幽玄論の発端とも言える「幽玄論争」を背景・内容・結論にわけて原文を引用しながら詳しく解説し、この論争における鷗外の美学的根拠——すなわち「類想」「個想」「小天地主義」というハルトマンの三段階の結象理想説に従い、〈幽玄〉をドイツ語「ミユステリウム（Mysterium）」にあたって美の最高位である「小天地想」として説明すること——を明らかにした。この論争の検討を通じて、森鷗外が運用した「演繹的批判」の専断的で不十分な面を意識した。そして「美学と文芸批評の絡み合い」において、鷗外の美学的基盤を徹底して調べるために、彼の美学的活動を三期——すなわち留学を終えて文芸批評活動を展開した最初の一八八九年一月から外山の画論を批判した一八九〇年五月にいたる第一期、一八九〇年五月から一八九九年九月に高山樗牛と論争にいたる第二期、一八九九年九月の小倉左遷から一九〇二年三月の東京転勤にいたる第三期——に分けて、文芸批評における標準的美学理論の模索からハルトマンを標準的美学とした努力を経てついに標準的美学の理想に幻滅する、という鷗外の美学の道筋を歴史的に再構築した。これに伴い、本書では従来の鷗外研究に論じられていない重要なポイントを見つけた。これはすなわち鷗外のハルトマン受容における井上哲次郎から受けた見逃すことのできない影響である。鷗外は井上哲次郎を通じて当時のドイツ哲学界で高名なハルトマンを知り、そして彼の「錯迷の三期」説に魅了されて哲学や美学の門を叩いたのである。彼がハルトマンを広く持ち出したのも、井上哲次郎の関心を買って文科大学の教授の椅子を獲得しようという狙いと無関係ではない。また「近代幽玄論の地平」においては、ハルトマン美学という「標準的美学」が否定された後の美学の発展を背景に、大西克礼・久松潜一・岡崎義恵の幽玄論を具体的に取り上げて論じた。この三人の幽玄論はそれぞれ異なる特徴を持つ一方、〈日本美学〉を意識的に立てようという点で、ある種の思想的連関性も備えていると考えられる。彼らの幽玄論は研究史の古典として方法論上には多大な意義があり、〈日本美学〉を構築しようと志すときに看過されるべきではない。

第三章では解釈学的な研究として、〈幽玄〉の全貌をその自律的な意味変遷の歴史において、存在論的・様式論的・美的理想という三つの次元から解明し、系譜的に正しく解読することを目指した。具体的には、「存在論的概念としての〈幽玄〉」においては、まず〈幽玄〉という言葉の中国における最初期の使用例まで遡り、その原義的な意味を分析した。これを通じて、以下のことが明らかになった。つまり、〈幽玄〉という語は漢訳仏典に使われる以前から既に固定的に使われ、とりわけ中国においては古代史全般を通して用いられてきた。この言葉が生まれつき備える意味ないしこの言葉の裏に潜んでいる本質的なものは、古代中国人の死生観であり、宇宙に対する想像でもある。時代の発展につれて、この概念は「深奥で解くことが難しい」、「神妙で測ることができない」、「曖昧でぼんやりとしている」もの・ことを表現できる「形容詞」へ世俗化してきたが、終始、文芸理論には用いられず、日本のように専門的な芸術批評用語にもならなかった。そして「様式的概念としての〈幽玄〉」においては、『古今和歌集・真名序』、『和歌体十種』、『作文大体』を時代順に言及し、名実共に一つの様式としての〈幽玄体〉の成立を藤原俊成・藤原定家が一代の歌壇を指導した時代と位置づけた。俊成や定家の場合、〈幽玄〉が上古の歌の特徴を示した作歌の典範として特に重要視されている。彼らにとって〈幽玄体〉は、すなわち〈興〉や〈見立て〉などの技法を通じて、和歌の本情の外にもう一つ物語の美的世界を創出することである。しかし、定家本人の説明不足ないし歌論書『明月記』の消失によって、定家の歌風を理想とした後世には〈幽玄体〉が〈余情妖艶体〉や〈行雲廻雪体〉としてしばしば理解された。この傾向は鴨長明・定家仮託書を経て、正徹のところになってすでに完全に〈幽玄美＝艶美〉という極限な公式に結びつけられた。正徹にとって、俊成女や定家が作った恋歌が代表する典型的な「新古今風」こそ「極まる幽玄の歌」である。この唯美抒情的・華麗感傷的・気分象徴的な〈幽玄美〉は一般化し、さらに時代の趣味として、世阿弥にも能楽論に広く論じられて開花に至った。また「美的理想としての〈幽玄〉」においては、正徹や世阿弥を例として中世文芸における〈幽玄美〉の成立を考察した後、〈幽玄美〉を美意識論の観点からその構造を分析し、西洋近代に成立した美的範疇である「崇高」と比較することを通じて、その特質の解明を試みた。

〈幽玄美〉は一見したところ、「崇高」と共通するところがあるが、その背後にある山岳体験や自然感情の違いにより根本的な相違がある。存在の根源でもある〈幽玄〉へ帰ることによって東洋が体験したのは、対象の巨大さに圧倒された受動的な「驚愕」というより、むしろ想像力を無限へ馳せることができた主動的な「悦び」であり、自らの感情や情緒を日常生活に馴染んだ風物に移入したり、そういった風物に自らの生命を見いだしたりすることによって生じた情動でもある。この日本美の構造と特質を明らかにしたうえで日本の美的範疇論の非還元性と特殊性を十分に意識することこそ、「エスニックな美学」としての〈日本美学〉の新しい出発点である。

このように美学史あるいは美学思想史に軸足を置きながら、学説史や解釈学の方法によって〈幽玄〉を研究することは、幽玄研究自体にとって意義を持つのみならず、〈日本美学〉の構築にとっても一種の可能な理路や方法と言えるであろう。しかし、言うまでもなく、〈幽玄〉そのものは〈日本美学〉構築する一つの柱であり、これに平行してほかの柱や梁もある。これら西洋と異質な建築建材を使って〈日本美学〉のビルディングを建てようとすることは、歳月に破損された歴史的建築をそのまま復旧する工事ではなく、和室か洋室かまたはコーヒーかお茶かという二元論的な選択でもない。それは現代人の生活・思想スタイルに応じて新しく創りながら、「エスニックの次元」に戻ってその歴史的風土や非西洋の文化的特異性を認めなければならないものである。これを実現するには、世界に通用する現代的・科学的な構築方法を用いる必要があると同時に、「美学に東洋も西洋もない」という盲目的な国際主義や標準的な美学の執念を捨てる必要もあろう。

二　今後の課題

以上が本書の概要である。筆者は、本書の考察によって〈幽玄〉の錯綜した諸相の一部を解明し、〈日本美学〉の体系的な構築に貢献することができたと信じている。しかし、筆者の本来の意図ないし狙いに即してみたとき、本研究が、〈日本美学〉の構築のために、まだ研究されるべき多くの課題を残していることも確かである。そこで最後に、現段階に解決し難いもしくはこれまでの考察とこれから補足したい点をいくつか提示し、今後の課題としたい。

まず「序章」に関しては、日本近代以来の美学研究の状況を俯瞰するために、日本美学会の会誌である雑誌『美学』に収録された例年の論文題目を抄出し一覧表にする。この作業は膨大でまだ進行中である。本書では、その代わりに、序章の注で美学会創立五〇周年に際して発行した記念特集および中国人の読者に向けて日本美学の現況を紹介する武田宙也氏（孫凡棋訳）の論文によって把握した情報を提示した、より正しく直観的な日本美学界の情報を獲得するために、一覧表のデータ分析を行うことは有意義であろう。さらに、これを通じて、意外なポイントも見つかるかもしれない。

そして、「第一章」においては、近代日本における「美学」の訳語の変遷を整理するために、美学関連の書物に多く目を通した。しかし、やはり調査する範囲を美学だけに限定してしまうと、より確かな答えを得ることができない。美学という学問が日本の近代に輸入され始めた時期に、美学は教育学・心理学・哲学などの領域と密接で不可分な関係を持つからである。この問題を徹底的に解明するためには、より広い領域を見渡し、さらに教育制度に関連する行政書類を調査する必要もある。現段階では、一つの仮説を提供する形で止まったが、これから調査範囲を広げていきたい。また美学講座に関しては、主に東京大学をはじめとする旧帝大を中心に調査したが、早稲田・慶応・同志社などの私立大学でも比較的早く開設していたのである。特に早稲田は文芸批評の人材を輩出し、心理学的美学ないし美辞学という系譜で独自の美学の道を歩いてきた。美学研究のもう一つの側面として、早稲田の応用美学にも注目すべきであると考える。

また「第二章」においては、幽玄論の研究方法を汲み取るため、〈日本美学〉の構築における幽玄論の位置づけを探究するために、大西克礼・久松潜一・岡崎義恵の幽玄論を具体的に取り上げた。しかし、〈日本美学〉を構築するにも、これらの学者の思想を全面的に解明するにも、幽玄論だけに注目するのでは決して十分とは言えない。選出した三人とも膨大で体系的な業績を遂げた人物であり、彼らを正確に把握しようとするならば、より全面的な考察を展開しなければならない。その一方で、森鷗外の研究には、ハルトマンなどのドイツ語の原典を開いて対照してみれば、研究をより深いところへ推進することができると考える。

最後に「第三章」においては、〈幽玄〉という概念をダイナミックに解明してみたが、これは歌論を中心としたものである。特に、「日本中世文芸における幽玄美の発達」という節では紙幅の関係で、正徹の歌論と世阿弥の能楽論だけに言及し、連歌論や絵画論や庭園論など〈幽玄美〉の意識も発達したその他の芸術分野を取り上げて論じてはいなかった。また「幽玄美の特質」という節では「崇高」と比較してみたが、中国の美的範疇あるいは日本のほかの美的範疇との比較も展開しなかった。序章で論じたように、比較美学という領域には、東洋と西洋との比較というような異文化間の比較研究が割合に多い一方で、中国と日本との比較という同じ文化圏内の比較は少ない。日本美学の特質を究明するために、同じ文化圏内の比較もこれから徐々に深めていく必要がある。

言うまでもなく、上記より、本書ではもっと多くの不足や改善すべきところがあるはずであるが、これらは今後の研究の推進力にもなると考える。なお、〈日本美学〉を体系的に構築するには、個人的な努力だけでは不十分である。それは学界の共同努力・共通認識が無ければ到底できない。筆者の母国では「中国美学」を構築する作業の一環として、共同研究・プロジェクトの成果として各種の「中国美学通史」が最近多く出版されている。他方、類似した課題に直面する日本では、研究姿勢や文化的風土の違いによって研究がますます精細化していく一方で、中国のような「通史」があまり見当たらない。この研究の傾向は尊重・評価される一方、〈日本美学〉に関する史書や叢書などの刊行を切望するところである。これらは学界に裨益するところが大きいだろう。

注

1　坂部恵・伊古田理訳『実践理性批判』(『カント全集』第七巻所収)岩波書店、二〇〇〇年、三五四頁。

【附録一】幽玄論一覧表

注：本表を編集するにあたり、雑誌の場合は出版機関を省略する。同文章が再収録・出版された場合は原則として初出だけを掲出する。

西暦	和暦	著者名	題目名（出版元）
一八九〇	明治二三	森鷗外 石橋忍月	「答忍月論幽玄書」『しがらみ草紙』第一四号 「鷗外の幽玄論に答ふる書」『国会』一二月三日・四日
一九二七	昭和二	久松潜一	「鎌倉時代の歌論――『幽玄』『有心』の歌論」『日本文学講座五』新潮社
一九三〇	五	久松潜一	「幽玄論の変遷の一動機」『東京朝日新聞』／「幽玄の語の出典その他」『歌と評論』／「幽玄の妖艶化と平淡化――正徹心敬の文学論の考察」『国語と国文学』第七九号
一九三四	九	西下経一	「幽玄の再吟味」『文学』
一九三五	一〇	釘本久春 竹内敏雄 岡崎義恵	「幽玄より有心への展開」『文学』 「世阿弥に於ける『幽玄』の美的意義」『思想』第一五五号 「有心と幽玄」『日本文芸学』岩波書店
一九三六	一一	久松潜一	「幽玄論」『日本文学評論史・近世　最近世篇』至文堂
一九三八	一三	手崎政男	「三体和歌と幽玄・有心」『近世文学』
一九三九	一四	大西克礼	『幽玄とあはれ』岩波書店
一九四一	一六	辰巳善雄	「判者俊成の幽玄」『国文視野』第七号
一九四二	一七	伊東一雄 森口多里	「幽玄美の風土的性格」『東洋大学論纂』第二号 「目的芸術と幽玄美への意欲」『読売新聞』一〇月二三日
一九四三	一八	谷山茂 小西甚一 野上豊一郎	『幽玄の研究』教育図書／「幽玄――藤原俊成を中心として」『日本諸学研究報告二〇』 「幽玄の原意義」『国語と国文学』二〇（六） 『能の幽玄と花』岩波書店
一九四四	一九	能勢朝次	『幽玄論』河出書房
一九四六	二一	積善館	『幽玄』
一九四八	二三	佐藤堅司	「漱石文学に於ける幽玄性」『大法輪』一五（一〇）
一九四九	二四	久松真一	「幽玄論」『禅の論攷――鈴木大拙博士喜寿紀念論文集』岩波書店
一九五〇	二五	佐藤堅司	「八犬伝における幽玄性」『知と行』五（五）

一九五一	昭和二六	釘本久春 井手恒雄	「幽玄」『日本文学講座 七』河出書房 「幽玄——仏教との関聯に於いて」『文芸と思想』第三号
一九五二	二七	峯村文人 小西甚一 竹内てるよ	「幽玄と面影」『人文研究』第一〇六号 「俊成の幽玄風と止観」『文学 二〇（一二）』岩波書店 「能における幽玄と夕鶴の幻想」『観世』一九（一）
一九五三	二八	古川久 小島英幸	「狂言の物真似と幽玄」『東京女子大学論集』第三号 「舞歌幽玄にかこつけて」『能』七（四）
一九五四	二九	早川甚三	「謡曲の幽玄性」『日本文学の全貌』愛知書院
一九五五	三〇	細谷直樹 田尻嘉信 藤平春男 峯村文人	「幽玄再考」『国語』四（二） 「幽玄について」『跡見学園国語科紀要』第四号 「藤原俊成の幽玄論ということ」『国文学研究』第一二号 「幽玄美の形成過程」『東京教育大学文学部紀要』第二号
一九五六	三一	実方清 稲田繁夫	「正徹の幽玄論」『文芸研究』第二四号 「藤原基俊の歌論の意義——特に俊成の幽玄論成立過程における」『人文科学研究報告』第六号
一九五七	三二	大原幽学 赤羽学 細谷直樹 実方清	「微味幽玄考」『日本哲学思想全書 一四』平凡社 「古代の幽玄」『文芸研究』第二六号 「「ささめごと」における不明体と幽玄」『連歌俳諧研究』第一二号 「定家の幽玄の過渡的性格」『国語と国文学』三四（六）／「幽玄・有心と三体和歌」『日本文芸研究』九（二）
一九五八	三三	広瀬保 奥田修 関守男 谷山茂 井手恒雄	「余情と幽玄」『日本文芸研究』一〇（二） 「二条良基の幽玄論」『日本文芸研究』一〇（三） 「俊成的幽玄の考察」『国語国文』二七（一〇） 「業平と俊成——幽玄追考」『人文研究——大阪市立大学大学院文学研究科紀要』九（八） 「幽玄美再考」『香椎潟』四
一九六〇	三五	関守次男 鳥野幸次 前田妙子 実方清 釘本久春	「幽玄と有心の混乱」『山口大学文学会志』一一（二） 「和歌における幽玄体について」『相模女子大学紀要』第九号 「俊成に於ける幽玄の一方向」『日本文芸研究』一三（二） 「歌論に於ける幽玄論の成立」『日本文芸研究』一一（四） 「「幽玄」と「有心」との比較における一つの問題」『中世文学の世界——西尾実先生古希記念論文集』岩波書店
一九六一	三六	唐木順三 金井清光 中山一義	「幽玄ということ」『現代謡曲全集一二』筑摩書房 「幽玄とさび——文学史の問題として」『国文学——解釈と鑑賞』二六（一五） 「花と幽玄と器と——世阿弥の稽古思想」『哲学』第四一号

年	号	著者	論文・著書
一九六二	三七	佐々木一秀	「藤原俊成の「幽玄」について」『国文学攷』第二八号
		岩崎礼太郎	「鴨長明の幽玄についての認識」『国文学攷』第二八号
		福田百合子	「俊成卿女の歌の妖艶と幽玄」『日本文芸研究』一四（一）
		前田妙子	「中世後期に於ける「幽玄」の性格――「冷え」の美的理念の展開」『日本文芸研究』一四（一）
一九六三	三八	石津純道	「長明の道と幽玄の論」『高知大学学術研究報告・人文科学』一二
		久松潜一	「世阿弥の芸術論――幽玄と妙花風」『国文学――解釈と教材の研究』八（一）
		伊藤正義	「舞歌幽玄の発現――世阿弥を通してみた禅竹」『文学』三一（一）
		石田吉貞	「初期幽玄の本義」『国文学踏査』七
一九六四	三九	手崎政男	「幽玄論の先蹤としての後頼の歌論」『富山大学文理学部文学紀要』一三
		西脇順三郎	「詩の幽玄」『西脇順三郎詩論集』思潮社
		白洲正子	『花と幽玄の世界――世阿弥』宝文館
一九六五	四〇	中村保雄	「幽玄なる女性とおかしき女――室町時代」『国文学――解釈と鑑賞』三〇（一〇）
		亀井勝一郎	「花と幽玄――日本人の精神史研究」『文学界』一九（八）
一九六六	四一	谷山茂	「為家書札とその妖艶幽玄体」『松蔭女子学院大学研究紀要』第八号
		志方正信	「歌論における幽玄論」『日本文芸研究』一八（一）
		中島洋一	「歌論における幽玄理念の展開」『日本文芸研究』一七（四）
		手崎政男	「幽玄歌論の再吟味――語史的方法のもつ限界について」『富山大学文理学部文学紀要』第一五号
一九六七	四二	佐藤寛志	「芭蕉における「余情」・「幽玄」・「さび」」『国語』第二〇号
		西尾実	「世阿弥の幽玄の美的体系」『文学』三五（一二）／「世阿弥における幽玄の美的展開」『文学』三五（一二）
		実方清	「正徹の歌論における幽玄の世界」『日本文芸研究』一八（四）／「二条良基における幽玄の世界――その連歌論を中心として」『日本文芸研究』一九（一・二）
一九六八	四三	芳地俊男	「能の象徴美・世阿弥の花・幽玄」『国語』第二一号
		西尾実	「世阿弥における幽玄の美的構造」『文学』三六（一）／「世阿弥における幽玄の美的様式　上」『文学三六（四）』
一九六九	四四	吉田精一	「川端康成と中世の幽玄」『川端康成入門』有信堂
		石田吉貞	「幽玄の俊成的形成――音楽的原理について」『文学』三七（一二）
一九七〇	四五	白洲正子	『世阿弥――花と幽玄の世界』宝文館
		楠本憲吉	「詠嘆と幽玄の美学」『日本人の心情――美と醜の感受性』芸術生活社
		イーデス・シファースト	「三つの作品を通してみた幽玄」『中河与一研究』右文書院
一九七一	四六	佐伯仁三郎	「幽玄序説」『創価大学開学記念論文集』

西暦	昭和	著者	論文・著書
一九七二	昭和四七	久松潜一 小沢良衛	「幽玄と「さび」との関係——日本美の系譜より見た」『東方学論集』 「禅竹と幽玄——鬼について」『文学研究』第三六号
一九七三	四八	草薙正夫 藤平春男 浦木まさ子	『幽玄美の美学』塙新書 「幽玄と有心」『国文学研究』第四九号 「世阿弥の幽玄論」『青山語文』第三号
一九七四	四九	石黒吉次郎	「田楽の芸風と観阿弥・世阿弥——「花」「幽玄」に関連して」『国語と国文学』五一（一一）
一九七五	五〇	真下五一 白洲正子 高橋雄四郎 山岡泰造	『西行——幽玄の人』国書刊行会 「風雅と幽玄」『日本教養全集一五』角川書店 「定家とイェイツ——幽玄と象徴をめぐって」『実践英文学』第七号 「飄飄とした心に映る情趣——花月風詠の心根とその幽玄なる精神を訪ねて」『日本及日本人』第一五三五号
一九七七	五二	半田美永 萩野貞樹等 味方健 峰村文人 吉田究 武田元治	「鴨長明の歌論——〈幽玄〉の論理」『皇学館論叢』一〇（一） 『道統の心・幽玄について〈特集〉』『日本及日本人』第一五四一号 「幽玄序説——世阿弥「幽玄」再考」『国崎望久太郎教授退職記念論集』 「『新古今集』時代の「幽玄体」」『人文科学研究——キリスト教と文化』第一二号 「《幽玄》——藤原俊成を中心に」『大阪産業大学論集・人文科学』第四三号 「長明歌論における「幽玄」について——俊成の「幽玄」との比較考察」『大妻国文八』、「俊成歌論における「幽玄」について」『大妻女子大学文学部紀要』第九号
一九七八	五三	佐々木克衛 西尾陽太郎 両角克夫	「正徹と幽玄美——自讃歌自注の例二・三をめぐって」『日本文学』二七（七） 「花・位・幽玄——世阿弥の能楽芸術論」『西南学院大学文理論集』一八（二） 「崇高と幽玄——比較芸術学の試み」『比較思想研究』第五号
一九七九	五四	味方健 高橋和幸 武田元治 奥村晃作	「幽玄再説」『和田繁二郎教授退職記念論集』立命館大学人文学会 「世阿弥の幽玄の本質」『日本文芸研究』三一（四） 「俊成歌論における「幽玄」と「艶」の結合について」『大妻国文』第一〇号 「新幽玄体——北原白秋（明治一八年〜昭和一七年）——第四期象徴詩運動をめぐって」『短歌研究』三六（八）
一九八〇	五五	渡辺守章編 中性哲 小田幸子等 藤田陽子 田代慶一郎	『幽玄——観世寿夫の世界』リブロポート 「俊成における幽玄の構造」『手崎政男教授退官記念論集』 「世阿弥——花と幽玄〈特集〉」『国文学——解釈と教材の研究』二五（一） 「俊成歌論における「艶」と「幽玄」の相関性」『日本文藝学』第一五号 「忠度——軍体の幽玄能」『国文学——解釈と教材の研究』二五（一）
一九八二	五七	高橋和幸 谷田部博子	「世阿弥における幽玄と余情の相関」『人文論究』三二（三） 「藤原俊成における「幽玄」」『日本文学論叢』第七号

西暦	和暦	著者	文献
一九八三	五八	石黒吉次郎	「田楽の芸風と観阿弥・世阿弥――「花」「幽玄」に関連して」『中世演劇の諸相』桜楓社
		田中克己	『薪能――火と闇に花ひらく幽玄の世界』主婦の友社
		小山美智子	「立花口伝大事」にみえる道誉の幽玄――世阿弥伝書との比較より」『論究日本文学』第四六号
一九八四	五九	久保田淳	「幽玄とその周辺」『講座日本思想五・美』東京大学出版会
		邦光史郎	『伝説とその舞台――幽玄と不思議の世界』講談社
		柴田勝二	「能における幽玄」『待兼山論叢一八・美学篇』
一九八五	六〇	手崎政男	『有心と幽玄』笠間書院
		武田元治	「「幽玄様」考――定家十体の内」『大妻女子大学文学部紀要』第一七号
		馬場あき子	「白秋の短歌と古典――新幽玄への道程に」『短歌』三三（七）
		篠弘	「歌集「渓流唱」と「橡」――「近代幽玄体」の葛藤」『国文学――解釈と鑑賞』五〇（一三）
一九八六	六一	鴨志田恒世	『幽玄の世界――神道の真髄を探る』潮文社
		北村恒男	『絞――幽玄の美』フジアート
		梅野きみ子	「「幽玄」の源流と平安文学への反映」『中古文学と漢文学』汲古書院
		斎藤純	「定家・正徹の幽玄について――神女の系譜」『言語と文芸』第九九号
		松浦康有	「狂言と幽玄「因幡堂」に見る狂言の特色」『淑徳大学研究紀要』第二〇号
		原田香織	「「花」「幽玄」から「妙花風」へ――世阿弥能芸論の一つの達成」『文芸研究』第一一二号
		藤井貞和等編	「幽玄と物語取り」『日本文芸史――表現の流れ』二
一九八七	六二	伊庭京子	「二条良基の幽玄論」『日本文芸の形象――前田妙子博士退任記念』和泉書院
		Steve Odin	「陰翳の美学――日本の芸術と文学の幽玄様式について」『思想』第七六二号
一九八八	六三	赤羽学	『幽玄美の探究』清水弘文堂
		池谷敏忠	「幽玄な秩序の世界をめざす――Stevensの「黒鳥の一三の見方」論」『中京大学文学部紀要』二三（三・四）
一九八九	平成元	斎藤望	「井伊家伝来の大名美術一一――幽玄の美」『日本美術工芸』第六一四号
		大澤聖子	「鬼と幽玄――世阿弥の能楽論を読む」『学習院大学国語国文学会誌』第三二号
一九九〇	二	谷山茂	「妖艶と幽玄」『文学・語学』第一二六号
		三崎義泉	「禅竹の「幽玄」と本覚思想の「元初ノ一念」」『天台学報』第三二号
一九九二	四	相川宏	「美の無何有郷（ウー・トポス）――幽玄詩想論」『日本大学芸術学部紀要』第二二号
一九九三	五	篠弘	「白秋――「新幽玄」の実現へ」『短歌』四〇（五）
一九九四	六	武田元治	「「幽玄」の変遷」『大妻国文』第二五号
		福田秀一	「日本歌論における「幽玄」研究史素描――藤原俊成の場合を中心に」『東方学』第八七号
		山本一	「幽玄――和歌的なものの周縁」『日本文学』四三（七）

		島津忠夫	「千載集の幽玄と清澄」『短歌』四一（九）
		三崎義泉	「世阿弥・禅竹の妙・幽玄と天台の妙」『天台学報』第三六号
		モーリー・ロバートソン	「双方向通信「万葉集」――深夜の幽玄な熱気がファックスに流れこむ」『文学界』四八（一一）
一九九五	七	馬場あき子	『源氏物語と能――雅びから幽玄の世界へ』婦人画報社
一九九六	八	松岡心平	「幽玄が円寂するとき――一休・禅竹の世界」『文学』七（二）
		白洲正子	「児姿は幽玄の本風也（両性具有の美・一四・）」『新潮』九三（五）
一九九七	九	藤井たぎる	「下山一二三あるいは幽玄の世界の媒介者」『言語文化論集』一九（一）
		山本一	「「六百番歌合」判詞の「幽玄」」『国語と国文学』七四（一一）
		久松真一	「幽玄論――特に能における」『叢書禅と日本文化四』ぺりかん社
		加藤健一	「原心景としての幽玄――世阿弥の能楽論をめぐって」『日本及日本人』第一六二五号
		久保田淳	「幽玄の道君臣是を重くすといへども――徒然草評釈二〇九」『国文学――解釈と教材の研究』四二（二）
		森秀人	「伊勢物語の周縁と歌道――幽玄の世界と隔たる業平をめぐる虚実のなりわいについて」『日本及日本人』第一六二五号
一九九九	一一	高田恵利子	「物語詩『王子の旅路』における幽玄な叙情の世界」『清泉女子大学紀要』第四七号
二〇〇〇	一二	福原博篤	「環境背景音考（二五）能と音――幽玄の世界と近代技術」『環境と測定技術』二七（七）
二〇〇一	一三	筒井紘一等	『茶能歳時記――茶と幽玄の出会い』
		山本一	「俊成最晩年の「幽玄」をめぐる力学」『金沢大学教育学部紀要人文科学・社会科学』第五〇号
		中村光行	「『源氏供養』のことごと――紫式部の幽玄な生と死」『日本及日本人』第一六四〇号
二〇〇二	一四	叶渭渠	『物哀与幽玄』広西師範大学出版社
		袁波	『水墨画・幽玄の美』秀作社出版
		観世榮夫等	「私の生き方（三七一）七十五歳の初心――能楽界の風雲児が語る幽玄の世界」『公研』四〇（一一）
二〇〇四	一六	梅原猛	『バサラと幽玄』学習研究社
		福澤猷男	『東洋の心、幽玄を追って』美研インターナショナル
		畑中圭一	「童謡集『月と胡桃』所収作品に見られる新幽玄体について」『児童文学論叢』第一〇号
		川口紘明	「『渓流唱』と『椽』――写生即象徴の詩法、新幽玄」『国文学――解釈と鑑賞』六九（五）
二〇〇五	一七	島津忠夫	「『千載和歌集』の幽玄と清澄」『島津忠夫著作集七』和泉書院
		佐々木雅代	「能面に浮かぶ幽玄の美」『JC』第三号
		村田真一	「『八幡宇佐宮御託宣集』における「幽玄」の論理――託宣と本地をめぐって」『佛教大学大学院紀要』第三三号
		高良和子	「優美・繊細・幽玄――比嘉清子の舞の特色」『琉球舞踊古典女踊りの母――比嘉清子伝』
		稲賀繁美	「幽玄、ワビ、サビ――「日本的なるもの」の創生とその背景」『あいだ』第一一一号
二〇〇六	一八	鈴木貞美等編	『わび・さび・幽玄――「日本的なるもの」への道程』水声社

年	番号	著者	文献
二〇〇七	一九	村岡圭子	「評論能の幽玄その序説」『扇影――村岡圭子作品集』
		伊海孝充	『非幽玄能の諸相と中世文芸との相関性』法政大学博士論文
		福田秀一	「幽玄の変遷」『海外の日本文学』武蔵野書院
		粉川輝子	「「幽玄」に魅せられて」『大阪成蹊大学芸術学部紀要』第三号
二〇〇八	二〇	李立軍	『幽玄研究』吉林大学出版社
		城戸朱理	「日本人の眼（一六）幽玄と自然」『表現者』一六・一七・一八
		村田真一	「『八幡宇佐宮御託宣集』における「幽玄」について――託宣への注釈と思考」『日本文学』五七（四）
二〇〇九	二一	野上豊一郎	「能の幽玄」『能とは何か――野上豊一郎批評集成』書肆心水
		海野圭介	「幽玄に読みなす物語」『伊勢物語創造と変容』和泉書院
		周重雷	「「幽玄」から「枯淡」へ――〈西行桜〉と〈芭蕉〉の曲趣をめぐって」『法政大学大学院紀要』第六三号
		趙東一	「日本の能の幽玄と韓国タルチュム（仮面舞）のシンミョンプリ」『日本学士院紀要』六三（三）
二〇一〇	二二	瀧悌三	「安達時彦――能の幽玄を絵画する試み」『月刊美術』三六（五）
二〇一一	二三	王向遠	「釈幽玄――対日本古典文芸美学中的一個関鍵概念的解析」『広東社会科学』第六号
		長谷川千尋	「幽玄がらする詩学」『文学』一二（四）
		渡辺賢治	「幸田露伴「幻談」試論――幽玄世界との境界」『国文学踏査』第二三号
		中西進	「好色と幽玄――〈歌〉のちからについて」『文学・語学』第一九九号
二〇一二	二四	白洲正子	「お能の幽玄」『精選女性随筆集七』文藝春秋
二〇一三	二五	田中久文	『日本美を哲学する――あはれ・幽玄・さび・いき』青土社
		稲生平太郎	「心界幽玄のこと」『何かが空を飛んでいる』国書刊行会
		伊藤正義	「世阿弥の能と幽玄」『伊藤正義中世文華論集　二』和泉書院
		政成功	「幽玄と百人一首」『日本文学論叢』第四二号
		雲丹亀五郎	『古代文学の信仰的発生と新古今和歌集への伝統的歌風・歌調の特徴に関しての考察――主として歌風と「新古今調」の歌論を巡っての幽玄思想への考察』瑞穂大学院
二〇一四	二六	石橋妙子	『花と幽玄の覚書』本阿弥書店
		山本一	『藤原俊成――思索する歌びと』三弥井書店
		佐藤　透	「幽玄美とは何か――ヨーロッパ美学からの照射と返照」『ヨーロッパ研究　九』
二〇一五	二七	森神逍遥	『侘び然び幽玄のこころ――西洋哲学を超える上位意識』桜の花出版
二〇一六	二八	井上正	「世阿弥の能芸論――「衆人愛敬」と「幽玄」について」『帝京大学教育学部紀要四』
		彭浩	「伝統文化における幽玄の美――茶の湯から考える」『人文研紀要』第八四号
		渡辺賢治	「幸田露伴「幻談」試論――幽玄世界との境界」『国文学年次別論文集』朋文出版
		天野文雄	「『松風』――世阿弥が仕上げた「幽玄無上」の能」『世阿弥を学び、世阿弥に学ぶ――一二人の専門家が「世阿弥」を語る――講演・対談集』大阪大学出版会

【附録Ⅱ】歌合における藤原基俊・俊成・定家・為家の幽玄用例

注：本表を作成するにあたり、『新編国歌大観』第五巻（角川書店、一九八七年）によることを原則とした。（ ）内で頁数のみ記している。ただし、読みやすくために、武田元治『「幽玄」――用例の注釈と考察』（風間書房、一九九四年）をはじめ、「幽玄」に関する先行研究を対照しつつ、一部に句読点の添付や現代仮名遣いの変換など手を加えたところがある。

年号（西暦）・歌合名	和歌	判詞
長承三（一一三四）九月十三日『中宮亮顕輔家歌合』二番、紅葉	左（新中納言宗能）：見渡せばもみぢにけらし露霜に誰がすむ宿のつま梨の木ぞ 右勝（道経）：紅の末つむ花に薄くこき露や紅葉の色をそむらん	基俊判：左歌、詞雖擬古質之体、義似通幽玄之境。右歌、義実雖無曲折、言泉已凡流也。仍以右為勝畢。（一七九頁）
永万二（一一六六）『中宮亮重家朝臣家歌合』二番、花	左勝（別当隆季）：打ち寄するいそべの波の白木綿は花ちる里のとほめなりけり 右（三河）：散りちらず覚束なきに花ざかり木のもとをここそ住家にはせめ	俊成判：左、風体は幽玄、詞義非凡俗。但し花を白波白ゆふなど詠むは常のことなれど、波によせつる時は海河をひき、ゆふとかけつれば森やしろともいへるや、由ありて聞ゆらむ。花ちるさとのとほめならば、いそべのなみのしらゆふならずともや侍るべからむ。右ふるごとどもをとかく引きよせられたる中に、かのいせの御息所の歌は、山ぢにて故郷のといぶかしがり、げになに散し散らずきかまほしきをといへるこそ殊にをかしきを、この歌には、ちりちらず覚束ならからむことは、花を思ふ心はふかからむやときこゆらむ。末に栖処にはせめといひはてられたる程、余情たらずやあらむ。なほ、波のしらゆふは、歌のさまたけまさりてや。（一八七頁）
嘉応二（一一七〇）『住吉社歌合』二十五番、旅宿時雨	左（実定）：うちしぐれものさびしかる芦のやの昆陽の寝覚に都こひしも 右（俊成）：あはれにも夜半にすぐなる時雨かなたれもや旅の空にいでつる	俊成判：左歌、ものさびしかるとおき、みやここひしもなどといへるすがた、既に幽玄之境に入る、よろしくこそきこえ侍れ。右歌は、判者拙歌に侍りけり。依例不能加判矣。（二〇七頁）
承安二（一一七二）『広田社歌合』二番、海上眺望	左持（実定）：武庫の海をなぎたる朝に見わたせば眉もみだれぬ阿波の島山 右（源頼政）：渡津海を空にまがへてゆく舟も雲の絶え間の瀬戸に入りぬる	俊成判：左詞をいたはらずして、又さびたる姿一つの体に侍めり。眉もみだれぬ阿波の島山、といへる、かの黛色迥臨蒼海上といひ、竜門翠黛眉相対などといへる詩思ひ出でられて幽玄にこそ見え侍れ。右又、空にまがへてゆく舟も、といへる心深くかすめるここちして、雲の絶え間の瀬戸に入りぬらんほどもおろかなる心およびがたくして勝劣不分明。よりて為持。（二一六頁）
承安二（一一七二）『広田社歌合』八番、海上眺望	左持（成範）：沖つ津天の川にや立ちのぼる漕ぎゆく船の空に見ゆるは	俊成判：左、これも先のつがひの左の歌の心にかよへるべし。天の川にや立ちのぼる、といへる心をかしくはみえ侍り。そらにみゆと侍るぞかみにみえんやうにきこゆれど波のすえの空にひとつにみゆる心なるべし。

	右（盛方）：漕ぎ出でて御沖海原見わたせば雲居の岸にかくるしら波	右、雲居の岸やさしたる心地し侍れどこれも心は同じ筋なるべし、御沖海原なドといへる姿幽玄の体に見え侍めれば、持と申すべし。（二一六頁）
承安二（一一七二） 『広田社歌合』二十八番、 述懐	左持（阿闍梨姓阿）：名にし負へば頼みぞかくる西の宮そなたにわれを導くやとて 右（浄縁）：葛城山菅の葉しのぎ入りぬともうき名はなほや世にとまりなん	俊成判：左ははじめ七番のつがひにや侍りつるうたのことばのつづき、いささかはれるに侍めり。右は、菅の葉しのぎなどいへる姿、幽玄にこそ聞え侍れ。ただし、いづれも心の趣あはれに見ゆ。なほ又持と申し侍るべし。（二二〇頁）
承安三（一一七三） 『三井寺新羅社歌合』九番、 古郷郭公	左持（中納言君）：難波潟朝漕ぎ行けば時鳥声を高津の宮に鳴くなり 右（少輔君）：故郷の御垣が原の時鳥声は昔にへだてざりけり	俊成判：左歌、詞存古風興入幽玄。但、郭公高声強非其庶幾歟。右歌、姿心よろしくは見え侍るを、彼、石上ふるき都の時鳥、といへる素性が歌にかよひ過ぎてや侍らむ。但、これは御垣の原とおきて、むかしにへだてずといへるこそ、物の上手のしわざと見え侍れ。されどふるき詞おほし。初めて勝とも申しがたし。持なるべし。（二二一頁）
文治三（一一八七）頃 『御裳濯河歌合』十八番 「西行自歌合」	左勝：おほかたの露には何のなるならん袂に置くは涙なりけり 右：心なき身にも哀は知られけり鴫立つ沢の秋の夕暮	俊成判：鴫立つ沢のといへる、心幽玄に、姿および難し。但、左歌、露にはなにのといへる、詞あさきにて心ことにふかし。勝つべし。（二六〇頁）
文治三（一一八七）頃 『御裳濯河歌合』二十九番 「西行自歌合」	左持：かりくれし天の川原と聞くからに昔の波の袖にかかれる 右：津の国の難波の春は夢なれや芦のかれ葉に風わたるなり	俊成判：ともに幽玄の体なり、又持となす。（二六一頁）
文治五（一一八九） 『宮河歌合』一番	左持（玉津島海人）：万代を山田の原のあや杉に風しきたてて声よばふなり 右（三輪山老翁）：流れ出てみ跡たれます瑞籬は宮河よりやわたらひのしめ	定家判：左右歌、義隔凡俗、興入幽玄。聞杉上之風声、摸柿下之露詞、見宮河之流、探蒼海之底、短慮易迷、浅才難及者歟、仍先為持。（二六二頁）
建久四（一一九三） 『六百番歌合』六番、 秋残暑	左持（女房）：打ち寄する波より秋の龍田川さても忘れぬ柳影かな 右：秋浅き日影に夏は残れども暮るる籬は荻の上風	俊成判：右方申云、左歌宜之由を申す。左方申云、秋あさき聞きにくし、くるる籬もこころえずや。判云、左歌、波より秋のなどいとをかしくは見え侍り、柳蔭にとりてぞ、龍田川は紅葉流るるなど古くも詠めるは、今少し幽玄に侍るを、柳影は中比も詠み侍れど、少し俗に近くや侍らん。右歌、さきに二番の右にや侍りつる歌のおなじ心にぞ侍れど、秋あさき聞きにくしともおぼえ侍らず、くるるまがきも艶にこそきこえ侍れ。左は首尾相叶ひ難なく見え侍り。、右は余情あるていに侍るべし、なずらへて持とすべし。（二八五頁）

年代・出典	歌	判・評
建久四（一一九三）『六百番歌合』二十四番、秋鶉	左勝（定家）：月ぞすむ里はまことに荒れにけり鶉の床を払ふ秋風 右（寂蓮）：茂き野と荒れはてにける宿なれや籬の暮に鶉鳴くなり	俊成判：左右互申宜之由。判云、両者故郷の風体、共に優に聞え侍るを、右、籬の暮や、伏見の暮になどいへるこそ、幽玄に聞え侍るを、籬の暮、事狭くや侍らん。左の末句まさるべくや。（二八六頁）
建久末（一一九九）頃『慈鎮和尚自歌合』聖真子九番、冬の心山里にて	左：冬がれの梢にあたる山風の又吹くたびは雪のあまぎる 右勝：深山木ののこりはてたる梢よりなほしぐるるは嵐なりけり	俊成判：左歌、心詞幽玄の風体なり。ただし、右歌の残りはてたるといひ、なほ時雨るるはなどいへる、姿心ことに宜しきこそ侍り、まさるべくや侍らん。（三三六頁）
建仁元（一二〇一）八月十五日『選歌合』三十四番、左深山暁月・右野月露涼	左勝（有家朝臣）：花をのみをしみなれたるみ吉野のこずえにおつる有明の月 右（内大臣）：白露にあふぎをおきつ草のはらおぼろ月夜も秋くまなさに	俊成判：右歌、幽玄の事に思ひよりて侍れど、左、うるはしくよろしき歌なりとて、為勝。（四〇二頁）
建仁二～三（一二〇二～一二〇三）頃『千五百番歌合』二百七十一番	左勝（女房）：風ふけば花のしら雲やや消えてよなよなはるるみよしのの月 右（兼宗卿）：花ゆえにをしむけふぞといふならばかへりて春や我をうらみむ	俊成判：左歌、よなよなはるるみよしのの月、秋の空ひとへにくまなからむよりもえんに侍らむかしと、面影見るやうにこそ覚え侍れ。右歌、をしむけふぞといふならばなどいへる詞、たしかに理きこえては侍るべし。ただし歌の道、よなよなはるるみよしのの月など、幽玄におよびがたきさまにあらまほしく侍る事なり。（四三五頁）
建仁二～三（一二〇二～一二〇三）頃『千五百番歌合』七百五十一番	左勝（女房）：秋の虫の手玉もゆらにおる機をたれ来て見よと野辺の夕暮れ 右（釈阿）：月はこれあはれを人につくさせて西へつひにはさそふなりけり	定家判：左、秋虫仮機婦札札之声、晩野感行人悠悠之望。詞雖為塞北秋雁之行、心深於江南春水之色、其義偏慣于上世、其体又超于中古。右、寄瞻望於秋月、凝観念於西天許也。幽玄之詞、雖頗異他、勝負之思、更難及左者歟。（四五八頁）
建仁二～三（一二〇二～一二〇三）頃『千五百番歌合』七百八十番	左（顕昭）：なきまさるおのが声にやきりぎりす深ゆくよはの程をしるらん 右勝（釈阿）：故郷にひとりも月を見つるかな姨捨山をなに思ひけん	定家判：左、暗蛬之韻、以己音之漸増、知夜漏之方闌。推察之思、頗似無詮。右、玄兔之影、極旧里之閑望、徧名所之遠情。心尤幽玄、足賞翫者歟。（六〇頁）
承元三（一二〇九）『近代秀歌』俊頼	うづらなくまのの入江のはま風に尾花なみよる秋のゆふ暮 ふるさとは散るもみぢ葉にうづもれて軒のしのぶに秋風ぞ吹く	定家評：これは幽玄におもかげかすかにさびしきさまなり。（佐々木信綱編『日本歌学大系』第三巻、一九五六年、三二八頁）

貞永元（一二三二）『名所月歌合』二十四番	左（権中納言）：月かげは秋の夜ながく住の江のいく千とせにか相生の松 右勝（高倉）：里はあれて伏見の秋を来てとへば月こそやどれ浅ぢふの露	定家判：住江月、又雖慕神社之威、伏見秋、殊入幽玄之境、仍為勝。（五八五頁）
宝治元（一二四七）『院御歌合』四十三番、初秋風	左（定雅）：今ははや東のおくに通ふらむ秋のしるしの西の山風 右（公相）：けふはまた夕をわきて久堅の空よりすぐる秋の初風	為家判：左にしの山風、ちかきよに月吹きかへせとて、はじめてきこえ侍るにや。このいまははやと侍る、立秋の日かずにとりていつ程のことにか侍らん。金風はまことにみちのく山にたより侍らめど、幽玄の姿にはききなされ侍らぬにや。右夕をわきてといへるほど、艶なるさまに侍るを、空よりすぐると侍るぞ、すこし荒涼なるところみえ侍れども、あづまのおくにかよふにしの山風よりは、秋の初風昔より名誉侍れば、なほ右勝にこそ。（六〇九頁）
宝治二（一二四八）『院御歌合』九十二番、逢不遇恋	左勝（女房）：あかしかね侍たるる物となりにけりさしもいとひし鳥の八声も 右（小宰相）：下の帯のあだに結びし中なればめぐりあふべき限だになし	為家判：左さしもいとひし鳥の八声、またるる物になれる心、聞き所多く侍る。深く思ひ入られて、優美のすがた、幽玄の心、殊によろしくこそ侍れ。右下の帯あだに結びしなどは、さもやとみえ侍るに、下句かぎりだになしとて、恋のこころいまはおもひすてたるやうにみえ侍る、題の本意侍らねば、尤為負。（六一二頁）
建長三（一二五一）『影供歌合』二十一番、山家秋風	左勝（女房）：山ふかみすまゐがらにや身にしむと都の秋の風をとはばや 右（基家）：つまぎこる谷のゆききの道すがら人にしらるる秋の山風	衆議判・為家記：都の秋の風をとはばや、まことに山中の景気思ひやられて、入幽玄之境之由各申。人にしらるるたにのかぜさる事にて侍れど、つまぎこるゆききのみちすがら、おもかげくちをしと申す人侍りて、いよいよ都の秋まさり侍るよし一同申して為勝。（六一七頁）
文永二（一二六五）『亀山殿五首歌合』二十三番、山紅葉	左勝（中納言）：山姫の心ぞみゆるしぐれてはちぢにうつろふ峰のもみぢば 右（為教卿）：紅に秋やたむけてそめつらんまつのを山の峰の紅葉ば	衆議判・左真観記・右為家記：左歌、本歌をかしくとりなして姿優なり、と侍従三位申出で侍りしかば、残りの人人もさやうに申されしにや。右歌をば同じ方より、なにとやらむ難をくはへ侍りき。おほよそ左歌をばほめ、右歌をばそしる。左方ちからをもいれずして右方の申すにまかせて左勝ち侍りにき。左、山与峰如寛平勅判者雖可憚、其後多不難之歟、随又右方無申旨、然而為謝後難載此子細者也。左歌姿言葉幽玄之由為勝。（六九〇頁）

【附録Ⅲ】定家仮託書における幽玄体の記述

注：本表を作成するにあたり、各書のテキストは佐々木信綱編『日本歌学大系』第四巻（風間書房、一九五六年）によることを原則とした。（　）内で頁数のみ記している。ただし、読みやすくために、各版を対照しつつ、一部に句読点の添付や現代仮名遣いの変換など手を加えたところがある。

書名	関連記述
愚秘抄 （二九一～二九七頁）	先十體とて古くもあまた選びおけり。此十體を本實として、猶風體あひまじはるべし。所謂、遠白體、秀逸體、物哀體、強力體、存直體、一興體、抜群體、花麗體、行雲體、廻雪體、理世體、撫民體、至極體、松體、竹體、高山體、澄海體、不明體。かくの如く姿十八あるべし。いかならむ歌はこれこれと定め申さん事は、ゆゆしき重事なるべし。されば故人も分明に名を付け定むる事難しと思へり。愚老も僅にさやらんとばかりは覺えながら、確かにそれとは申しがたくこそ侍れ。但此十八體を先の十體によせて心得べきにや。もしあふやらむ。幽玄體（行雲體・廻雪體）、長高體（高山體・遠白體）、有心體（物哀體・不明體・理世體・撫民體）、麗體（存直體・花麗體）、事可然體（秀逸體・抜群體）、面白體（一興體）、鬼拉體（強力體）、至極體、松體、竹體、澄海體、此四はよせがたし。
	至極體は先達もたやすく定めがたかりけるにや、去る文治の頃仙洞にて當道の好士等數量召し集められて、此體を如何なるべき物ぞと御沙汰ありしに、亡父卿申云、至極體とは有心躰をその歌とすべし、但有心體にも深浅源流の姿侍り。此至極體と申さん歌は、正しき心を先として詞おほめかず、安らかにつづけなして、さるから打まかせてつづけがたき様にて、面白き所あらんをいふべきかとなん。寂蓮は幽玄體を和歌の至極とすべしといへり。顕昭は麗體をもてこれにすべしとなん申しき。有家、雅經、家隆卿、通具朝臣などは寂蓮に同じて幽玄の姿なるべしと申し侍り。後京極摂政殿頻に亡父卿の申しあげ侍る趣をかたく執して、まことにかくなんあるべき事やらんとぞおぼえ給ふると申させ給ひしがば、叡慮もかなひたりげにて、うちうなづかせ給ひしにこそ。 さて、かの十躰によするところの體どもは、能々古歌を見かへしてさとり知るべきにや。幽玄によする姿どもをば幽玄の歌を見わけて、是は行雲、彼は廻雪など思ひわくべし。餘體も是にて心得べし、所謂十體を惣稱として、いま各よする體は別號とすべし。行雲、廻雪といふは幽玄本意也。行雲、廻雪は好妓の名也。是やさしく類なき女の姿を見る様ならん歌は幽玄體なるべし。
	さてもある人の手跡の事をかき侍る物に、皮肉骨の三體を立てて申したるに、道風、佐理、行成等の三人に三得三失をたてて侍り。道風は骨を得て皮肉をかかず。佐理は皮の一體をかきて骨肉の二を忘れ、行成は肉體存して皮骨の兩篇を忘ぜり。是みな筆跡によれり。例へば、道風は筆勢えもいはず強く巧みにして、やさしきと愛ある姿をかかず。佐理はやさしきすぢを得て、強き體と愛あるかたを知らず。行成は愛敬ばかりをかきて、強くやさしき様を不得也。強きは骨、やさしきは皮、愛あるは肉なるべし。（中略）此三體を歌の十體にのぞめて心得るに、鬼拉體、有心體、事可然體、麗體、此四は骨也。濃體、有一節體、面白體、此三は肉なるべし。長高體、見體、幽玄體、此三は皮の姿なるべきにや。是を能々分別しきはめて、三體をはたらかさずして、三體の中をよめらんをやよき歌とは申し侍らん。
	西行は此道の權者とおぼえ侍る。されば叡慮もさおぼしめされたりげにて、常は柿本再誕かなとのみ仰下されしにこそ。但、西行が體を學ばんといふ事は、非器の輩の叶ふまじき也。まね損ぜば平懐にかたはらいたき事侍りぬべきにこそ。幽玄體をかねて有心體を学ばん人は、清輔朝臣、亡父卿などの詠歌によみにせんとすべし。それはよもあしからじとぞおぼえ侍る。これぞ和歌の體を存ぜる風骨にて侍りぬべき。唯歌のことわり人の耳に近く、姿やさしからんをよろしとすべしとぞ承りおきし。
愚見抄 （三五五～三五六頁）	十體と申すは、幽玄體、長高體、有心體、事可然體、麗體、濃體、有一節體、面白體、見様體、拉鬼體、是なり。よろしくこれは古く申しおきて侍れば見知せよ。此外の體の又可存知事あまた侍り。いはゆる寫古體・景曲體・物哀體・存直體・行雲體・廻雪體・理世體・撫民體と申すことあり。

三五記
（三一四〜三一六頁）

行雲・廻雪體と申すは、幽玄の歌にとりての姿也。幽玄の歌の中に、わきて行雲・廻雪といはるる姿侍り。心幽玄、詞幽玄として両種あるべし。今の體は詞幽玄にて侍るべきにや。文選高唐賦云、昔先王遊高唐、怠而昼寢、夢見一婦人。婦人曰、妾巫山之女也。爲高唐之客。旦爲行雲、夕爲行雨。朝々暮々、陽臺之下。旦朝観之如言。故爲立廊、號曰朝雲。同洛神賦云、河洛之神、名曰宓妃。髣髴兮若輕雲之蔽月、飄颻兮若流風之廻雪。肩如削成、腰如約素。此神女也。此景粧を心にかねたらん歌を申すべきにや。

第一　幽玄體：
侘びぬれば今はた同じ難波なる身を盡しても逢はむとぞ思ふ　拾遺、元良親王
思ひ河たえず流るる水のあわのうたかた人に逢はで消えめや　後撰、伊勢
有明のつれなく見えし別れよりあか月ばかりうきものはなし　古今、忠岑
槐花雨潤新秋地、桐葉風涼欲夜天　白居易
扁舟蘆暗秋風泊、旅店柴疎暁月扃　藤原周光
燕子樓中霜月夜、秋来只爲一人長　白居易

行雲體：
したもえに思ひ消えなん煙だに跡なき雲のはてぞかなしき　新古今、俊成女
袖の上に誰ゆゑ月は宿るぞとよそになしても人のとへかし　新古今、秀能
露はらふ寝覚は秋の昔にて見はてぬ夢にのこる面かげ　新古今、俊成女
蘭省花時錦帳下、廬山雨夜草庵中　白居易
夕殿螢飛思悄然、孤灯挑尽盡成眠　白居易
生涯事去只望水、老後人非獨見山　未詳

廻雪體：
風吹けばよそに鳴海のかた思ひ思はぬ波になく千鳥かな　新古今、秀能
思ひいる深き心のたよりまで見しはそれともなき山路かな　新古今、秀能
忘れゆく人ゆゑ空をながむればたえだえにこそ雲も見えけれ　新古今、範兼
行宮見夜傷心色、夜雨聞猿斷腸声　白居易
遅々鐘漏初長夜、耿々星河欲曙天　白居易
何時最是思君處、月入斜窓暁寺鐘　元稹

かやうに書きとどめ侍る、いささかの姿にあひ侍るべきやらむ。凡そ今の體に幽玄と申すは、惣じて歌の心詞かすかに、ただならぬ様なり。行雲廻雪の両體と申すも、ただ幽玄の中の餘情なり。但、心あるべきにや。幽玄は惣稱、行雲・廻雪は別名なるべし。所詮幽玄といはるる歌の中に、なほ勝れて、薄雲の月をおほひたるよそほひ、飛雪の風に漂ふけしきの心地して、心詞の外にかげのうかびそへらむ歌を、行雲・廻雪の體と申べきとぞ亡父卿申されし。先づ何れの姿と申しながら、是こそ和歌の本意なれとて、初心の時しめしきこえ給ふ體なり。されば歌には、やさしく物柔かなるすぢを冀ふべき事とやらむ。

桐火桶（二七三～二七四頁）	ある時、ただしむかひて續歌よみ給ひし時、尋ね申していはく、十二三のいとけなく侍りし昔の歌は、よに愛らかに姿もやさしくみえ候ひしが、それよりこのかたの歌、としどしにあいどほにほねだかなるやうになりもてゆき侍るは、歌ばしよみ損じ侍るやらむ。歌はただ御庭訓にも、金吾の説とて候舊草にも、さらぬ古人どもの教にも、やさしかるべきぞと侍るやらむ。それもかくのごとくなり行くに、心もとなくこそと申したりしかば、うちうなづき給ひて、さる事侍り。いみじくかくまで思ひ入りてたづぬるものかな。しるべし、それは心をよみぬきてぞさやうにはおぼゆらむ。諸道はけいこだにも年かさなれば、日にしたがひて胸にしみこころづよくなりまさりて、やさしきすぢはうとし。是ひとへに、歌のよみつのるなるべし。かくはあれども又ひとへにさだめがたし。人によるべきにや。しばらくそのまま讀みゆかむ程に、風骨よみさだまるべし。さて其の後また今はとおぼえむ時、立ちかへりてもとの幼かりしにならひよみて試みよ。唯最初のすがたをみよと貫之も申しけるとかや。されども、げには歌の無上とも申すは、ただ凡慮の及びがたき所をよみぬきて、しかもつねなるやうに聞ゆるなるべし。こころねもさえすみて、ことばづかひも、天にはしかけたらむをぞ上手とは申すべき。よきうたと申すは、うちきくに、誰もかくはよまむずらむものをと覺ゆるを、寔によまおぼゆるたぐひは、まことによます時はやすきなり。よくよくこれをかへりみよ。さればとて、この上手の體をよまむとすべからず。學ばば人毎によみ損じ侍るべし。自然とけいこしてもてゆけばおぼえずしてよまるるなり。ただ入門幽玄にやさしからむと思ひて、しかもただしくよみ習ふべし。幽玄をすてよとにはあらず。初心の幽玄をれんまの後にも、すてざれとをしふるなりと宣ひき。

【附録Ⅳ】世阿弥能楽論における幽玄の用例

注：本表を作成するにあたり、各書のテキストは能勢朝次『世阿弥十六部集評訳』岩波書店、一九四九年によることを原則とした。（ ）内で頁数のみ記している。
ただし、読みやすくために、各版を対照しつつ、一部に句読点の添付や現代仮名遣いの変換など手を加えたところがある。

書名	関連記述
風姿花伝	されば、古きをまなび、新しきを賞する中にも、全風流を邪まにする事なかれ。ただ言葉賤しからずして、姿幽玄ならんを、受たる達人とは申すべき哉。（「序」、上巻七頁） まづ童形なれば、何と為たるも幽玄なり。（「十二三より」一三頁） しかれば、申楽の當座に於ても、能に上中下の差別あるべし。本説正しく、珍しきが、幽玄にて、面白きところあらんを、善き能とは申べし。（「第三、問答條々・三」、八五～八六頁） 位・たけには別の物也。たとへば、生得幽玄なるところある。これ上の位歟。しかれども、更に幽玄には無き為手の、たけの有るもあり。これは幽玄ならぬたけなり。（中略）能々工夫して思に。幽玄の位は、別傳の所か。たけたる位は、劫入たる所か。心中に案を巡らすべし。（「第三、問答條々・六」、上巻一〇三頁）

又、強き弱き事、多く人紛らかす物也。能の品の無きをば、強きと心得、弱きをば、幽玄なりと批判する事、誤り也。何と見るも、見弱りのせぬ為手あるべし。これ強き也。何と見るも花やかなる為手、これ幽玄なり。されば、此文字に當たる道理を為究めたらんは、音曲風體一心に成り、強き幽玄の境、何も何も、自から究めたる為手なるべし。(「第三、問答條々・七」、上巻一一二頁)

時分の花、聲の花・幽玄の花、かやうの條々は、人の目にも見えたれども、その態より出で来る花なれば、咲く花のごとくなれば、又やがて散る時分あり。(「第三、問答條々・九」、上巻一二〇頁)

凡そこの道、和州、江州において風體變れり。江州には、幽玄の境を取り立てて、物真似を次にして、かかりを本とす。和州には、先物真似を取り立てて、物數を盡て、然も幽玄の風體ならんとなり。然ども、眞實の上手は、いづれの風體なりとも、漏れたる所あるまじき也。一向の風體ばかりをせんものは、まこと、得ぬ人のわざなるべし。されば、和州の風體、物まね・儀理を本として、あるひはたけのあるよそほひ、あるひは怒れるふるまひ、かくのごとくの物數を、得たる所と、人も心得、たしなみもこれ、もつぱらなれども、亡父の名を得し盛り、静が舞の能、嵯峨の大念佛の女物狂の物まね、ことにことに得たりし風體なれば、天下の褒美・名望を得し事、世もて隠されなし。これ、幽玄無上の風體なり。(「第五、奥儀云・二」、上巻一四五頁)

ただ、優しくて、理の即ち聞えゆる様ならんずる詩歌の言葉を採るべし。優しき言葉を、振りに合わすれば、不思議に、自から、人體も幽玄の風情に成る物也(中略)しかればよき能と申すは、本説正しく、珍しき風體にて、詰め所ありて、かかり幽玄ならんを第一とすべし。(中略)又、怒れる人體にて、幽玄の物まね、これ同じ。(「第六、花修云・一」、上巻一七二~一七五頁)

能に、強き・幽玄・弱き・荒きを知る事、大方は見えたる事なれば、容易すきやうなれ共、眞實是を知らぬによりて、弱く、荒き為手多し。まづ、一切の物眞似に、偽はる所にて、荒くも、弱くも成るし知るべし。この境、よきほどの工夫にては、紛るべし。よくよく心底を分けて、案じ収むべき事也。まづ、弱かるべき事を強くするは、偽はりなれば、これ荒きなり。強かるべき事に強きは、これ強き也。荒きにはあらず。もし、強かるべきことを、幽玄に為とて、物まね似たらずば、幽玄には非くて、これ弱き也。去程に、唯、物まねに任せて、その物に成入て、偽はり無くば、荒くも弱くもあるまじきなり。又、強かるべき理はり過ぎて強きは、殊更荒きなり。幽玄の風體より、尚優しく為とせば、これ、殊更弱きなり。この分け目をよくよく見るに、幽玄と強きと、別に有るものと心得る故に、迷ふ也。この二つは、その物の體にあり。例へば、人に於いては、女御・更衣・又は遊女・好色・美男、草木には花の類、かやうの數々は、その形幽玄の物なり。又、或いは、武士・荒夷、或いは鬼・神、草木にも、松・杉、かやうの數々の類は、強き物と申べきか。かやうの萬物の品々を、能為似せたらんには、幽玄の物まねは幽玄に成り、強きは自ら強かるべし。この分け目をばあてがはずして、ただ幽玄にせんとばかり心得て、物まねおろそかなれば、それに似ず。似ぬをば知らで、幽玄にするぞと思ふ心、これ弱きなり。されば遊女・美男などの物まねをよく似せたらば、自ら幽玄なるべし。唯、似せんとばかり思ふべし。又、強き事をも能似せたらんには、自ら強かるべし。また強きことをもよく似せたらんは、自ら強かるべし。但し、心得べき事あり。力無く、この道は、見所を本に為業なれば、その當世當世の風儀にて、幽玄をもてあそぶ見物衆の前にては、強き方をば、少し物まねにはづるるとも、幽玄の方へは、やらせ給ふべし。この工夫を以て、作者また心得べき事有り。いかにも申楽の本木には、幽玄ならん人體、まして、心・言葉をも優しからんを、たしなみて書くべし。それに偽りなくば、自ら幽玄の為手と見ゆべし。幽玄の理を知り究めぬれば、おのれと強き所をも知るべし。されば一切の似せ事をよく似すれば、よそ目に危ふきところなし。危ふからぬは強きなり。しかれば、ちちとある言葉の響きにも、靡き・臥す・返る・寄るなどいふ言葉は、柔らかなれば、自ら余情になるやうなり。落つる・崩るる・破るる・転ぶなど申すは、強き響きなれば、振りも強かるべし。このあてが去る程に、強き・幽玄と申すは、別に有るものに非ず。唯、物まねの直ぐなる所、弱き・荒きは、物まねにはづるる所と知るべし。このあてがひをもて、作者も、發端の句、一聲、わかなどに、人體の物まねによりて、いかにも幽玄なる餘情・たよりを求むるところに、荒き言葉を書き入れ、思ひの外にいりほがなる梵語・漢音などを載せたらんは、作者のひが事なり。(「第六、花修云・三」一九〇~一九八頁)

	弱きなり。この分け目をよくよく見るに、幽玄と強きと、別に有るものと心得る故に、迷ふ也。この二つは、その物の體にあり。例へば、人に於いては、女御・更衣・又は遊女・好色・美男、草木には花の類、かやうの數々は、その形幽玄の物なり。又、或いは、武士・荒夷、或いは鬼・神、草木にも、松・杉、かやうの數々の類は、強き物と申べきか。かやうの萬物の品々を、能為似せたらんには、幽玄の物まねは幽玄に成り、強きは自ら強かるべし。この分け目をばあてがはずして、ただ幽玄にせんとばかり心得て、物まねおろそかなれば、それに似ず。似ぬをば知らで、幽玄にするぞと思ふ心、これ弱きなり。されば遊女・美男などの物まねをよく似せたらんは、自ら幽玄なるべし。唯、似せんとばかり思ふべし。又、強き事をも能似せたらんには、自ら強かるべし。また強きことをもよく似せたらんは、自ら強かるべし。但し、心得べき事あり。力無く、この道は、見所を本に為業なれば、その當世當世の風儀にて、幽玄をもてあそぶ見物衆の前にては、強き方をば、少し物まねにはづるとも、幽玄の方へは、やらせ給ふべし。この工夫を以て、作者また心得べき事有り。いかにも申楽の本木には、幽玄ならん人體、まして、心・言葉をも優しからんを、たしなみて書くべし。それに偽りなくば、自ら幽玄の為手と見ゆべし。幽玄の理を知り究めぬれば、おのれと強き所をも知るべし。されば一切の似せ事をよく似すれば、よそ目に危ふきところなし。危ふからぬは強きなり。しかれば、ちちとある言葉の響きにも、靡き・臥す・返る・寄るなどいふ言葉は、柔らかなれば、自ら余情になるやうなり。落つる・崩るる・破るる・転ぶなど申すは、強き響きなれば、振りも強かるべし。去る程に、強き・幽玄と申すは、別に有るものに非ず。唯、物まねの直ぐなる所、弱き・荒きは、物まねにはづる所と知るべし。このあてがひをもて、作者も、發端の句、一聲、わかなどに、人體の物まねによりて、いかにも幽玄なる餘情・たよりを求むるところに、荒き言葉を書き入れ、思ひの外にいりほがなる梵語・漢音などを載せたらんは、作者のひが事なり。(「第六、花修云・三」一九〇〜一九八頁)
	又、小さき能の、さしたる本説にては非けれ共、幽玄なるが、細々としたる能あり。(「第六、花修云・四」二〇六頁)
	花といふは、余の風体を残さずして、幽玄至極の上手と人の思ひ慣れたるところに、思ひのほかに鬼をすれば、珍しく見ゆるところ、これ花なり。(「第七、別紙口傳・一」二一九頁)
	能に、よろづ用心を持つべきこと、仮令、怒れる風体にせん時は、柔らかなる心を忘るべからず。これ、いかに怒るとも、荒かるまじき手だてなり。怒れるに柔らかなる心を持つこと、珍しき理なり。また幽玄の物まねに、強き理を忘るべからず。(「第七、別紙口傳・五」四四頁)
至花道	樂人の舞にも、稜王、納蘇利など、皆その舞名までにて、舞童は直面の児姿なるが如し。これ則、後々までの藝體に、幽玄を残すべき風根なり(中略)神舞、閑全なる粧をひは、老體の用風より出で、幽玄雅たる節し懸かりは、女體の用風より出で、身動足蹈の生曲は、軍體の用風よりいでて、意中の景をのれと見風にあらはるべし。(「二曲三體事」、上巻四三六〜四三九頁)
	下地の得たらんは骨、舞歌の達風は肉、人體の幽玄は皮にてありとも、三を持ちたるばかりなるべし。(中略)何と見るも、幽玄なるは皮風の藝劫の感にて、離見の見にあらはるる所を思ひ合はせて、皮肉骨そろひたる為手なりけりと申べき。(「皮肉骨事」、上巻四六二頁)
	白鳥花ヲ啣ム、是幽玄風姿歟。(「體事」、上巻四七八頁)
二曲三体絵図	心を體にして、力をすつるあてがひ、能々心得すべし。物まねの第一大事是にあり。幽玄の根本風とも可申也。(「女體・體心捨力」、上巻四九一頁) 女體の舞、ことに上風にて、幽玄妙體の遠見たり。(「女舞」、上巻四九二頁)
能作書	祝言、幽玄、戀、じゆつくわい、ぼうをく、色々のえんによるべきしいかの言葉を、能の風體によりて、とりあてがひて書べし。(「一」、上巻六〇一頁)

	たけたるかかりのうつくしくして幽玄無上の位、曲も妙聲、ふりふぜいも此上はあるべからず。（「二二」、上巻六一四頁） 女物狂の風體、是はとても、物狂なれば、何とも風體を巧みて、音曲細やかに、言振舞に相應して、人體幽玄ならば、何とするも面白かるべし。（「二二」、上巻六一五頁）
花鏡	幽玄の風體の事、諸道諸事に於て幽玄なるを以て上果と為り。殊更、當藝於て、幽玄の風體、第一とせり。先づ大方は、幽玄の風體、目前に現はれて、是をのみ見所の人も賞翫すれ共、幽玄なる為手、左右無く無し。是、眞に、幽玄の味はひを知らざる故なり。さるほどに、其の堺へ入為手無し。抑、幽玄の堺とは、眞には、如何なる所にてあるべきやらん。まづ、世上の有様を以て、人の品々を見るに、公家の御起居の位高く、人ばう余に変はれる御有様、是幽玄なる位と申すべきやらん。しからばただ美しく柔和なる體、幽玄の本體也。人體の閑雅なる粧をい、人ないの幽玄なり。又、言葉優しくて、貴人・上人の御慣はしの言葉遣ひをよくよく習ひうかがひて、かりそめなりとも口より出ださんずる言葉の優しからん、是言葉の幽玄なるべし。又、音曲において、節かかり美しく下りて、なびなびと聞えたらんは、これ音曲の幽玄なるべし。舞は、よくよく習ひて、人ないのかかり美しくて、静かなるよそほひにて、見所面白くは、これ舞の幽玄にてあるべし。また物まねには、三体の姿かかり美しくは、これ幽玄にてあるべし。また怒れるよそほひ、鬼人などになりて、身なりをば少し力動に持つとも、また美しきかかりを忘れずして、動十分心、また強身動宥足踏を心にかけて、人ない美しくは、これ鬼の幽玄にてあるべし。この色々を心中に覚えすまして、それに身をよくなして、何の物まねに品を変へてなるとも、幽玄をば離るべからず。たとへば上臈・下臈、男女、僧俗、田夫野人、乞食非人に至るまで、花の枝を一房づつかざしたらんを、おしなべて見んがごとし。その、人の品々は変はるとも、美しの花やと見んことは、皆同じ花なるべし。この花は人ないなり。姿をよく見するは心なり。心といふは、この理をよくよく分けて、言葉の幽玄ならんためには歌道を習ひ、姿の幽玄ならんためには、尋常なる為立の風體を習ひ、一切ことごとく、物まねは変はるとも、美しく見ゆる一かかりを持つこと、幽玄の種と知るべし。ただやもすれば、その物その物の物まねばかりを為分けたるを至極と心得て、姿を忘るるゆえに、左右なく幽玄の堺に入らず。幽玄の堺に入らざれば、上果に至らず。上果に至らざれば、名を得る上手にはならぬなり。さるほどに名人は左右なくなきなり。ただこの幽玄の風の大切なるところを肝要にして、稽古すべし。この上果と申すは、姿かかりの美しきなり。ただかへすがへす身なりを心得て、たしなむべし。しかれば究め究めては、二曲をはじめて品々の物まねに至るまで、姿美しくは、いづれも上果なるべし。姿悪くは。いづれも俗なるべし。見る姿の数々、聞く姿の数々の、おしなめて美しからんをもて、幽玄と知るべし。この理をわれと工夫して、その主になり入るを、幽玄の堺に入る者とは申すなり。この品々を工夫もせず、ましてそれにもならで、ただ幽玄ならんとばかり思はば、生涯幽玄はあるまじきなり。（「幽玄之入堺事」、上巻三五八～三六五頁） 凡、幽玄風體の闌けたらんは、この妙所に少し近き風にてやあるべき。（「妙所之事」、上巻第三八四頁）
曲附書	當世小歌節曲舞とて、只謡の懸かりにて、曲舞になる事多く聞ゆる也。これは、靡やかに幽玄の懸かり也。（「曲舞の曲附」、下巻七五頁）
風曲集	安々と幽玄の懸かり風體にて、即座に似合たる一曲をなすべし。當世小歌節曲舞などよろしかるべし。（「音曲稽古の用心」、下巻一一五頁）
五音曲	天之命謂之性、循性謂之道、云々。然ば、性は天、道は地なるべし。此音曲の次第にとらば、祝言は性なるべし。此性を和して懸かりとなる體を幽玄と云。又幽玄をなをふぃかめて感文をそふる位を戀慕と云。（「治世音と音曲の性」、下巻一七〇頁）
中楽談儀	上代末代に藝人の得手得手様々なりといへ共、至上長久の、天下に名を得為手に於きては、幽玄の花風はをかるべからず。（「序段」、下巻二九〇頁） 先祖観阿、静かの舞の能、嵯峨の大念佛の女物狂の能など、殊に名を得し、幽玄無上の風體也、と花傳にも有。（「序段」、下巻三二三頁） すぐ成懸かりは祝言也。是を地體として、幽玄の懸かり、戀慕の懸かり。（「音曲の事」、下巻三八六頁）

あとがき

本書は、二〇一五年の春に提出した「中世歌論における幽玄の研究」（広島大学大学院総合科学研究科修士学位論文）を基礎に、さらに四年間の博士課程後期の研究を蓄積した成果であり、〈幽玄〉や〈日本美学〉をめぐる論者の学術的思索の総括でもある。出版にあたっては、二〇一九年の春に提出した「多元文化の時代における「エスニックな美学」――〈日本美学〉の構築に向けての〈幽玄〉の研究」（広島大学大学院総合科学研究科博士学位論文）のスタイルをそのまま保った。ここでは、筆者がこの課題に取り組もうと意図した私的事情および各章の由来について、簡単に説明しておきたい。

彫刻家でありながら詩人でもある高村光太郎はかつて「自分と詩との関係」において、「私は何を措いても彫刻家である。彫刻は私の血の中にある。私の彫刻がたとひ善くても悪くても、私の宿命的な彫刻家である事には變わりがない。ところでその彫刻家が詩を書く。それにどういふ意味があるか。以前よく、先輩は私に詩を書くのは止せといつた。さういふ餘技にとられる時間と精力とがあるなら、それだけ彫刻にいそしんで、早く彫刻の第一流になれといふ風に忠告してくれた。それにも拘らず、私は詩を書く事を止めずに居る。なぜかといへば、私は自分の彫刻を護るために詩を書いてゐるのだからである。自分の彫刻を純粋であらしめるため、彫刻に他の分子の夾雜して來るのを防ぐため、彫刻を文學から獨立せしめるために、詩を書くのである」（『昭和文学全集二二　高村光太郎・萩原朔太郎集』角川書店、一九五二年、一七八頁）と述べた。

私は高村のような天才、かつ多能な人間ではない。和歌や能に通じてもいない「よそ者」であった。しかし、こういう私があえて〈幽玄〉を研究テーマとして定め、広大な美学史を取り扱いはじめた。これはより本質的な「日本的なるもの」を勉強したい、より幅広い知識を身につけたいという、文化的「他者」としての心性に由来するのかもしれない。あるいは、一五〇〇年前オランダへ出航した西周や一二〇〇年前中国からやってきた魯迅と同じく、後発国からの「生徒」としての志向を持つからかもしれない。例えるなら、これは牛と同じように、まずいっぱい食べて、また後日胃の腑から戻し、もう一度ゆっくりと咀嚼するという消化法と似ている。

「序章」はこのような「私」が代表として発足し、同じく日本の近代文芸や近代化へ関心を持つ留学生を中心に集めた平成三〇年度広島大学学生独自プロジェクトという共同研究の申請書に基づいて大幅に加筆・修正したものである。第一章もこのプロジェクト助成によって調査範囲を広げたり、日本美学会全国大会若手フォーラムで発表したりすることができた。第一章の「はじめに」に挙げたように、〈日本美学〉については日本近代美学史の分野において研究の積み重ねが多くあり、山本正男、金田民夫、神林恒道などの先生方がすでに日本近代美学史の枠組みを築き上げたと言える。彼らの示した方向へ進むことを望む私にできるのは、ただこの枠組みにほんの少しのことを付け加えるだけである。第二章は〈幽玄〉について明治時代に森鴎外と石橋忍月との間に論争があった、と偶然知り得たところから着手し、森鷗外の博学や鋭敏さに魅力されて手を離すことができなくなり、彼に関する研究を続けたことが由来となっている。鷗外研究において、小堀桂一郎先生の存在は大きく、特に時系列に整理した『森鷗外——文業解題』は鷗外研究の必読書と言ってもよいだろう。本書もこの本を参照しながら、自分なりの問題意識を持って、鴎外の文芸批評などを改めて読んで彼の美学の道を整理した。第三章は修士論文の進化である。修士論文に比べ、本書で特に注力したのは、〈幽玄〉の思想的背景の解明や詩学による解釈である。特にこの章の第一節における、〈幽玄〉に含まれる中国人の山岳信仰は、荒見泰史教授のゼミナールを受けた際、白須淨眞・荒見泰史両先生から教示を頂いたり、ゼミの皆さんと切磋琢磨したりすることを通じて意識したことである。第二節における詩学的な分析方法は、主にリップス流の心理学的美学から摂取したものであり、尼ヶ崎彬先生の『歌の道の詩学』、佐藤透先生の『美と実在——日本的美意識の解明に向けて』、および朱光潜先生の『文芸心理学』より多くの示唆を受けた。第三節における「崇高」との比較は、桑島秀樹教授の「崇高研究」から影響を受けて始めたものである。「仁者楽山、智者楽水」と桑島先生が『崇高の美学』で引いたように、「崇高」の美的範疇化の歴史における西洋人の山岳体験を重視した点は、桑島先生の「崇高研究」の創見であり、〈幽玄〉と「崇高」を比較しようとする私に多くのヒントを与えてくれた。そして言うまでもなく、全般において、本書は指導教官である青木孝夫教授から指導を頂き、〈日本美学〉の構築に関する先生の思想や方法論を受け継いだ。

各章節の初出に関して、より詳細な情報は以下のとおりである。

序　章【研究計画書】「多元文化の時代における「エスニック」な美学――日本近代美学史の構築に向けての総合的探求」広島大学学生独自プロジェクト、採用期間二〇一八年八月～二〇一九年三月。

【口頭発表】「多元文化時代下「日本美学」的歴史生成与其建構邏輯」、The 9th International Conference of Eastern Aesthetics, Hubei University, Wuhan, China. 2019.10.19.

第一章

第一節【論文】「从和魂漢才到和魂洋才――近代日本美学的導入」『中国美学』（首都師範大学中国美学研究センター・鄒華主編）第二号、中国社会科学文献出版社、二〇一六年、一〇三～一一三頁。

第二節【口頭発表】「もう一つの「美学」事始――近代日本における「美学」という訳名の変遷およびその学問の制度化」美学会第六九回全国大会若手フォーラム（『発表要旨集』六二頁）、二〇一八年一〇月八日於関西大学。

【論文】「日本明治時期大学的美学課程及其講座的誕生始末」『美育学刊』（中国杭州師範大学編）、二〇二一年二号、五一～五八頁。

【論文】「近代日本『美学』訳名的流変」『東方叢刊』二〇二〇年一号（中華美学学会ほか編）、広西師範大学出版社、印刷中。

第三節【口頭発表】「日本学院派美学淵流考――兼談大西克礼的『幽玄論』」、The 8th International Conference of Eastern Aesthetics, Shanxi University, Taiyuan Shi, Shanxi Sheng, China. 2016.10.29.

【学会報告書】The Birth and Dissemination of "Aesthetics" in Recent East Asia: Based on China and Japan, Culture and Art & Philosophy in the Age of Digital Transformation, SungKyunKwan University, 2017, pp. 52-66.

【論文】「日本学院派美学源流考――兼談大西克礼的『幽玄論』」『文芸美学研究』二〇一六秋季巻（中国山東大学文芸美学研究センター編）、中国社会科学出版社、二〇一九年、五九～七九頁。

第二章

第一節【論文】「幽玄論史百年（一）――森鷗外と石橋忍月の「幽玄論争」をめぐって」『人間文化研究』（広島大学人間文化研究会編）第九

号、二〇一七年、五三～七〇頁。

第二節【論文】「森鷗外文芸美学思想初探――以其早期的文芸批評為中心」『中国美学』第三号、二〇一七年、五二～六五頁。

第三節【論文】「幽玄論史百年（二）――複眼的・総合的研究への道程」『人間文化研究』第一一号、二〇一九年、三一～二二頁。

第三章
第一節【論文】「「幽玄」はどこからきたのか――中国古典資料における「幽玄」の解明」『藝術研究』（広島芸術学会編）第二九号、二〇一六年、四五～五八頁。

第二節【論文】「「幽玄」への招待――その意味と研究の展望」『人間文化研究』第一〇号、二〇一八年、四五～六二頁。

第三節【口頭発表】「「幽玄」の詩学――日本古典資料における「幽玄」の解明」広島芸術学会第三三回大会、二〇一九年八月三日於広島市立大学サテライトキャンパス。

【論文】「「幽玄」の詩学――藤原俊成・定家一系の用例を中心に」『比較美学研究Ⅶ・特別号　美学の饗宴――青木孝夫先生退職記念論集』（広島比較美学研究会編）、二〇二二年、一七～三二頁。

終章　書き下ろし。


また、中国首都師範大学文学院の鄒華教授の厚意に甘えて、筆者は『中国美学』（社会科学文献出版社）第二号から毎号日本人美学者の論文を訳出し続けている。ここでは、本書に関連するもの（サブタイトル略）だけを以下に抄出する。これらの訳文はある程度、私の知識元の一部にもなっている。なお、これらの訳文を集めた『多元文化時代下的日本美学研究』も近いうちに中国の江西美術出版社から出る予定である。この本が両国の文化交流に僅かでも貢献できれば嬉しく思う。


青木孝夫「芸道的中心概念――審美習慣」『中国美学』第二号、二〇一六年、一〇三～一一三頁。

「関於近代日本〝教養主義〟的成立」『中国美学』第三号、二〇一七年、一二六～三八頁。

「花与状況的美学」『中国美学』第五号、二〇一八年、一〇九～一二八頁。

桑島秀樹「何謂崇高」『中国美学』第二号、二〇一六年、六五～八六頁。

「崇高美学的体系化」『中国美学』第三号、二〇一六年、六五～八六頁。

神林恒道「東西方之間的書法美学」『中国美学』第三号、二〇一七年、三～一三頁。

萱のり子「和歌編織的書法」『中国美学』第三号、二〇一七年、一四～二五頁。

濱下昌宏「志賀重昂『日本風景論』与日本式崇高」『中国美学』第四号、二〇一八年、九九～一一九頁。

大石昌史「人格主義与移情美学」『中国美学』第六号、二〇一九年、一七一～一九五頁。


最後に、簡単ながら、広島大学在学中にお世話になった先生方、同窓諸君、東広島二一ロータリークラブの方々（カウンセラー・土肥慎二郎先生）、本書の出版に多大な協力を頂いた美学出版の黒田結花さん、および長い間私の研究活動を支えてくれた家族に感謝の気持ちを伝えておきたい。そして、広島県東広島市という都市・町の土地にも感謝したい。平成二九年度ロータリー米山奨学生として東広島二一ロータリークラブ（「一人の留学生の眼――私の日本像」東広島二一ロータリークラブ一〇月第三例会、二〇一七年一〇月二三日於グランラセーレ東広島）、東広島ロータリークラブ（「中国、そして日本――私の「古里」」東広島ロータリークラブ一一月第三例会、二〇一七年一〇月二八日於グランラセーレ東広島）に招かれて卓話した際に述べたように、広島県東広島市はいままで私が出身地（中国江西省徳興市）を除き最も長く住んだ土地である。私はここで妻と出会って結婚し、元気で可愛い娘を迎えることができた。ここはまさに私の第二の故郷となった。この土地と縁がなければ、こんなに素晴らしい方々に出会うことはできず、この本もこうして存在しなかったはずである。皆様に心より感謝し、この本を捧げたいと思う。

なお、本書は江西省「双千計画」哲学社会科学領軍人材（青年）プロジェクトの成果の一部であり、江西師範大学美術学院の専項建設経費の助成を受けて出版した。

二〇二一年六月

中国江西省南昌市にて　鄭子路

参考文献一覧（章ごとに所拠本出版年順）

【序章】

勝本清一郎編『透谷全集』第一巻、岩波書店、一九五〇年
吉田賢抗『新訳漢文大系・第一巻　論語』明治書院、一九六〇年
西田幾多郎『西田幾多郎全集四　働くものから見るものへ』岩波書店、一九六五年
永田広志『日本哲学思想史』法政大学出版局、一九六七年
正岡子規『子規全集』第七巻、講談社、一九七五年
吉田精一『近代文芸評論史　明治篇』至文堂、一九七五年
今道友信「美学の現代的課題」『美学』第二八巻第二号、一九七七年
梅原猛『梅原猛著作集』第三巻、集英社、一九八二年
神林恒道・潮江宏三・島本浣編『芸術学ハンドブック』勁草書房、一九八九年
西村清和『現代アートの哲学』産業図書株式会社、一九九五年
井田進也校注・中江兆民著『一年有半・続一年有半』岩波文庫、一九九五年
松本三之介編『中江兆民全集』第一〇巻、岩波書店、一九九六年
佐々木健一『エスニックの次元――《日本哲学》創始のために』勁草書房、一九九八年
稲賀繁美「日本美術とジャポニスムと――『ジャポニスム展』から」『みづゑ』第九四八号、一九九八年
西村清和「美学会創立五〇周年記念シンポジウム」『美学』第五〇巻第四号、二〇〇〇年
西川長夫「多文化主義とアイデンティティ概念をめぐる二、三の考察――アイデンティティ論のために」『言語文化研究』第一二巻三号、二〇〇〇年
神林恒道「芸術のアジア――外からの眼差しと内からの応え」『アート・リサーチ』第二号、二〇〇一年
佐々木健一「第十五回国際美学会会議報告」『美学』第五二巻第二号、二〇〇一年
佐々木健一「新世紀の展望と日本美学」『ＵＰ』第三一巻第三号、二〇〇二年

藤田正勝・高坂史朗・卞崇道編『東アジアと哲学』ナカニシヤ出版、二〇〇三年
堀邦維「文化的多元主義から多文化主義へ」『日本大学芸術学部紀要』第三九号、二〇〇四年
武田宙也著・孫凡棋訳「日本美学和芸術研究的現状 ——以二〇世紀九〇年代以後的変化為重点」『美与時代・下巻』二〇一五年〇一期
青木孝夫「芸道的中心概念：審美習慣 ——以世阿弥能楽論中的樹木与器為糸索」『中国美学』第二号、中国社会科学文献出版社、二〇一六年
青木孝夫「東アジアに於ける比較美学研究の必要性について」『比較美学研究』第三号、二〇一六年

【第一章】

井上哲次郎ほか編『哲学字彙』東京大学三学部印行、一八八一年
ゼームス・ジョホノット著、高嶺秀夫訳『教育新論』第三巻、東京茗渓会、一八八六年
顔永京訳『心霊学』益智書会、一八八九年
「彙報」『早稲田文学』一八九一年一一月号&一八九二年一〇月号
大月隆『美妙』文学同志会、一八九六年
坪内逍遥『文学その折々』春陽堂、一八九六年
森鷗外『西周伝』西紳六郎刊、一八九八年
東山主人『新輯各国政治芸学分類全書・西国学校』鴻宝書局、一九〇二年
観雲「維朗氏詩学論」『新民叢刊』第三巻第二四号、一九〇五年
井上哲次郎ほか編『哲学字彙・増補版』東京大学三学部印行、一九一二年
大塚保治「大西祝博士を憶ふ」『哲学雑誌』第三二四号、一九一四年
特集「ケーベル先生追憶号」『思想』第二三号、一九二三年
桑木嚴翼「ケーベル先生に就て」『哲学雑誌』第四三八号、一九二三年
姉崎正治「ケーベル先生の追懐」『哲学雑誌』第四三八号、一九二三年
井上哲次郎「ラファエル・フォン・ケーベル氏を追懐す」『哲学雑誌』第四三八号、一九二三年
神代種亮「日本絵画ノ未来解題」『明治文化全集』第二〇巻、日本評論社、一九二八年
深田康算「追憶」『深田康算全集』第四巻、岩波書店、一九三一年
井上哲次郎「明治哲学界の回顧」『岩波講座哲学』第二〇回、岩波書店、一九三二年

大西克礼編『大塚博士講義集Ⅰ　美学及芸術論』岩波書店、一九三三年
有賀長雄訳注・大村西崖校閲『東亜美術史綱』創元社、一九三八年
東京帝国大学編『学術大観　総説・文学部』一九四二年
麻生義輝『近世日本哲学史』近藤書店、一九四二年
柳田泉『明治初期の文学思想』下巻、春秋社、一九六五年
山本正男『東西芸術精神の伝統と交流』理想社、一九六五年
夏目漱石『漱石全集』第一巻、岩波書店、一九六五年
桑原武夫編『中江兆民の研究』岩波書店、一九六六年
折口信夫「日本学及び五山文学」『折口信夫全集』第一二巻、中央公論社、一九六六年
阿部次郎『阿部次郎全集』第一七巻、角川書店、一九六六年
大久保利謙編『西周全集』第一巻、第三巻、宗高書房、一九六六年
桂広介『日本美の心理』誠信書房、一九六八年
森県「西周『美妙学説』成立年時の考証」『国文学――解釈と教材の研究』第一四巻六号、一九六九年
柳田泉「維氏美学解題」『明治文化全集補巻（一）維氏美学』日本評論社、一九七〇年
藤田一美「諸大学における美学講座等開設に関する資料」『美学』第二二巻第三号、一九七一年
佐藤昌介ほか編『日本思想大系五五　渡辺崋山・高野長英・佐久間象山・橋本左内』岩波書店、一九七一年
森林太郎『鷗外全集』第五巻、第八巻、岩波書店、一九七二年
森林太郎『鷗外全集』第二一巻、第二三巻、第二五巻、岩波書店、一九七三年
土方定一『近代日本文学評論史』法政大学出版局、一九七三年
井上哲次郎『井上哲次郎自伝』富士房、一九七三年
森林太郎『鷗外全集』第三四巻、岩波書店、一九七四年
夏目漱石「ケーベル先生」『夏目漱石全集』第八巻、角川書店、一九七四年
三木清『読書と人生』新潮文庫、一九七四年
和田繁二郎「書評　吉田精一著『近代文芸評論史　明治編』」『比較文学』第一八巻、一九七五年
森林太郎『鷗外全集』第三五巻、第三六巻、岩波書店、一九七五年

土方定一編『明治文学全集七九　明治芸術・文学論集』筑摩書房、一九七五年
坪内逍遙『逍遥選集』第一二巻、第一書房、一九七七年
森東吾『東洋美術史綱』東洋美術株式会社、一九七八年
早稲田大学大学史編集所編『早稲田大学百年史』一九七八年
隈元謙次郎ほか編『岡倉天心全集』第三巻、平凡社、一九七九年
隈元謙次郎ほか編『岡倉天心全集』第四巻、平凡社、一九八〇年
姉崎正治・笹川種郎編『改訂註釋　樗牛全集』第一巻、第三巻、第五巻、日本図書センター、一九八〇年
久富貢『アーネスト・フランシスコ・フェノロサ——東洋美術との出会い』中央公論美術出版社、一九八〇年
隈元謙次郎ほか編『岡倉天心全集』第八巻、平凡社、一九八一年
大久保利謙編『西周全集』第四巻、宗高書房、一九八一年
松本三之介編『中江兆民全集』第二巻、第三巻、岩波書店、一九八四年
今道友信編『講座美学』東京大学出版会、一九八四年
惣郷正明・飛田良文編『明治のことば辞典』東京堂出版、一九八六年
東京大学百年史編集委員会編『東京大学百年史　部局史二』一九八六年
東京芸術大学百年史刊行委員会編『東京芸術大学百年史　東京美術学校篇　第一巻』一九八七年
平川祐弘『和魂洋才の系譜』河出書房新社、一九八七年
山口静一編『フェノロサ美術論集』中央公論美術出版社、一九八八年
渡邊静夫編『日本大百科全書』小学館、一九八八年
青木茂「解題」『日本近代思想大系一七美術』岩波書店、一九八九年
北澤憲昭『眼の神殿——「美術」受容史ノート』美術出版社、一九八九年
金田民夫『日本近代美学序説』法律文化社、一九九〇年
熊月之『晩清社会与西学東漸』上海人民出版社、一九九四年
富永健一『近代化の理論——近代化における西洋と東洋』講談社学術文庫、一九九六年
田中実編『作家の随想一森鷗外』日本図書センター、一九九六年
傅傑編『王国維論学集』中国社会科学出版社、一九九七年

那須雅之「『英華字典』を編んだ宣教師ロブシャイト略伝」『しにか』一九九八年一〇、一一、一二期
張之洞著・李忠興評注『勧学篇』中州古籍出版社、一九九八年
京都大学百年史編集委員会編『京都大学百年史　総説編』一九九八年
牧野英二訳『カント全集八　判断力批判　上』岩波書店、一九九九年
北澤憲昭ほか編『美術のゆくえ、美術史の現在』平凡社、一九九九年
佐藤道信『明治国家と近代美術』吉川弘文館、一九九九年
酒井敏・原國人編『森鷗外論集歴史に聞く』新典社、二〇〇〇年
黄興濤「美学一詞及西方美学在中国的最早伝播」『文史知識』二〇〇〇年〇一期
神林恒道編『日本の芸術論——伝統と近代』ミネルヴァ書房、二〇〇〇年
藤田一美「カロカガティア系譜考——その予備的考察」『美学藝術学研究』第二〇〜二一巻、二〇〇一〜二〇〇二年
岩城見一『芸術／葛藤の現場——近代日本芸術思想のコンテクスト』晃洋書房、二〇〇二年
神林恒道『美学事始——芸術学の日本近代』勁草書房、二〇〇二年
神林恒道「日本の『美学』と『日本』の美学」『美術教育』第二八四号、二〇〇二年
加藤哲弘『明治期日本の美学と芸術研究』科研費報告書、二〇〇二年
青木孝夫『江戸の美学思想の解明——美と藝術の社会的位置づけをめぐって』科研費報告書、二〇〇二年
藤田一美「啓蒙思想における「国家之用」の論理——西周の啓蒙哲学における美学思想（一）」『美学藝術学研究』第二二巻、二〇〇三年
広島大学編『第五三回美学会全国大会当番校企画報告書』二〇〇三年
藤田一美「啓蒙思想における「為国家之用」の論理——西周の啓蒙哲学における美学思想（二）」『美学藝術学研究』第二三巻、二〇〇四年
佐々木健一編『日本の近代美学（明治・大正期）』科研費報告書、二〇〇四年
大石昌史「阿部次郎と感情移入美学」『哲学』第一一三号、二〇〇五年
島根県立大学西周研究会編『西周と日本の近代』ぺリカン社、二〇〇五年
神林恒道編『京の美学者たち』晃洋書房、二〇〇六年
神林恒道『近代日本「美学」の誕生』講談社学術文庫、二〇〇六年
陳望衡「美学、西洋から日本へ、そして中国へ」『アート・リサーチ』第六号、二〇〇六年
濱下昌宏『主体の学としての美学——近代日本美学史研究』晃洋書房、二〇〇七年

鈴木貞美「東アジアにおける学芸諸概念とその編成史」『日本研究』第三七巻、二〇〇八年
麻生義輝『近世日本哲学史――幕末から明治維新の啓蒙思想』書肆心水、二〇〇八年
桑木厳翼『日本哲学の黎明期――西周の『百一新論』と明治の哲学界』書肆心水、二〇〇八年
聶長順「近代 Aesthetics 一詞的漢訳歴程」『武漢大学学報（人文科学版）』第六二巻六期、二〇〇九年
鈴木貞美『「日本文学」の成立』作品社、二〇〇九年
坪内逍遥『小説神髄』岩波文庫版、二〇一〇年
佐々木健一『日本的感性――触覚とずらしの構造』中央公論新社、二〇一〇年
高建平「美学、美学大会与中国美学的発展」『文芸争鳴』二〇一〇年八月号
沈国威『近代英華華英辞典解題』関西大学出版部、二〇一一年
大澤真幸『近代日本思想の肖像』講談社、二〇一二年
李心峰「関注美学上的「日本鏡」」『外国美学』第二一号、江蘇鳳凰教育出版社、二〇一三年
熊英『羅存徳及『英華字典』研究』北京外国語大学博士学位論文、二〇一四年
彭修銀・王杰泓等『中国現代文芸学概念的日本因素』中国社会科学出版社、二〇一六年
宗像和重「もう一つの『文章世界』――大月隆と文学同志会のことども」『早稲田大学大学院文学研究科紀要』第六三巻、二〇一八年

【第二章】

井上哲次郎「獨乙國留學井上哲次郎氏の來翰」『東洋学芸雑誌』第六三～六四号、一八八六～一八八七年
塚本哲三編『風俗文選・和漢文操・鶉衣』有朋堂書店、一九二七年
内田魯庵『紙魚繁昌記』理想社、一九三二年
井上哲次郎「余と明治文学及び文学者――新体詩抄・鷗外・フロレンツ・樗牛其他」『国語と国文学』（夏季特輯・明治大正文学を語る）第一一巻第八号、一九三四年
久松潜一「最近に於ける国語国文学界の動向　文学意識を中心とした研究」『文学』第二巻第七号、一九三四年
谷川徹三・松村和人訳『西洋哲学史』岩波文庫、一九三九年
石橋貞吉編『石橋忍月評論集』岩波文庫、一九三九年
岡崎義恵『日本文芸学』岩波書店、一九三九年

岡崎義恵『美の伝統』弘文堂書房、一九四〇年

山田弘倫『軍医森鷗外』文松堂、一九四三年

久松潜一「石橋忍月と文学評論」『国語と国文学』第二六巻第一号、一九四九年

北住敏夫「竹内敏雄教授著『文芸学序説』を読んで」『文藝研究』第一一号、一九五二年

久松潜一「日本古代文学における美の類型」『日本学士院紀要』第一一巻第二号、一九五三年

臼井吉見「『舞姫』論争」『文学界』第八巻第二号、一九五四年

島本晴雄「『維氏美学』と中江篤介——比較文学研究ノート」『女子大文学』第九号、一九五七年

神田孝夫「美学者としての鷗外」『国文学解釈と鑑賞』第二八〇号、一九五九年

岡崎義恵『岡崎義恵著作集五　源氏物語の美』宝文館、一九六〇年

小宮豊隆ほか編『阿部次郎全集』第三巻、角川書店、一九六一年

神田孝夫「森鷗外とハルトマン——『無意識哲学』を中心に」『島田謹二教授還暦記念論文集　比較文学比較文化』弘文堂、一九六一年

関良一『近代文学論争事典・幽玄論論争』至文堂、一九六二年

長谷川泉『近代文学論争事典』至文堂、一九六二年

岡崎義恵『岡崎義恵著作集一　日本文芸学新論』宝文館、一九六一年

岡崎義恵『岡崎義恵著作集二　日本文芸の様式と展開』宝文館、一九六二年

Moore, Wilbert E.: Social Change, Englewood Cliffs, N.J., PrenticeHall, 1964

長谷川泉『作家伝叢書二　森鷗外』明治書院、一九六五年

夏目金之助『漱石全集』第一一集、岩波書店、一九六六年

久松潜一『久松潜一著作集一　国文学——方法と対象』『久松潜一著作集二　日本文学の風土と思潮』『久松潜一著作集三　日本文学評論史　古代・中世篇』『久松潜一著作集六　日本文学評論史　詩歌論篇』『久松潜一著作集一〇　日本文学評論史　理念・表現篇』至文堂、一九六八年

稲垣達郎編『森鷗外必携』学灯社、一九六八年

小堀桂一郎『若き日の森鷗外』東京大学出版会、一九六九年

久松潜一『久松潜一著作集九　上代日本文学の研究』『久松潜一著作集別巻　国文学徒の思ひ出』至文堂、一九六九年

清水茂「「エリス」像への一視角——「点化（トランスズブスタンチアチオン）」の問題に関連して」『日本近代文学』第一三号、三省堂、一九七〇年

谷沢永一『明治期の文芸評論』八木書店、一九七一年
久松潜一「日本文学美と川端文学」『東京女子大学論集』第二一巻第二号、一九七一年
福田清人編『明治文学全集二三　山田美妙・石橋忍月・高瀬文淵集』筑摩書房、一九七一年
今道友信『美について』講談社、一九七三年
長谷川泉『近代日本文学の位相　上』桜楓社、一九七四年
竹内敏雄編『美学事典』（増補版）弘文堂、一九七四年
竹内敏雄「日本の美学の歴史をかえりみて」『美学』第二五巻第四号、一九七五年
正岡子規『子規全集』第四巻、講談社、一九七五年
市野沢寅雄『滄浪詩話』明徳出版社、一九七六年
「久松潜一記念特集」『国語と国文学』第五三巻七号、至文堂、一九七六年
亀田俊郎「忍月と鷗外の論争をめぐって（二）――うたかたの記論争」『国文学試論』第四号、一九七七年
竹内敏雄『美学総論』弘文堂、一九七九年
磯貝英夫『森鷗外――明治二十年代を中心に』明治書院、一九七九年
稲垣達郎『舞姫・うたかたの記他三篇・解説』岩波書店、一九八一年
嘉部嘉隆「森鷗外文芸評論の研究（五）――「幽玄論争」の論理と方法（一）」『樟蔭国文学』第一九号、一九八二年
梅原猛『梅原猛著作集』第二〇巻、集英社、一九八二年
小堀桂一郎『森鷗外――文業解題』岩波書店、一九八二年
嘉部嘉隆「石橋忍月と鷗外」『森鷗外の断層撮影像』至文堂、一九八四年
ロベルトシンチンゲルほか編『独和広辞典』三修社、一九八六年
大西先生生誕百年回想録編集委員会編『大西先生とその周辺――回想録』一九八九年
Ueda Makoto: "Yugen and Erhabene: Onishi Yoshinori's Attempt to Synthesize Japanese and Western Aesthetics" (En: Rimer, J. Th. (ed.) Culture and Identity. Japanese Intellectuals during the Interwar Years, Princeton University Press, pp. 182-300, 1990
坂井健「観念としての「理想（想）」――鷗外「審美論」における訳語の問題を中心に」『日本語と日本文学』第一六号、一九九二年
佐々木健一編『美学辞典』東京大学出版会、一九九五年
陳生保「森鷗外と中国文化――その漢詩から見て」『日本研究』第一七号、一九九八年

小田部胤久「「日本的なもの」とアプリオリ主義のはざま――大西克礼と「東洋的」芸術精神」『美学』第一九六号、一九九九年
生和秀敏「広島大学における教養的教育のあゆみ」『広島大学史紀要』第四号、二〇〇二年
小池聖一「「紛争」から「改革」へ――教養部の改組・総合科学部の創設」『広島大学史紀要』第四号、二〇〇二年
法政大学国際日本学研究所編『日本学とは何か――ヨーロッパから見た日本研究、日本から見た日本研究』二〇〇七年
在間進編『アクセス独和辞典』第三版、三修社、二〇一〇年
権藤愛順「明治期における感情移入美学の受容と展開――「新自然主義」から象徴主義まで」『日本研究』第四三巻、二〇一一年
吉口弥生「伊藤尚と阿部次郎の感情移入説――リップス受容をめぐって」『日本研究』第四三巻、二〇一一年
王向遠『日本幽玄』吉林出版集団、二〇一一年
猪木武徳ほか編『新・日本学誕生　国際日本文化研究センターの二五年』角川学芸出版、二〇一二年
大西克礼『大西克礼美学コレクション』(全三巻)、書肆心水、二〇一二年
田中久文『日本美を哲学する』青土社、二〇一三年
康欣「梁橋『氷川詩式』詩学思想探究」河北師範大学修士学位論文、二〇一四年
東京大学総合図書館「鷗外文庫書入本画像データベース」https://iiif.dl.itc.u-tokyo.ac.jp/repo/s/ogai/page/home

【第三章】

『大正新脩大藏経』第五二冊、大藏出版社、一九三二年
能勢朝次『世阿弥十六部集評訳』岩波書店、一九四九年
佐々木信綱編『日本歌学大系』第二巻、第三巻、第四巻、風間書房、一九五六年
佐々木信綱編『日本歌学大系』第一巻、第五巻、風間書房、一九五七年
阪倉篤義等校注『日本古典文学大系九　竹取物語・伊勢物語・大和物語』岩波書店、一九五七年
李昉等編『太平御覧』中華書局、一九五九年
小沢正夫校訂「校訂作文大体」『愛知県立女子大学説林』第一一号、一九六三年
小島憲之校注『日本古典文学大系六九　懐風藻・文華秀麗集・本朝文粋』岩波書店、一九六四年
萩谷朴・谷山茂校注『日本古典文学大系七四　歌合集』岩波書店、一九六五年
范曄撰・李賢等注『後漢書』中華書局、一九六五年

阿部吉雄・山本敏夫『新釈漢文大系・第七巻　老子』明治書院、一九六六年
赤塚忠『新釈漢文大系・第二巻　大学・中庸』明治書院、一九六七年
小林信明『新釈漢文大系・第二二巻　列子』明治書院、一九六七年
市川安司『新釈漢文大系・第八巻　荘子（下）』明治書院、一九六七年
久松潜一編校『歌論集（一）・中世の文学』三弥書店、一九七一年
房玄齢等撰『晋書』中華書局、一九七四年
劉昫等著『旧唐書』中華書局、一九七五年
『和刻本漢籍随筆集』第一七集、汲古書院、一九七七年
鎌田正『新釈漢文大系・第三二巻　春秋左氏伝（三）』明治書院、一九七七年
戸田浩暁『新釈漢文大系・第六五巻　文心雕龍（下）』明治書院、一九七八年
目加田誠『新釈漢文大系・第七八巻　世説新語（下）』明治書院、一九七八年
能勢朝次『能勢朝次著作集Ⅱ　幽玄論』思文閣、一九八一年
曽布川寛『崑崙山への昇仙――古代中国人が描いた死後の世界』中央公論社、一九八一年
元稹撰・翼勤点校『元稹集』中華書局、一九八二年
大西祝『大西博士全集』第七巻、日本図書センター、一九八二年
谷山茂『谷山茂著作集Ⅰ　幽玄』角川書店、一九八二年
尼ヶ崎彬『花鳥の使　歌の道の詩学』勁草書房、一九八三年
黎輝亮「談古代漢語的同義連文」『海南大学学報・社会科学版』一九八四年〇一期
玄奘・辯机著、季羡林等校注『大唐西域記校注』中華書局、一九八五年
駱賓王著・陳熙晋箋注『駱臨海集箋注』上海古籍出版社、一九八五年
尾崎雄二郎編『訓読説文解字』東海大学出版社、一九八六年
蕭統編・李善注『文選』上海古籍出版社、一九八六年
『新編国歌大観』第五巻、角川書店、一九八七年
陸雲著・黄葵校注『陸雲集』中華書局、一九八八年
尼ヶ崎彬『日本のトレリック――演技する言葉』筑摩書房、一九八八年

太田孝彦「室町時代における中国絵画の受容」『日本の美術』昭和堂、一九八九年
佐藤利行『陸雲研究』白帝社、一九九〇年
李鼎祚著・陳徳述整理『周易集解』巴蜀書社、一九九一年
武田元治『幽玄――用例の注釈と考察』風間書房、一九九四年
尼ヶ崎彬『縁の美学　歌の道の詩学Ⅱ』勁草書房、一九九五年
吉田賢抗『新釈漢文大系・第四一巻　史記四（八書）』明治書院、一九九五年
青木孝夫「〈見立て〉の美学」『日本の美学』第二四号、ぺりかん社、一九九六年
阿部吉雄等著・渡部雅之編『新書漢文大系・老子』明治書院、一九九六年
韓愈著・屈守元等編『韓愈全集校注』四川大学出版社、一九九六年
牧野英二訳『カント全集八　判断力批判　上』岩波書店、一九九九年
劉凌「竺道爽檄太山文的文化意蘊」『泰安師専学報』第二一巻第四期、一九九九年
久保光志訳「美と崇高の感情にかんする観察」『カント全集二』岩波書店、二〇〇〇年
荒見泰史「大足宝頂山石窟「地獄変龕」成立の背景について」『絵解き研究』第一六巻、二〇〇二年
青木孝夫「器の詩学」『日本の美学』第三五号、灯影舎、二〇〇二年
桑島秀樹『初期バークにおける美学思想の全貌――一八世紀ロンドンに渡ったアイリッシュの詩魂』大阪大学大学院文学研究科博士学位論文、二〇〇三年
小林信明著・西林真記子編『新書漢文大系・列子』明治書院、二〇〇五年
陶弘景著・吉川忠夫等編・朱越利訳『真誥校注』中国社会科学出版社、二〇〇六年
大石昌史「余情の美学――和歌における心・詞・姿の連関」『哲学』第一一八号、二〇〇七年
牧野英二『崇高の哲学――情感豊かな理性の構築に向けて』法政大学出版局、二〇〇七年
許慎撰・段玉裁注・許惟賢整理『説文解字注』鳳凰出版社、二〇〇七年
桑島秀樹『崇高の美学』講談社、二〇〇八年
朱光潜『文芸心理学』復旦大学出版社、二〇〇九年
青木孝夫「〈見立て〉の詩学 古典文化の受容と変容の美学――主に瀟湘八景を例に」『人間文化研究』第一号、二〇〇九年
張衡著・張震沢注『張衡詩文集校注』上海古籍出版社、二〇〇九年

渡邊定元・佐野充編『富士山を知る事典』日外アソシエーツ、二〇一二年
エドマンド・バーク著、大河内昌訳『崇高と美の起源』研究社、二〇一二年
富士山世界文化遺産登録推進両県合同会議編『富士山百画』美術出版社、二〇一三年
王向遠『日本之文与日本之美』新星出版社、二〇一三年
城市真理子「室町時代の水墨画における中国イメージ――広島県立美術館蔵　西湖図屏風をめぐって」『広島国際研究』第一九巻、二〇一三年
白須淨眞編『シルクロードの来世観』勉誠出版社、二〇一五年
佐藤透『美と実在――日本的美意識の解明に向けて』ナカニシヤ出版、二〇一六年
星野太『崇高の修辞学』月曜社、二〇一七年
荒見泰史「中国仏教と祖先祭祀」『宗教と儀礼の東アジア――交錯する儒教・仏教・道教』勉誠出版、二〇一七年
青木孝夫「花与状況的美学――以夜桜的雰囲為中心」『中国美学』第五号、中国社会科学文献出版社、二〇一八年

【終章】

『昭和文学全集二二　高村光太郎・萩原朔太郎集』角川書店、一九五二年
坂部恵・伊古田理訳『実践理性批判』『カント全集七』岩波書店、二〇〇〇年

索　引

── 人名・団体名等 ──

── 書名・文章名 ──

―― 概念・そのほか ――

ま

や

ら

わ

著者紹介

鄭　子路（Zheng Zilu）
一九九一年中国江西省徳興市生まれ。
平成二十九年度ロータリー米山記念奨学金奨学生。
広島大学大学院総合科学研究科博士課程修了。博士（学術）。
広島大学特別研究員を経て、現在、中国江西師範大学美術学院講師。
専攻は美学・芸術学。

幽玄の美学
東アジア芸術精神と美的思想

2021年7月31日　初版第1刷発行

著　者——鄭 子路
発行所——美学出版合同会社
〒113-0033 東京都文京区本郷 2-16-10 ヒルトップ壱岐坂 701
Tel 03(5937)5466　Fax 03(5937)5469

装　丁————右澤康之
印刷・製本——創栄図書印刷株式会社
ⓒZheng Zilu 2021　Printed in Japan
ISBN978-4-902078-65-7 C0070
*乱丁本・落丁本はお取替いたします。*定価はカバーに表示してあります。